ATLAS DES FRANÇAIS AUJOURD'HUI

Dynamiques, modes de vie et valeurs

Laurence Duboys Fresney
Préface de Christian Baudelot
Cartographie de Claire Levasseur

Éditions Autrement
Collection Atlas/Monde

Auteur

Laurence Duboys Fresney est entrée au département de sociologie de l'OFCE (Observatoire français des conjonctures économiques - Sciences Po) dès sa création, en 1981. Elle a assuré le secrétariat scientifique du groupe Louis Dirn, dirigé par le sociologue Henri Mendras, groupe de recherche spécialisé dans l'identification et les conséquences des tendances de transformation de la société française. Depuis plusieurs années, elle participe à des recherches comparatives sur le changement social en Europe. Parallèlement, elle assure le secrétariat de rédaction de *The Tocqueville Review/La Revue Tocqueville* (centre américain de Sciences Po). À la suite de la première édition de l'*Atlas des Français* (Autrement, 2002) Laurence Duboys Fresney a publié avec Henri Mendras *Français, comme vous avez changé* (Tallandier, 2004).

Préface

Christian Baudelot, professeur de sociologie à l'École normale supérieure, est co-auteur avec Roger Establet de nombreuses études sur l'éducation, le travail, les dimensions économiques des comportements sociaux et les rapports de classes. Dernière publication avec R. Establet : *Suicide. L'envers de notre monde* (Le Seuil, 2006).

Cartes et infographies

Claire Levasseur a conçu et créé l'ensemble des cartes et infographies de cet atlas. Collaboratrice régulière des Atlas d'Autrement, elle a déjà réalisé l'*Atlas de l'immigration*, écrit par Gérard Noiriel, l'*Atlas des Hébreux* de Richard Lebeau, l'*Atlas de l'Afrique* de Stephen Smith.

Photographies

Julie Guiches, photographiste indépendante, étudie la ville, ses gens et ses mutations. Auteur pour la presse et la communication, elle intervient aussi dans le domaine de l'art contemporain. Elle participe activement au réseau Picturetank avec qui elle diffuse ses images.

Illustration de couverture

 Cette installation réalisée par Éric Périer consistait en l'éclairage, de 1999 à 2003, des 42 fenêtres de l'immeuble accueillant les artistes du projet associatif et artistique InFact.

Maquette

Conception et réalisation : EDIRE
Relecture et correction : David Mac Dougall

Éditions Autrement

Direction : Henry Dougier
Coordination éditoriale : Laure Flavigny, Chloé Pathé
Fabrication : Bernadette Mercier
Direction commerciale : Anne-Marie Bellard
Communication et presse : Doris Audoux

REMERCIEMENTS
Ce livre a pu être élaboré grâce aux recherches sociologiques menées à l'Observatoire français des conjonctures économiques (Fondation nationale des sciences politiques), présidé par Jean-Paul Fitoussi, précisément au département des études dirigé par Jacques Le Cacheux.

Il a été conçu en collaboration avec Anne Cornilleau, sociologue dernière génération, mais déjà experte en traitement des enquêtes statistiques.

Pour leurs conseils judicieux, je remercie les sociologues Michel Forsé et Maxime Parodi, les économistes Éric Heyer, Matthieu Lemoine, Mathieu Plane, Xavier Timbeau et les documentalistes Gwenola de Gouvello et Christine Paquentin.

Toute ma gratitude va à Gérard Cornilleau (directeur adjoint du département des études à l'OFCE) qui, avec une grande patience, a pris sur son temps pour lire, relire, objecter ou approuver les textes qui suivent.

AVERTISSEMENT
Les références bibliographiques concernant les textes et les sources des illustrations sont citées en fin d'ouvrage et classées par chapitre.

Les données concernant les infographies s'arrêtent au 10 février 2006.

Préface

Vive la France ! Vive la sociologie !

Vive la France ! L'amateur d'idées simples sur notre pays en sera pour ses frais. En pleine mutation, la France est compliquée et contradictoire. Le grand mérite de cet atlas tient à la vue d'ensemble qu'il propose de toutes ces dimensions à la fois : complexité, contradictions, changement. Il réussit le tour de force de présenter sous une forme attrayante, en moins de 200 pages faciles à manipuler, un volume extraordinaire de données de grande qualité, puisées aux quatre coins de l'espace statistique et des nombreux observatoires de la réalité économique et sociale. Ce sont à chaque fois les traits les plus pertinents, les plus significatifs qui sont retenus, ainsi réduits à leur quintessence. L'esprit géographique de l'atlas est respecté : chaque double page constitue un tout qui, grâce à l'ingéniosité de la présentation, invite le lecteur à méditer pour son propre compte sur l'état de la France et à confronter cette page à d'autres qui la complètent ou la compliquent. Cet atlas nous instruit mais il nous oblige surtout à penser.

Premiers consommateurs européens de psychotropes, rongés par un sentiment de mal-être, très bien placés dans le hit-parade du suicide, les Français épargnent plus qu'ils n'investissent, éprouvent de l'aversion pour le risque : ils ont le moral en berne, ils sont inquiets. Certes, mais ce même pays, célèbre pour sa sinistrose, se distingue de tous les autres pays européens, à l'exception de l'Irlande, par l'un des indicateurs les plus sûrs d'une grande confiance dans l'avenir : la fécondité de ses femmes. Pourquoi ?

Adepte avancée des nouvelles formes de parentalité – union libre, Pacs, couples homosexuels, foyers monoparentaux, divorce, familles recomposées, primat de la sexualité –, la France demeure profondément attachée à l'institution familiale et à ses valeurs les plus traditionnelles comme la fidélité entre époux : jeunes et vieux, de gauche et de droite, hommes et femmes considèrent la famille comme le meilleur ferment de solidarité dans un monde hostile. L'ancien et le nouveau font ici bon ménage.

Dans une société où la question de la sécurité occupe tant les médias et les candidats aux élections, il n'est pas indifférent de savoir que, si la population carcérale augmente et avec elle la durée des peines infligées par les tribunaux, chaque année les deux tiers des délits ne sont pas élucidés !

Quant aux épines empoisonnées plantées depuis plusieurs décennies dans la chair du corps social, chômage, inégalités, mauvais traitement infligé aux jeunes, aux seniors et aux immigrés, le bouquet composé des données recueillies les éclaire d'un jour nouveau. Les inégalités monétaires ne se creusent pas, la part de l'origine sociale dans la mobilité sociale diminue. Mais d'autres indicateurs d'inégalités progressent en matière d'accès à l'emploi, au logement, aux soins. Surtout, lorsque la croissance est faible, les inégalités deviennent de moins en moins supportables.

Quel plus bel hommage rendre à Henri Mendras que de continuer avec talent, en graphiques et en couleurs, l'observation permanente du changement social, au moment même où il se produit et dans la pluralité de ses dimensions ? Le défi était redoutable : il suffit de se plonger dans cet atlas pour savoir, dès les premières pages, que Laurence Duboys Fresney a largement gagné son pari, pour le plus grand bonheur de ses lecteurs. Vive la sociologie !

Christian Baudelot

SOMMAIRE

AVERTISSEMENT

*Les citations sont de l'auteur, à l'exception de celles suivies d'un *, dont les références figurent page 180.*

LES STRUCTURES DE LA SOCIÉTÉ

LES FRANÇAIS ET LEURS INSTITUTIONS

LES GROUPES DANS LA SOCIÉTÉ

MODES DE VIE, PASSIONS ET VALEURS

LES FRANÇAIS PARMI LES EUROPÉENS

ANNEXES

INTRODUCTION

Cet *Atlas des Français aujourd'hui* a été confectionné dans l'esprit des travaux réalisés à l'Observatoire français des conjonctures économiques (OFCE) par le groupe Louis Dirn, qui fut dirigé par le sociologue Henri Mendras, dont l'ambition était de dresser un tableau global des principales tendances d'évolutions sociétales, une sorte de diagnostic et de suivi de la conjoncture sociale française.

Chaque thème ou tendance de transformation est analysé à partir d'enquêtes générales provenant de l'Insee ou de l'Ined par exemple, de sondages barométriques, répétitifs, ou bien à partir d'études spécialisées et fragmentées de sociologie ou d'autres sciences sociales. Il s'agit donc de tendances lourdes qui concernent une majorité de Français, tendances de fond qui ont peu de chances de se retourner dans un avenir proche. Pour dire court, les transformations affectant des groupes très minoritaires, parfois très médiatisés, mais dont on soupçonne qu'elles relèvent de l'effet de mode, sont écartées de ce tableau.

Pour bien montrer qu'il s'agit de transformations durables, beaucoup de graphiques permettent de remonter le temps et de prendre du recul ; d'autres fournissent des données européennes afin de pouvoir situer la France et juger si elle fait figure d'exception ou non.

Au plus près des données récentes, l'ensemble du livre montre que la plupart des tendances de transformation de la société continuent sur leur lancée mais avec des innovations : au terme d'une longue évolution, l'opposition a disparu entre villes et campagnes – le dernier recensement montre le dynamisme démographique des territoires situés près des agglomérations de moins de 10 000 habitants. Phénomène encore imparfaitement expliqué, les Françaises sont toujours les championnes de la fécondité en Europe – seraient-elles moins matérialistes que leurs consoeurs espagnoles, italiennes ou allemandes, dont le taux de fécondité atteint des niveaux de faiblesse dramatiques ? La cellule familiale, sous toutes ses formes, recomposée ou monoparentale, que certains imaginaient en péril, montre toute sa force à travers les réseaux entretenus de beaux-parents, d'ex-conjoints et de grands-parents. On assiste plutôt à un renforcement de la parentèle.

La jeunesse s'allonge en accentuant son mode de vie particulier organisé autour des études, des activités culturelles et de loisirs, d'une sociabilité intense et de plus en plus structuré par l'emploi précaire qui retarde l'installation dans une vie stable. Pendant ce temps, le troisième âge, qui pour l'instant n'est guère affecté par la crise économique, anime de plus en plus l'ensemble de la société française, comme l'avait bien conjecturé Henri Mendras. Du côté des femmes, nul doute qu'elles « rattrapent » les hommes dans le sens où elles accèdent aux mêmes métiers, aux mêmes disciplines sportives ou partagent plus également les responsabilités familiales. En revanche, certaines aspirations restent en avance sur les mœurs : Les femmes assurent toujours la plus grande part des tâches domestiques et, à niveau égal, elles sont moins bien rémunérées que les hommes et subissent plus souvent le temps partiel. Ces dernières années, les femmes ont investi massivement les secteurs culturels, où elles sont devenues dominantes. Quelles que soient les générations, les pratiques culturelles se sont intensifiées grâce à Internet et une réelle culture de l'écran a envahi, en seulement quelques années, le temps libre grandissant des Français.

Le mouvement de désacralisation des grandes institutions se poursuit inexorablement. L'Église, les syndicats, les partis politiques perdent leurs fidèles et leurs partisans. L'école et l'armée ne suscitent plus de grands conflits. Les Français refusent de la part de leurs institutions des relations de masse, autoritaires, au profit de rapports de proximité ou en réseaux qui se manifestent à travers les associations, et l'organisation de manifestations par la

base. Ils privilégient la démocratie directe, de moins en moins représentative. Le système de valeurs autrefois édicté par les grandes institutions n'est plus admis ; chacun cherche à se constituer son propre système de valeurs, au risque, pour certains, d'y perdre leur autonomie lorsque cette démarche les amène à rejoindre des groupements hyperminoritaires et sectaires. On assiste à une diversification des systèmes de valeurs auxquels les Français adhèrent selon leur idéologie religieuse, politique ou sociale en s'engageant dans des réseaux ou des communautés, parfois de façon ponctuelle, changeant de réseau au gré de motivations fluctuantes.
Le chômage et la crise économique ont mis les salariés en position de faiblesse et ont détruit les deux caractéristiques favorables des Trente Glorieuses : la sécurité de l'emploi et la progression du niveau de vie. Pour faire face à cette régression, les Français demandent à leur État de les protéger et de faire respecter une certaine égalité. Ainsi ils ont pris l'habitude de voir l'État arbitrer, le plus souvent par la loi et le règlement. Si les Français sont définitivement rompus à l'idée d'une société libérale, en revanche ils comptent fortement sur l'État pour contrecarrer les abus du libéralisme économique.

Jusqu'aux années 1990, la mobilité sociale, la diminution du nombre d'ouvriers et de la pénibilité de leur travail, l'élévation du niveau général d'éducation, l'augmentation des niveaux de vie laissaient penser que la société française, en se « moyennisant », devenait plus homogène, plus égalitaire. Ces dernières années, les indicateurs montrent que cette tendance a marqué le pas. Les inégalités de revenus sont en partie maîtrisées, en bas de la hiérarchie des revenus par le développement du champ des minima sociaux et en haut par les aléas de la conjoncture qui ont affecté les revenus du patrimoine (à l'exception d'une poignée de spécialistes des marchés financiers, de grands patrons, de footballeurs et de membres du show bizz). En revanche, les inégalités d'éducation puis d'accès aux bons emplois se sont creusées. L'indice le plus implacable est sans doute le taux de chômage des enfants d'immigrés qui a beaucoup pesé parmi les causes des émeutes des banlieues de novembre 2005, manifestation d'un ras-le-bol d'être mis à l'écart de la société. En identifiant les émeutiers en majorité âgés de 16 à 21 ans, de nationalité française, sans antécédents judiciaires et déscolarisés, le procureur de la République de Paris a évoqué « le cercle vicieux de la déscolarisation, du chômage et des discriminations en tout genre qui rend inaudible le discours sur la citoyenneté » (*Le Monde* du 13 janvier 2006).

La frilosité française face à la diversité culturelle semble s'éterniser. Le refus d'avancer dans la construction de l'Europe, testé au referendum du 29 mai 2005, montre que celle-ci focalise plus de peurs que de rêves. Pourtant, tout laisse à penser qu'au fil des générations nouvelles, ces peurs vont s'estomper car ces dernières auront acquis l'expérience des métissages au quotidien.

* * *

Je rends hommage à Henri Mendras, décédé le 5 novembre 2003, qui, face à la multitude d'études sociologiques spécialisées et dispersées, prit l'initiative de réaliser un diagnostic d'ensemble de la société française en s'entourant d'une équipe d'experts réunis sous le nom collectif de Louis Dirn. Depuis le premier diagnostic, l'observation s'est poursuivie à travers les « Chroniques des tendances de transformation de la société française », publiées périodiquement dans la *Revue de l'OFCE*. Cet *Atlas des Français aujourd'hui* tente aujourd'hui de mettre à jour ce diagnostic global. Je le dois à Henri Mendras.

LAURENCE DUBOYS FRESNEY

QUESTION D'ACTUALITÉ

LE PUZZLE DES CLASSES MOYENNES

Dans les années 1970, l'émergence des nouvelles classes moyennes était au centre du débat politique, culturel ou urbain. Dans les années 1990, fracture sociale, exclusion et immigration ont pris leur place au centre du débat, dissimulant les évolutions qui s'opéraient au sein des classes moyennes. Avec l'émergence des nouvelles classes moyennes, le sociologue Henri Mendras a observé dans les années 1980 une nouvelle morphologie de la société française : les progrès des conditions de vie en termes de revenus, de consommation ou d'éducation et la réduction de beaucoup de clivages entre groupes sociaux ont contribué à former une vaste « constellation centrale », moyenne, rendant exotique ce qui reste de « très bourgeois, voire aristocratique » vers le haut, ou relevant de la culture populaire traditionnelle vers le bas.

LE PUZZLE DES CLASSES MOYENNES

Pour Henri Mendras, la « constellation centrale » de la société française est constituée en deux ensembles sociaux : l'un correspondant aux franges supérieures des classes moyennes, libérées de la culture bourgeoise traditionnelle, adoptant des rites et des codes familiaux et sexuels plus souples et une sociabilité plus informelle ; l'autre représenté par les instituteurs, les professeurs, les personnels des services médico-sociaux et culturels, les cadres administratifs et moyens, etc. Ce dernier ensemble qu'il qualifie de « militants moraux » représente le véritable noyau innovateur de la société en ce qu'il est au centre du tissu associatif, du militantisme local, de l'encadrement de la société, le plus souvent en référence à une idéologie de gauche. Leur influence sur les autres groupes sociaux est décisive, en particulier en termes de mode de vie, ou dans le domaine des mœurs et de la culture. Ce portrait des classes moyennes reste-il d'actualité ? Jouent-elles toujours un rôle d'entraînement ou, au contraire, sont-elles aujourd'hui déstabilisées et leur avenir est-il devenu plus incertain ?

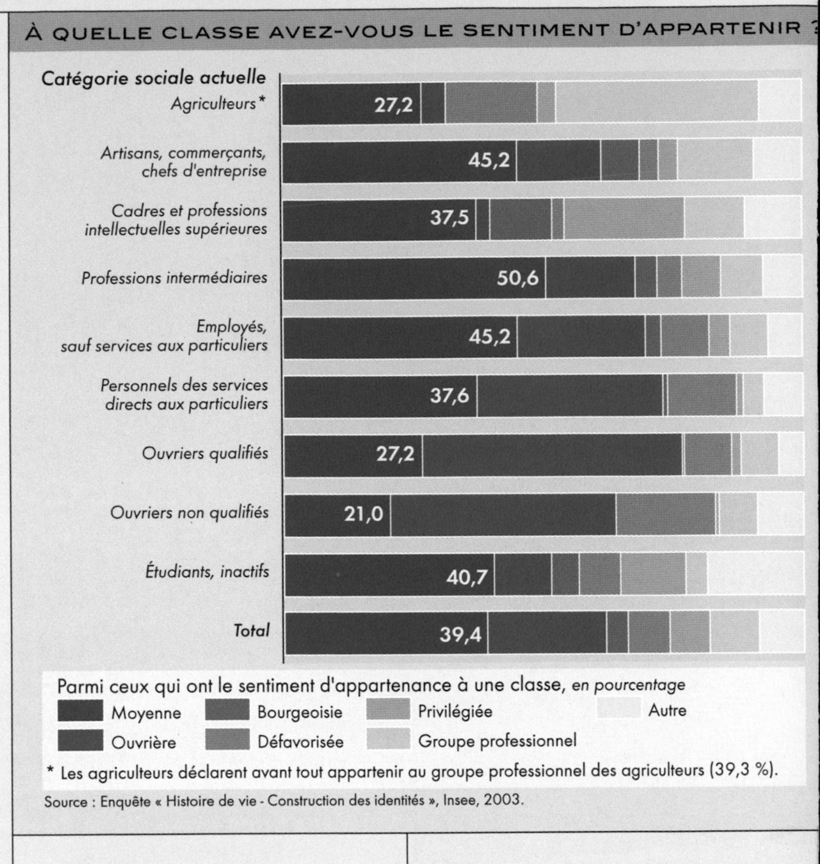

* Les agriculteurs déclarent avant tout appartenir au groupe professionnel des agriculteurs (39,3 %).

Source : Enquête « Histoire de vie - Construction des identités », Insee, 2003.

DE PLUS EN PLUS DE FRANÇAIS S'IDENTIFIENT À LA CLASSE MOYENNE

Caractéristique essentielle de l'industrialisation, la conscience de classe ouvrière et bourgeoise s'est estompée. Quand on demande aux Français « Avez-vous le sentiment d'appartenir à une classe sociale ? », depuis le milieu des années 1970, les réponses négatives progressent pour atteindre 41 % en 2002. Aujourd'hui, près de la moitié des Français ne s'identifient plus à une classe sociale.

Les évolutions concernant chaque classe sociale viennent conforter ce résultat : parmi ceux qui disent avoir le sentiment d'appartenir à une classe, une part de plus en plus importante se rattache à la classe moyenne. Ce ne sont pas seulement les professions intermédiaires, en particulier les instituteurs et enseignants, les commerçants ou les employés qui s'identifient à la classe moyenne, l'auto-affiliation à la classe ouvrière ou à la classe bourgeoise diminue au profit de la classe moyenne. Et comme les cadres et les professions libérales se placent aussi en grande partie parmi la classe moyenne, la bourgeoisie est réduite à sa portion congrue, rassemblant les très hauts cadres, les chefs de grandes entreprises, les professions intellectuelles supérieures et éventuellement des professions libérales. Un ouvrier qualifié exerçant la maintenance de machines sophistiquées, propriétaire de sa résidence principale, dont les enfants font des études supérieures, aura le sentiment d'appartenir à la classe moyenne, tout comme le médecin généraliste en campagne ; tandis que l'ouvrier non qualifié travaillant au sein d'une entreprise de restauration collective aura le sentiment vif d'appartenir à la classe ouvrière, tout comme le notaire propriétaire d'une grosse étude à Paris aura le sentiment d'appartenir à la bourgeoisie.

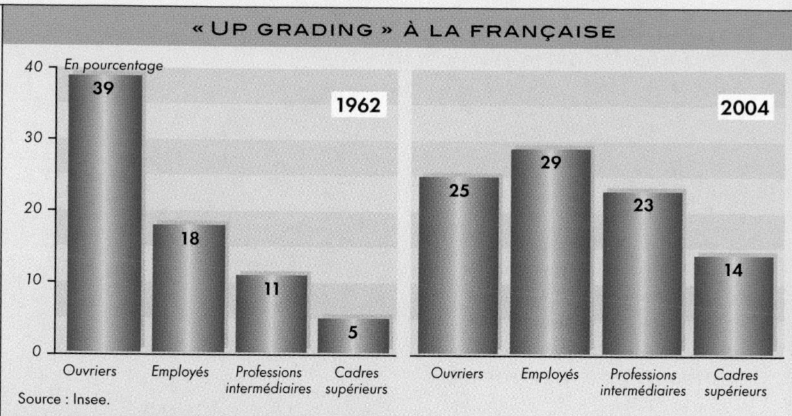

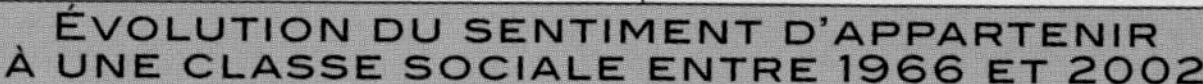

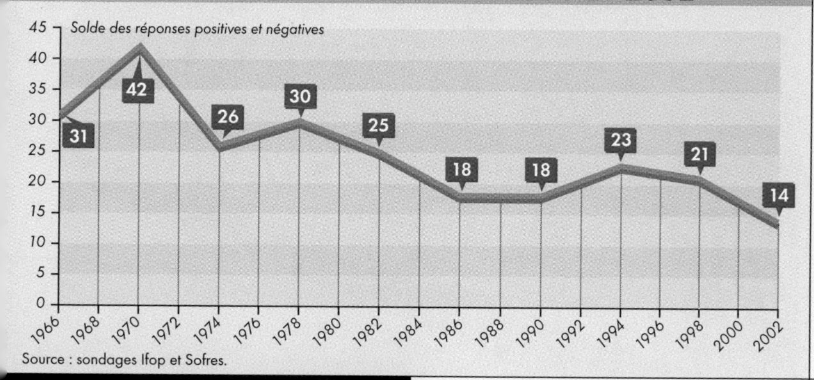

Il n'y a plus guère de corrélation entre revenus, conditions de travail et catégorie professionnelle d'appartenance.

«

Aujourd'hui, près de la moitié des Français ne s'identifient plus à une classe sociale.

 »

LA CLASSE MOYENNE N'EST PAS UNE CLASSE AU SENS DE LA « LUTTE DES CLASSES », elle ne rassemble pas des individus qui ont la même position sociale, la même identité et qui s'opposent à une autre classe par des actions collectives. Comme le remarquait Henri Mendras, « la classe moyenne est en train de se détruire elle-même en tant que classe, entraînant une transformation de toute la structure sociale qui enlève du même mouvement à la classe ouvrière et à la classe dirigeante leur caractère de classe au sens fort, marxiste du terme. S'il n'y a plus lutte entre elles, comment se définiraient-elles l'une par l'autre ? Et, en pure logique, si tout le monde est moyen, plus personne ne l'est ».

UNE NOTION DE PLUS EN PLUS DIFFICILE À SAISIR

Dans les années soixante, il était encore assez facile de définir la classe moyenne. Cette dernière était principalement composée des professions intermédiaires situées entre les ouvriers-employés et les cadres et chefs d'entreprise ou professions libérales, chaque catégorie professionnelle ayant un niveau de revenu homogène et des conditions de travail quasiment identiques. L'ouvrier avait le plus souvent un travail pénible et le cadre se distinguait par ses pouvoirs hiérarchiques et par un fort degré d'autonomie dans son travail.

AUJOURD'HUI, OÙ LA POPULATION ACTIVE COMPTE PLUS DE 90 % DE SALARIÉS, la classe moyenne comporte en son sein des ouvriers-techniciens, des professions intermédiaires, des cadres, des professions libérales, dont les revenus et les conditions de travail varient nettement d'un emploi à l'autre, tout comme l'autonomie dans le travail. Il n'y a plus guère de corrélation entre revenus, conditions de travail et catégorie professionnelle d'appartenance. La progression du savoir et de la connaissance dans chacun des métiers et la baisse de l'autorité dans les relations de travail ont brouillé les cartes de la classification. C'est sans doute pourquoi économistes et sociologues ont des approches différentes des classes moyennes, faute de pouvoir en donner une définition rigoureuse.

LE PUZZLE DES CLASSES MOYENNES

En France, en 2002, 56 % des ménages sont propriétaires de leur logement principal (82 % en Espagne et 41 % en Suède).

L'APPROCHE DES ÉCONOMISTES, UNE DÉFINITION PAR LE REVENU

Depuis une trentaine d'années la baisse des inégalités en termes de niveau de vie et de patrimoine des salariés a renforcé le poids des classes moyennes.

LE NIVEAU DE VIE DES FRANÇAIS N'A CESSÉ D'AUGMENTER depuis la Seconde Guerre mondiale. Entre 1996 et 2004, le niveau de vie moyen (revenu après impôts et prestations sociales par unité de consommation) a augmenté d'environ 2 % par an. Toutes les catégories de la population ont connu une amélioration de leurs conditions de vie, mais c'est aux deux extrémités de l'échelle des revenus que l'amélioration est la plus grande. En effet, les plus bas revenus ont profité des revalorisations des prestations sociales (qui constituent les deux tiers des revenus des ménages les plus modestes) ; les plus hauts revenus sont les plus sensibles à la conjoncture du patrimoine financier (le patrimoine en actions a été multiplié par 7,5 en pouvoir d'achat entre 1982 et 2003). Ainsi, les 10 % les plus pauvres ont vu leur niveau de vie augmenter de 16 % et les 10 % les plus riches de 13 % : la hausse des hauts et des bas revenus a limité le creusement des inégalités ; en revanche, les couches intermédiaires ou moyennes ont vu leur niveau de vie n'augmenter que de 8 % sur la période, ce qui leur donne le sentiment que les inégalités ont augmenté. Depuis les années 1970, le salaire minimal et le minimum vieillesse ont plus que doublé ; les pensions de retraite basées sur des salaires qui augmentaient à l'ancienneté étaient généreuses. Ces améliorations ont diminué l'écart de niveau de vie entre les plus pauvres et les plus riches.

LE PATRIMOINE PRINCIPAL DES MÉNAGES EST LE LOGEMENT, en dehors du patrimoine professionnel (des agriculteurs, commerçants ou chefs d'entreprise). Selon l'enquête Patrimoine de l'Insee de 2000, la concentration du patrimoine des ménages salariés tend à s'atténuer. La moitié des ménages salariés déclarent un patrimoine supérieur à 67 000 euros. En 2000, le patrimoine des 10 % les plus riches était 3,7 fois supérieur à celui du patrimoine médian, contre 4,6 en 1986. Ainsi les petits patrimoines occupent une place plus importante. Cette plus grande dispersion s'explique par le fait qu'un nombre supérieur de jeunes ménages accèdent à la propriété plus tôt que les générations précédentes. L'immobilier (représentant la part la plus importante du patrimoine) était auparavant possédé à un âge plus avancé. La dispersion du patrimoine entre les ménages salariés s'est donc étendue.
Rappelons que, en France en 2002, 56 % des ménages sont propriétaires de leur logement principal (82 % en Espagne et 41 % en Suède). Depuis 1997, grâce à la baisse des taux d'intérêt, la part

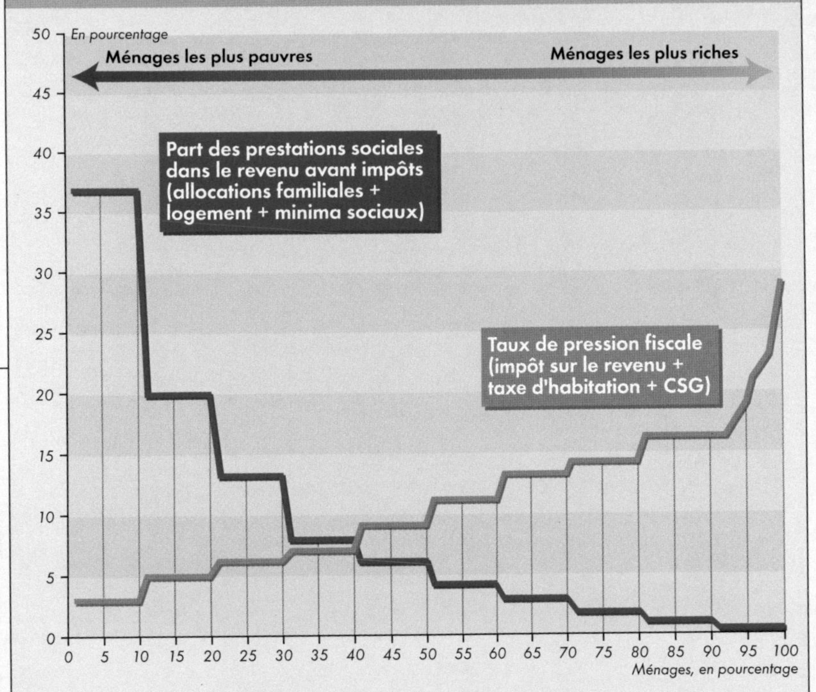

Champ : ménages dont le revenu déclaré au fisc est positif ou nul et dont la personne de référence n'est ni étudiante ni militaire du contingent.

Source : Insee, DGI, Enquête revenus fiscaux, 2000.

Entre 1996 et 2001, le niveau de vie moyen des 10 % des personnes les plus modestes a augmenté de 16 % grâce à la progression du champ des prestations sociales, et celui des 10 % des personnes les plus aisées a augmenté de 13 % grâce à la conjoncture et aux revenus du patrimoine. Le niveau de vie des catégories médianes n'a augmenté que de 8 % dans la période.

> **« *Depuis une trentaine d'années, la baisse des inégalités en termes de niveau de vie et de patrimoine des ménages a renforcé le poids des classes moyennes.* »**

des propriétaires de la résidence principale augmente encore à raison de 600 000 nouveaux ménages acquéreurs par an. Parmi ces nouveaux propriétaires, environ 30 % ont un revenu (par unité de consommation) inférieur ou égal au revenu médian. Concernant les retraités, quelle que soit la catégorie professionnelle, la part de leur patrimoine immobilier est toujours inférieure à celle des actifs quinquagénaires, tout comme l'ensemble de leur patrimoine, excepté pour les indépendants si l'on tient compte de leur patrimoine professionnel. En fait, il y a forte désépargne au moment du passage à la retraite, soit par besoin de liquidités, soit au profit des enfants.

Les ménages dont les revenus du salaire ou de la retraite représentent au moins 90 % des ressources.

On peut distinguer trois catégories moyennes, à l'américaine en quelque sorte, entre les ménages modestes (les 30 % de la population qui ont les revenus les plus faibles) et les ménages à très hauts revenus (le 1 % supérieur) : une *lower middle class*, une *middle middle class* et une *upper middle class*.
Ainsi, si l'on admet qu'il est possible de définir les classes moyennes comme l'ensemble des ménages dont le revenu initial est composé presque uniquement du salaire ou de la pension de retraite, ou des bénéfices du travail pour les indépendants et les professions libérales (soit au moins 90 % du revenu initial, donc pas plus de 10 % de revenus provenant du capital), on peut distinguer trois catégories parmi les classes moyennes :
- les 20 % en dessous du revenu médian (où 2 ménages sur 5 sont retraités), la *lower middle class* ;
- les 40 % au-dessus du revenu moyen, qui forment la moitié de la population la plus aisée excepté le décile supérieur, la *middle middle class* ;
- le décile supérieur, avec un revenu deux fois plus important que la moyenne mais deux fois plus faible que le centile supérieur, soit 9 % de la population en 2000, la *upper middle class*.

■ Dans la catégorie moyenne la plus basse, un ménage sur deux est ouvrier ou ancien ouvrier, les indemnités de chômage et les prestations sociales représentent en moyenne 12 % des revenus et un ménage sur deux ne paie pas l'impôt sur le revenu.

LE PUZZLE DES CLASSES MOYENNES

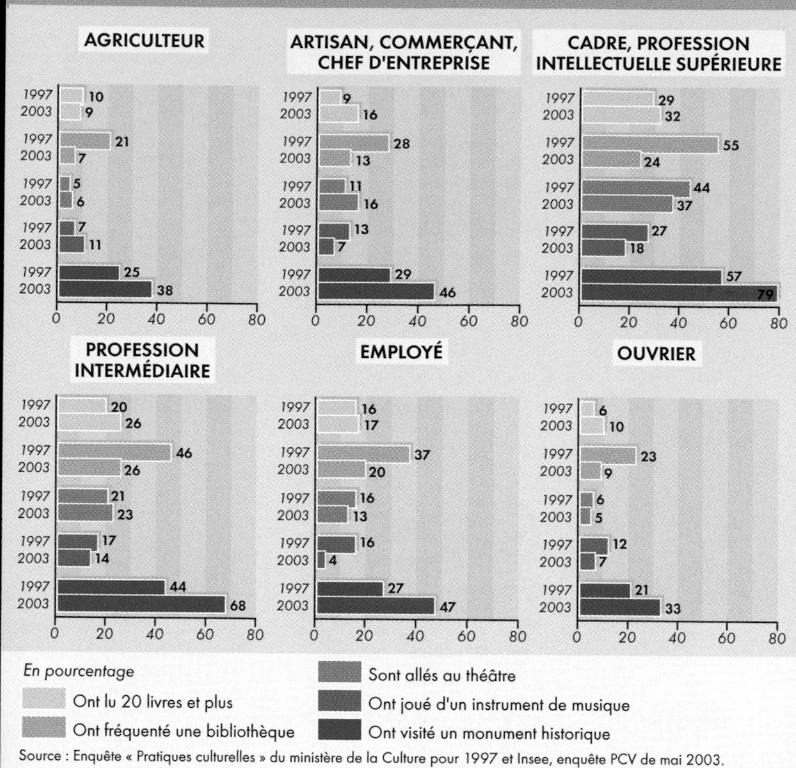

Source : Enquête « Pratiques culturelles » du ministère de la Culture pour 1997 et Insee, enquête PCV de mai 2003.

Il y a peu de réduction de disparités entre les milieux sociaux. « L'ampleur des écarts observés entre catégories socioprofessionnelles est due au jeu complexe de différents facteurs : origine sociale, lieu d'habitat, revenu, niveau de diplôme en dehors de l'âge, variable la plus discriminante. » Olivier Donnat, « Pratiques culturelles et trajectoires sociales », Informations sociales, *n° 106, 2003.*

■ La deuxième catégorie moyenne, composée, d'une part, d'ouvriers et d'employés à égalité, et, d'autre part, de professions intermédiaires et de cadres, paie l'impôt sur le revenu. Mais, pour cette catégorie, le montant global prélevé au titre de la CSG reste plus important que celui prélevé au titre de l'impôt sur le revenu.

■ Pour la troisième catégorie, où deux ménages sur trois appartiennent au groupe des cadres, l'impôt sur le revenu est le principal prélèvement (on retrouve seulement 40 % des cadres dans cette catégorie, les autres ayant un niveau de vie plus faible).

Notons toutefois que cette typologie résulte d'une exploitation statistique des Enquêtes revenus fiscaux de l'Insee, où n'apparaissent pas les revenus du patrimoine exonérés ou prélevés à la source au titre du prélèvement libératoire. Ces revenus pris en compte, les revenus du patrimoine seraient plus importants dans toutes les catégories, et surtout dans celles situées en haut de la distribution.

L'APPROCHE DES SOCIOLOGUES : LE CAPITAL CULTUREL ET SOCIAL

Les classes moyennes englobent un ensemble hétéroclite de professions allant des artisans-commerçants, des ouvriers qualifiés, aux infirmières en passant par les employés administratifs, les comptables, les représentants, les techniciens et les contremaîtres, les professions intermédiaires, des cadres et éventuellement des professions libérales, quand elles sont définies à partir de leurs caractéristiques socioculturelles. La majorité des ménages français appartiennent à l'une des catégories de la classe moyenne, qu'ils soient salariés ou non salariés, dans une petite entreprise ou une grande, dans le privé ou le public. De même, en dehors de la rémunération, les principaux critères de conditions de travail (degré d'autonomie et degré de contrôle sur le travail d'autrui) qui distinguent les catégories socioprofessionnelles sont brouillés au sein des catégories qui constituent la classe moyenne, où les uns ont beaucoup d'autonomie mais sont en situation précaire alors que les autres, salariés du public, ont moins gagné en autonomie dans leur travail que les salariés du privé. C'est pourquoi, du fait de cette hétérogénéité, aucun parti politique ni aucun syndicat n'est parvenu à représenter et à défendre la classe moyenne, trop centrale, pourtant si courtisée dans les discours politiques.

“ ***Du fait de son hétérogénéité, aucun parti politique ni aucun syndicat n'est parvenu à représenter et à défendre la classe moyenne, trop centrale, pourtant si courtisée dans les discours politiques.*** ”

Les cadres encadrent de moins en moins, tandis que les techniciens sont de plus en plus souvent des spécialistes et de moins en moins des chefs d'équipe.

Selon l'enquête Emploi 2004, on compte parmi les classes moyennes près d'1,5 million d'artisans-commerçants, plus de 2 millions de professions intermédiaires de la santé, de l'enseignement, de la fonction publique (infirmières, institutrices, etc.), 1,5 million de professions intermédiaires du privé, 1 million de techniciens, 0,5 million de contremaîtres ; il faudrait ajouter les cadres moyens et les employés administratifs, dont les salaires et les conditions de travail sont plus proches des professions intermédiaires que ceux des cadres supérieurs pour les premiers ou des ouvriers pour les seconds. L'évolution des métiers a entraîné une croissance très vive des services, accentuée par la propension des entreprises à externaliser les tâches de maintenance, de logistique, de comptabilité ou celles liées à la gestion du personnel. Ainsi, la qualification s'est élevée : près de 38 % des emplois sont occupés par des cadres ou des professions intermédiaires ; au total, les emplois du tertiaire occupent les trois quarts des actifs. Ce sont les métiers de l'informatique, de la recherche et de la formation, les cadres administratifs et financiers, les professionnels de la communication qui ont connu la croissance la plus rapide ces vingt dernières années. Entre 1982 et 2004, les emplois de cadres ont progressé de 54 % et les professions intermédiaires de 38 % (surtout dans l'action sociale et sportive, mais aussi les techniciens comptables ou financiers comme les infirmières et les professions paramédicales). Les cadres encadrent de moins en moins tandis que les techniciens sont de plus en plus souvent des spécialistes et de moins en moins des chefs d'équipe. Les générations qui entrent sur le marché du travail sont de plus en plus diplômées, tandis que celles qui se retirent l'étaient beaucoup moins. Les plus diplômés (bac + 3 et plus) exercent des emplois de cadres ou professions libérales, tandis que les diplômés « moyens » (bac ou bac + 2) se répartissent sur une échelle très large de professions. Le niveau de diplôme moyen des actifs devrait encore augmenter avec le départ des générations moins diplômées du *baby boom*.

UNE PROMOTION SOCIALE GRIPPÉE

Une partie de la classe moyenne est en ascension sociale, tandis qu'une autre partie vit aujourd'hui dans la crainte du déclin ou de la stagnation. Entre le groupe des ouvriers et des agriculteurs, dont la grande majorité sont des enfants d'ouvriers et d'agriculteurs, et l'élite intellectuelle et culturelle, dont la grande majorité des enfants ont un destin assuré par un emploi à haut statut, la classe moyenne se singularise par une proportion importante de ménages issus de milieux modestes (agriculteurs ou ouvriers) et dont les enfants ne sont pas autant assurés de devenir cadres

LE PUZZLE DES CLASSES MOYENNES

À diplôme identique, un enfant appartenant à la classe moyenne aura plus de difficultés qu'un enfant de la classe supérieure à s'insérer dans le monde du travail, l'origine sociale prenant plus d'importance que le diplôme au moment de la recherche d'emploi.

ou chefs d'entreprise que les enfants des classes supérieures. Tous les parents sont conscients de l'importance des études, les classes supérieures comprises, tant la compétition scolaire pour l'accès aux meilleurs emplois est devenue âpre.

CE SONT TOUJOURS LES CLASSES SUPÉRIEURES QUI INVESTISSENT LE PLUS DANS LES ÉTUDES DE LEURS ENFANTS et ces derniers sont toujours les plus nombreux à obtenir les diplômes des grandes écoles. La hiérarchie des groupes qui ont des taux d'obtention de diplômes du supérieur au-dessus de la moyenne s'établit ainsi : les enfants de professions libérales, de professeurs, de cadres de la fonction publique, d'ingénieurs, d'instituteurs, de cadres administratifs du privé, de chefs d'entreprise, de professions intermédiaires de la santé et du social ou de l'administration, de techniciens, de professions intermédiaires du privé, puis de commerçants, de contremaîtres et d'agriculteurs. Sur les cinquante dernières années,

> **« *Une partie de la classe moyenne est en ascension sociale, tandis qu'une autre partie vit aujourd'hui dans la crainte du déclin ou de la stagnation.* »**

malgré un développement quantitatif important de l'enseignement supérieur, le classement entre les groupes est resté inchangé ; il y a eu translation des inégalités mais pas véritablement d'atténuation. Que ce soit dans l'accès aux grandes écoles, dans le choix des orientations tout au long du cursus, dans le choix des écoles ou dans les comportements quotidiens face à l'instruction, les enfants des classes moyennes restent les éternels seconds, après ceux des classes supérieures. Les analyses montrent que le capital social et culturel des parents est encore plus discriminant que leur profession. De même, le niveau éducatif visé pour l'enfant, avec l'espoir d'une promotion sociale, est plus lié au niveau d'instruction des parents qu'à leur profession (Marie Duru-Bella, 2003).

CES DERNIÈRES ANNÉES, LES ENFANTS DES CLASSES MOYENNES SONT CONFRONTÉS À L'INADÉQUATION ENTRE DIPLÔMES ET QUALIFICATIONS REQUISES sur le marché du travail, alors qu'ils sont pourtant plus diplômés qu'il y a trente ou quarante ans. La forte diffusion des bac + 2 montre que la qualification s'est élevée au fil des générations ; avec le développement des technologies, les employeurs ont des exigences supérieures. Quasiment tous les employés administratifs utilisent l'informatique. Ces dernières années, où l'insertion sur le marché du travail est difficile, les débutants diplômés acceptent des emplois dont la

À diplôme égal, la proportion de cadres parmi les diplômés de maîtrise est de 13 points supérieure si le père est cadre. L'effet est encore plus significatif pour les diplômés d'IUT, où les cadres sont en faible nombre.

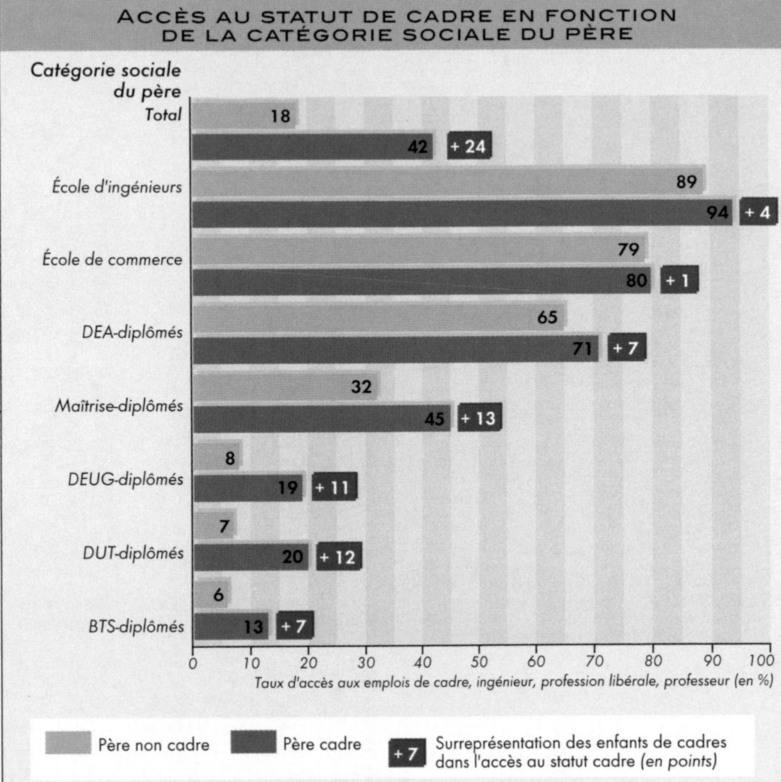

Source : J.-F. Ginet, S. Moullet et G. Thomas, *De l'enseignement supérieur à l'emploi : les trois premières années de vie active de la « génération 98 »*, Cereq, décembre 2002.

qualification est inférieure à celle à laquelle ils pourraient prétendre, dans l'espoir d'une promotion interne. Et, à diplôme identique, un enfant appartenant à la classe moyenne aura plus de difficultés qu'un enfant de la classe supérieure à s'insérer dans le monde du travail, l'origine sociale prenant plus d'importance que le diplôme.
Si, grâce à un niveau d'étude plus élevé, les chances d'ascension sociale sont plus importantes pour les enfants de la classe moyenne, les possibilités de déclin ou de stagnation sociale ne sont pas rares, tout dépend des offres d'emploi sur le marché du travail. Le capital social des classes supérieures – ce que les sociologues définissent à partir des liens qu'un individu entretient avec son réseau personnel avec tout ce qu'il en résulte en termes de pouvoir, de prestige, d'accès à d'autres réseaux et d'introduction auprès d'un grand nombre de relations – leur apporte un avantage certain sur les classes moyennes.

ÉCLATEMENT DU SALARIAT ET SENTIMENT D'INJUSTICE

L'évolution vers une économie de services a conduit à la diminution de la taille des entreprises et à l'éclatement du salariat dans des petites structures.
Cette évolution a rendu difficile l'identification de problèmes communs entre salariés d'entreprises si différentes, et surtout là où le syndicalisme est absent, comme le dit Éric Maurin : « La nouvelle entreprise capitaliste a peu à peu cessé d'être pourvoyeuse d'identité et de statut social » (*Le Monde* du 22 novembre 2005). De ce point de vue, le fossé s'est creusé entre grandes entreprises et PME, et entre salariat du privé et salariat du public, ce dernier apparaissant de plus en plus privilégié aux yeux du premier : Éric Maurin dénonce une distance toute aussi grande entre les classes moyennes du privé et celles du public qu'entre les classes moyennes et les classes populaires.
Pourtant, si les salariés du privé ont un avenir professionnel plus incertain à cause d'un fort taux de chômage et des emplois plus souvent précaires (CDD, intérim, stages), en revanche les salariés du public sont amers face au déclassement qu'ils doivent parfois subir dans la fonction publique, qui leur offre des emplois inférieurs à leur niveau de diplôme.

VOTE ÉLECTORAL : INFLUENCE DU STATUT SOCIOPROFESSIONNEL PRÉPONDÉRANTE

Aux élections présidentielle de 1981, ce sont les ouvriers et les classes moyennes d'alors, nées avec l'expansion du secteur public et des services, qui ont amené François Mitterrand et la gauche au pouvoir. Elles étaient composées d'individus jeunes, plutôt d'origine populaire, vivant en ville, ayant poursuivi des

LE PUZZLE DES CLASSES MOYENNES

L'analyse des votes depuis 1998 met en évidence la rupture entre la gauche et les ouvriers, et la résistance des salariés du public.

ÉVOLUTION DU VOTE DE GAUCHE AU PREMIER TOUR PAR GROUPE SOCIOPROFESSIONNEL (GSP) ET PAR STATUT

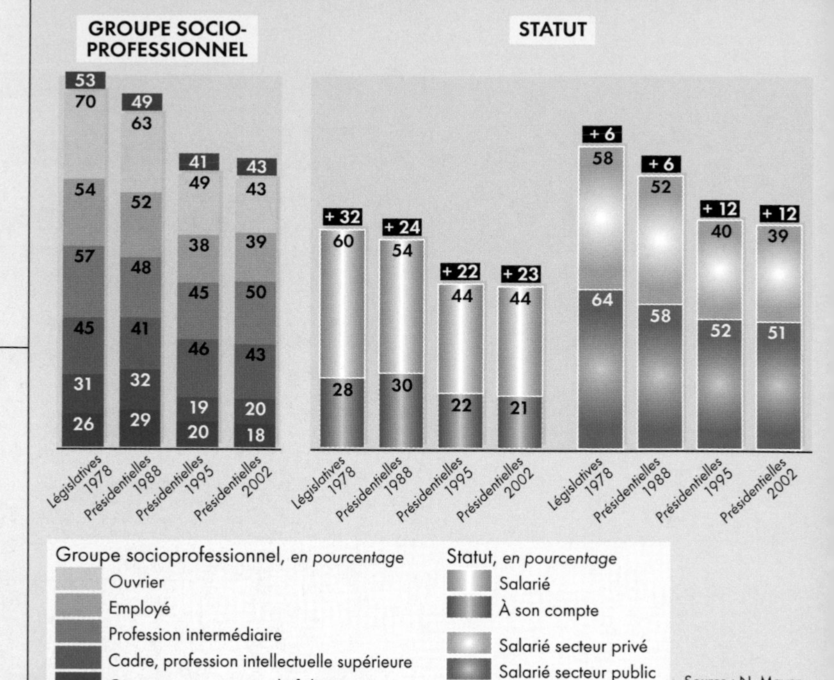

Source : N. Mayer, « Le vote des classes moyennes », *Informations sociales*, n° 106, 2003.

études et motivés par les valeurs d'après Mai 68. Depuis, l'analyse des résultats des différentes élections montre qu'une rupture s'est installée entre la gauche et les ouvriers, dont une part est aujourd'hui attirée vers le Front national, tout comme les employés les plus défavorisés et les indépendants commerçants artisans et agriculteurs. Aujourd'hui, le groupe socioprofessionnel a toujours une incidence sur le vote mais cette incidence s'est déplacée : ce n'est plus un clivage entre ouvriers et non-ouvriers mais entre indépendants, professions libérales ou chefs d'entreprises (métiers attachés à la libre entreprise), qui votent à droite, et des salariés, qui sont souvent favorables à l'intervention régulatrice de l'État dans l'économie. Ainsi à gauche, les salariés moyens et supérieurs viennent compenser la perte des ouvriers. Mais un autre clivage est apparu entre salariés : les salariés du privé ont plus tendance à voter à droite que ceux du public (agents de la fonction publique et des entreprises publiques), clivage qui se renforce avec la montée du chômage et des emplois précaires. Comme le note Nonna Mayer, le statut professionnel a acquis plus d'importance dans le choix électoral que le niveau d'étude ou de revenu.

RÉSISTANCE DE LA MIXITÉ SOCIALE

Quelle place occupent aujourd'hui les classes moyennes au sein des villes et des territoires ?

DIFFÉRENTES INTERPRÉTATIONS SONT PROPOSÉES POUR DÉFINIR LES STRUCTURES SOCIALES DES VILLES ET LA PLACE QU'OCCUPENT LES CLASSES MOYENNES. Trois thèses dominent le discours : la thèse de la dualisation sociale et spatiale dans les grandes villes (les classes moyennes, à la recherche d'une amélioration de leur statut résidentiel, fuient les quartiers où l'habitat social domine pour se rapprocher des quartiers résidentiels, créant ainsi ces immenses zones pavillonnaires périurbaines, elles vont passer de la location HLM à l'accession à la propriété) ; la thèse de la gentrification ou la conquête par les classes moyennes d'espaces urbains originellement populaires, transformant cet espace en quartiers « branchés », faisant grimper les prix de l'immobilier, au détriment des classes populaires qui doivent les quitter ; enfin, la thèse de la mise à distance des classes populaires : les classes moyennes ayant fait « sécession », les pauvres se retrouvent entre eux dans les grands ensembles, ils sont ainsi mis à distance et le quartier devient prolétarisé.
Ces thèses qui définissent la société comme une « société de ségrégation » sont remises en question par les analyses de Marco Oberti et Edmond Préteceille, selon lesquelles l'éloignement des classes moyennes et des classes populaires est plus modéré qu'on ne le laisse entendre. D'une part, la similitude

L'arrivée des classes moyennes dans des banlieues populaires remet en question les politiques municipales, qui doivent adapter leurs services à ces nouveaux arrivants.

> **« Les espaces pavillonnaires de la grande banlieue ou les anciennes communes rouges des couronnes des métropoles sont habités par des ménages d'employés, d'ouvriers mais aussi de contremaîtres, de professions intermédiaires, de cadres. »**

de distribution résidentielle des professions intermédiaires et des employés s'est plutôt renforcée, tandis que celle des professions intermédiaires et des ouvriers s'est éloignée modérément. Ce sont plutôt les cadres des entreprises privées, les professions libérales et les ingénieurs qui se sont le plus écartés des classes populaires. Les catégories moyennes et supérieures liées au service public se maintiennent ou reculent peu. Dans la région parisienne mais aussi dans toutes les grandes métropoles, il est de plus en plus fréquent de voir des ménages de classes moyennes ou supérieures quitter Paris ou la métropole pour s'installer dans des banlieues populaires comme Montreuil, Montrouge ou Nanterre.

La France n'est pas en train de s'américaniser avec des *gated communities* (banlieues chics sécurisées pour classes moyennes supérieures) et des *suburbs* prolétarisées par les ménages issus de l'immigration ; les espaces pavillonnaires de la grande banlieue ou les anciennes communes rouges des couronnes des métropoles sont habités par des ménages d'employés, d'ouvriers mais aussi de contremaîtres, de professions intermédiaires, de cadres, voire quelques cadres supérieurs de la fonction publique. Bien que les moins étudiés, les espaces du mélange social ou de la cohabitation de groupes sociaux différents restent les plus nombreux.

CONCLUSION

Ce qui importe, comme le souligne Jean Ruhlmann, c'est observer l'équilibre social que les classes moyennes confèrent à la société grâce à leur fluidité, leur promotion, leur intégration. Ces dernières années, elles ont largement été interpellées car on a pris conscience de ce que les difficultés auxquelles elles sont confrontées pourraient remettre en cause cet équilibre. Chômage de masse, grippage de l'ascenseur social, stagnation des salaires, prélèvements accrus affectent particulièrement les classes moyennes. Mais à l'horizon se dessine une situation plus favorable : le retour du plein emploi, favorisé par le départ à la retraite des *baby-boomers*, devrait permettre de rétablir l'ascenseur social et donner un nouveau souffle à ces catégories. Le sort des classes moyennes et de la société dans son ensemble dépend plus que jamais de la croissance économique et de l'emploi.

sa démographie, elle se porte plutôt bien. De profondes mutations positives bouleversent le territoire, l'opposition entre villes et campagnes tend à disparaître. La fécondité des femmes françaises est particulièrement forte en Europe. Celles qui

vivent à la campagne ont la fécondité la plus élevée comme celles qui habitent les Dom, où elle tend à diminuer. Les mariages sont de moins en moins fréquents, les Pacs en augmentation et près de la moitié des bébés naissent au sein d'un couple non marié. Les femmes françaises, à la fois très fécondes et très présentes sur le marché du travail, ont l'espérance de vie la plus élevée de l'Europe des 25. Dans une économie morose, les Français adaptent leurs comportements de consommation.

LES STRUCTURES DE LA SOCIÉTÉ

RÉGIONS : LE GRAND CHAMBARDEMENT

La campagne française couvre 80 % du territoire où habitent seulement 18 % de la population. Le « désert français » si souvent annoncé ne semble pas poindre. 60 % des communes rurales ont un solde migratoire positif. Les communes qui ont connu la plus grande croissance sont celles situées dans le pourtour des villes grandes et moyennes. Les communes pendant longtemps en déclin démographique, formant une écharpe commençant dans les anciens bassins industriels de Lorraine ou de Haute-Normandie pour s'achever dans les contreforts des Pyrénées en passant par la Champagne-Ardenne, les marges du Massif central et dans le Bassin aquitain, semblent retrouver une croissance démographique. Les « nouvelles campagnes » attractives sont situées dans le pourtour et l'arrière-pays méditerranéen, sur le littoral atlantique et dans quelques zones comme le Lot, la Dordogne ou les Alpes.

Régions dynamiques et régions léthargiques

HÉLIOTROPISME. Un mouvement d'« héliotropisme » a saisi les Français. Le Sud, longtemps miné par son exode rural et la somnolence de ses villes, s'est réveillé : Toulouse, Montpellier, Aix-Marseille et le chapelet des villes de la vallée du Rhône ne cessent de s'étendre. Le tourisme florissant y est devenu une véritable industrie, même dans les départements à vocation agricole comme le Gers, par exemple. La désindustrialisation de régions entières du nord et de l'est de la France, et le chômage ont conduit une partie de la population active à aller chercher un emploi dans le Sud, là où s'implantaient des entreprises à technologies nouvelles et de services. Produit paradoxal de ce grand mouvement nord/sud, le chômage augmente au nord par abandon des industries traditionnelles, tandis qu'au sud (dans l'Hérault, par exemple) on ne parvient pas à créer suffisamment d'emplois pour tous les nouveaux habitants, en particulier pour les couples qui ne trouvent pas d'emploi correspondant aux compétences de l'homme et de la femme.

THALASSOTROPIE. Parallèlement, on observe un mouvement de « thalassotropie » : le littoral français est quasiment clos tant la densité de population qui le borde est forte – 272 habitants au km², contre 108 pour la moyenne nationale. Localement, cette densité atteint les 2 500 habitants au km² dans les Alpes-Maritimes ou plus de 800 habitants au km² dans les Pyrénées-Atlantiques, obligeant les nouveaux résidents à investir les arrière-pays. Les résidences secondaires ne suffisent pas à expliquer ce phénomène. Le développement économique est aussi responsable de cette surpopulation sur le littoral. Il a attiré nombre d'artisans, de commerçants et de petits chefs d'entreprise venant de l'Île-de-France pour investir dans le tourisme et les loisirs. Ainsi l'étalement des villes est encore plus marqué sur le littoral. Accueillant beaucoup de retraités, de non-actifs ou d'actifs utilisant leur résidence secondaire par intermittence, l'économie du littoral est plus tertiaire et fondée sur des revenus issus de l'extérieur (retraites, transferts sociaux, tourisme).

RÉGIONS EN DÉSAFFECTION. Face à ce repeuplement du Sud et du littoral, une écharpe coupant la France en diagonale, allant du quart nord-est (sauf l'Alsace) au Massif central, voit sa population stagner ou en légère progression. Dans ces régions, qui représentent un tiers du territoire rural, l'activité, en dehors d'une agriculture par endroits très performante, est restée languissante et les villes sont léthargiques. Les jeunes sont donc obligés de partir s'ils veulent trouver un emploi et des équipements. À l'automne 2004, 95 % des élus de la Creuse ont donné leur démission en signe de protestation, trahissant le malaise de la France rurale profonde, où la suppression des services publics dans les petites communes (bureaux de poste, gares, écoles, etc.), au nom de la rentabilité du regroupement des localités, provoque la colère des élus qui assistent à la mort de leur commune.

ÉVOLUTION DU SOLDE DE POPULATION

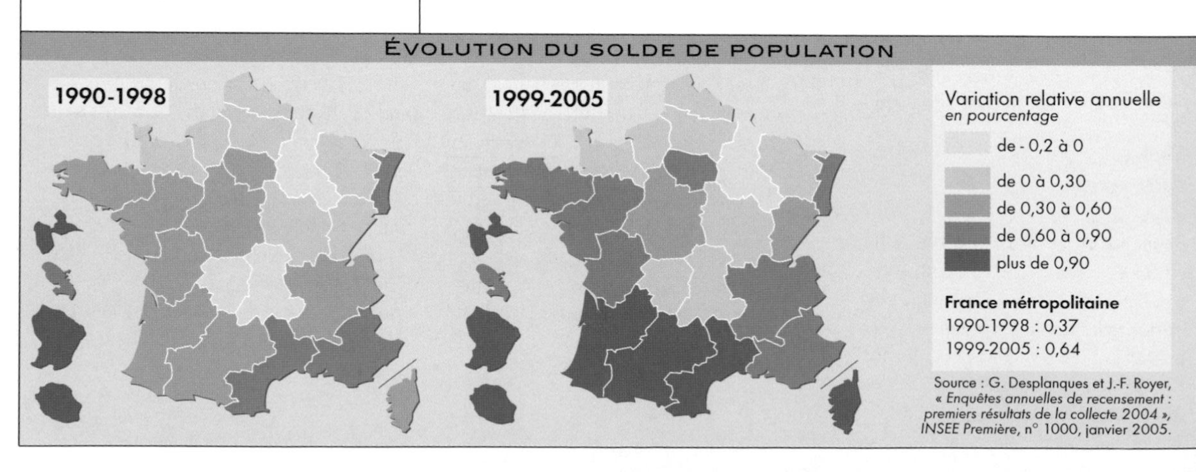

Source : G. Desplanques et J.-F. Royer, « *Enquêtes annuelles de recensement : premiers résultats de la collecte 2004* », *INSEE Première*, n° 1000, janvier 2005.

LA FRANCE D'OUTRE-MER

Source : Ministère des Affaires étrangères, *France*, Éditions La Documentation française, 2004.

> **Le bonheur des Français est dans le pré : les campagnes se repeuplent. Depuis 1999, la population des communes rurales augmente de 1 % par an.**

APPARTENANCE SOCIOPROFESSIONNELLE DES MAIRES EN 2001

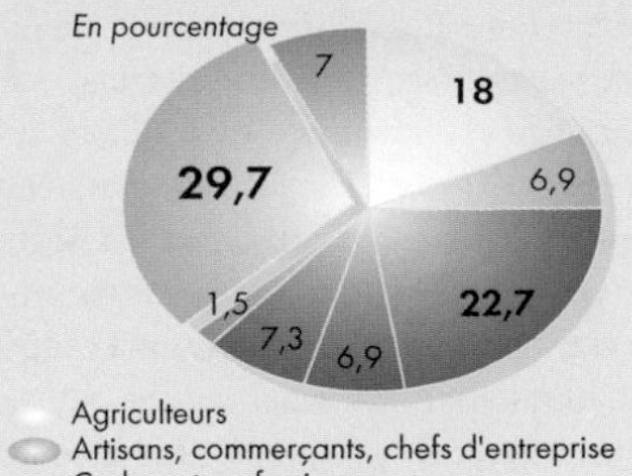

- Agriculteurs
- Artisans, commerçants, chefs d'entreprise
- Cadres et professions intellectuelles supérieures
- Professions intermédiaires
- Employés
- Retraités
- Ouvriers
- Autres sans activité professionnelle

Source : P. Sadran, « Démocratie locale : les carences de l'acte II », *Cahier Français*, n° 318, janvier-février 2004.

DE PLUS EN PLUS DE MAIRES SALARIÉS

La présence de 28 000 communes de moins de 1 000 habitants parmi les 36 657 communes françaises conduit à une surreprésentation des agriculteurs parmi les maires. Cette tendance tend à diminuer au profit de maires salariés, plus représentatifs de l'ensemble de leurs mandants.

Les Français d'outre-mer

Les terres lointaines françaises acquièrent progressivement plus d'autonomie politique et des régimes législatifs particuliers.

LA POPULATION. Les Français d'outre-mer représentent 3 % de la population, répartie dans quatre départements (Guadeloupe, Guyane, Martinique et Réunion : les DOM), deux collectivités territoriales (Mayotte et Saint-Pierre-et-Miquelon) et quatre territoires (Nouvelle-Calédonie, Polynésie française, Wallis-et-Futuna et Terres australes et antarctiques françaises inhabitées : les TOM). Wallis-et-Futuna est le dernier royaume de France, puisque trois rois coutumiers siègent au conseil territorial. Les régions d'outre-mer ont leur spécificité par rapport à la métropole, mais ne sont pas homogènes entre elles. La population est concentrée dans les DOM, où le pourcentage de jeunes est élevé (près d'un tiers ont moins de vingt ans). Mais, depuis une dizaine d'années, la fécondité est en baisse et se rapproche de la moyenne nationale.

LES DIFFICULTÉS DES POPULATIONS D'OUTRE-MER. En Guadeloupe et en Martinique, malgré les nombreuses aides gouvernementales pour favoriser l'activité de ces régions, le chômage (26 % en mars 2000) touche encore et toujours crucialement les jeunes. Ils ont en moyenne un niveau d'étude médiocre (53,4 % ne dépassent pas le CEP). L'agriculture, qui représentait la principale valeur ajoutée, est en pleine régression, tandis que la construction et le tourisme connaissent une croissance un peu plus rapide que celle de la métropole et ont permis une nette décohabitation des familles. Mais, ces dernières années, les activités touristiques ont stagné. Sous l'effet du chômage, les inégalités restent fortes dans ces régions : un quart des foyers seulement sont fiscalement imposés et une personne sur quinze touche le RMI. Près de quatre familles sur dix sont monoparentales – en Guyane, un tiers des familles. La Réunion, avec son relief difficile, connaît encore de sérieux problèmes d'infrastructures (logement, formation, emploi), qui sont trop faibles comparées à l'augmentation constante de la population. Même si la canne à sucre et le tourisme sont les deux atouts de l'île, le taux de chômage atteint 36,5 %.
La métropole attire toujours les Antillais ; près d'une personne sur quatre née aux Antilles réside en métropole. Ce sont surtout des Guadeloupéens qui viennent chercher du travail en Île-de-France.

Bien que l'Île-de-France représente 40 à 45 % de l'excédent démographique naturel de la métropole, grâce à sa population jeune et féconde, on continue à quitter la capitale et sa banlieue pour des régions plus avenantes. Les capitales régionales entrent en compétition avec Paris. Elles cherchent à attirer les investissements et s'équipent d'infrastructures. Au niveau européen, l'Île-de-France se place au premier rang des régions de l'Union européenne et plusieurs autres régions françaises sont au centre des ensembles qui concentrent la production des richesses européennes ; ensembles qui s'étendent entre la Baltique, l'Atlantique et la Méditerranée.

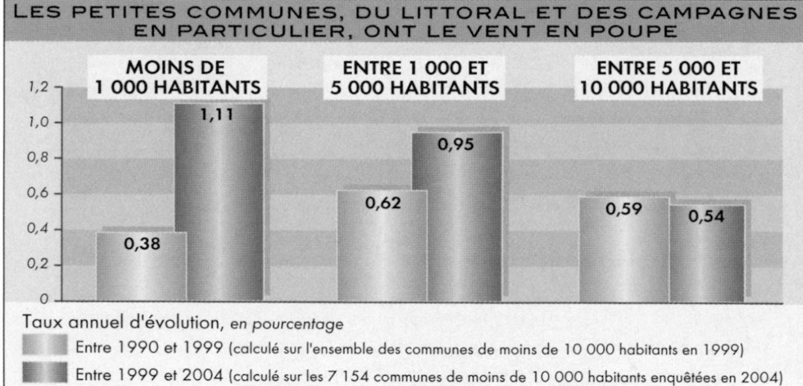

Paris et la compétition entre grandes villes

Le grand Paris représente 18 % de la population de notre pays (11,4 millions d'habitants), guère plus qu'il y a cinquante ans. Depuis quinze ans, la population parisienne stagne ; elle a légèrement augmenté ces dernières années. La capitale est de moins en moins attractive pour les jeunes, qui se tournent davantage vers les métropoles régionales. Outre Paris, qui perd de son dynamisme depuis les deux dernières décennies, une dizaine d'agglomérations concentrent la moitié de la croissance démographique : Toulouse, Lyon, Montpellier, Nantes, Marseille-Aix-en-Provence, Rennes, Bordeaux, Strasbourg, Nice et Toulon.

LES ACTIFS travaillent essentiellement dans les pôles urbains mais vont habiter de plus en plus loin, contribuant ainsi à la périurbanisation des grandes villes. À l'inverse, si une commune satellite envoie plus de 40 % de ses actifs au cœur de la grande ville, elle finit par s'intégrer dans l'agglomération. Ainsi les grandes villes cherchent-elles à capter les communes satellites, afin d'augmenter leur influence nationale. Aujourd'hui, ce sont donc les villes qui font vivre leur région, comme Paris fait vivre la France entière. Sur le plan démographique, Paris et son agglomération restent les plus importantes. Cette primauté de la capitale a longtemps gêné la croissance d'autres très grandes villes nationales (la deuxième

La structure sociale des grandes villes en transformation

Depuis une vingtaine d'années, le profil sociologique des grandes villes a changé. La « gentrification » de leurs centres a entraîné le départ des classes populaires et moyennes, qui n'ont pu résister à la flambée de l'immobilier.

Dans les métropoles de plus 100 000 habitants, la tendance est à la concentration des familles à revenus élevés et moyens dans la couronne périurbaine abandonnée par les familles à revenus modestes, qui se réfugient dans la seconde couronne et vers les secteurs ruraux moins chers.

Le centre-ville recueille les étudiants, les personnes à faibles revenus qui ne peuvent acquérir le pavillon avec jardin, les professions intellectuelles supérieures et quelques familles riches habitant les hôtels particuliers historiques. Le départ des classes moyennes laisse face à face les plus modestes et les plus riches. Depuis peu, les personnes âgées de la couronne reviennent en centre-ville pour avoir accès aux services sanitaires et sociaux.

LES POLITIQUES URBAINES. Pour retrouver les avantages perdus de la mixité sociale, les politiques urbaines de ces métropoles tendent désormais à construire de l'habitat social en couronne, sous forme de maison individuelle avec terrasse, et appliquent des abattements fiscaux en centre-ville pour y faire revenir les familles avec enfants.

ville de France, Marseille-Aix-en-Provence compte seulement 1,3 million d'habitants). Ce sont les jeunes qui s'y installent et ont des enfants, et ce sont les personnes âgées qui en partent.

De moins en moins de jeunes couples sont attirés par le marché de l'emploi à Paris, en partie à cause de la pression foncière. La croissance démographique est plus importante en province. Sur le plan économique, Paris et les départements limitrophes concentrent de nombreux sièges sociaux (Paris est la première ville d'Europe en nombre d'étudiants et la deuxième après Londres en nombre de sièges sociaux, en présence bancaire internationale, en nuitées touristiques) et une proportion très élevée de cadres, ce qui induit des revenus élevés et une valeur ajoutée produite très forte. Ainsi, en termes de PIB, l'Île-de-France est la première région de l'Union européenne, devant la Lombardie.

Paris s'embourgeoise et rassemble 14 % des cadres, tandis qu'elle ne compte plus beaucoup d'ouvriers. En revanche, le quart nord-est de la capitale abrite une population jeune, nombreuse et pauvre, en difficulté d'insertion, avec une forte proportion de demandeurs d'asile. Paris et la Seine-Saint-Denis ont le plus fort taux de chômage et de RMI de l'Île-de-France. Avec une offre de petits logements importante, Paris est une ville particulièrement attractive pour les jeunes étudiants qui animent la capitale par une vie culturelle et sociale intense.

Soldes migratoires de l'Île-de-France avec les départements de province

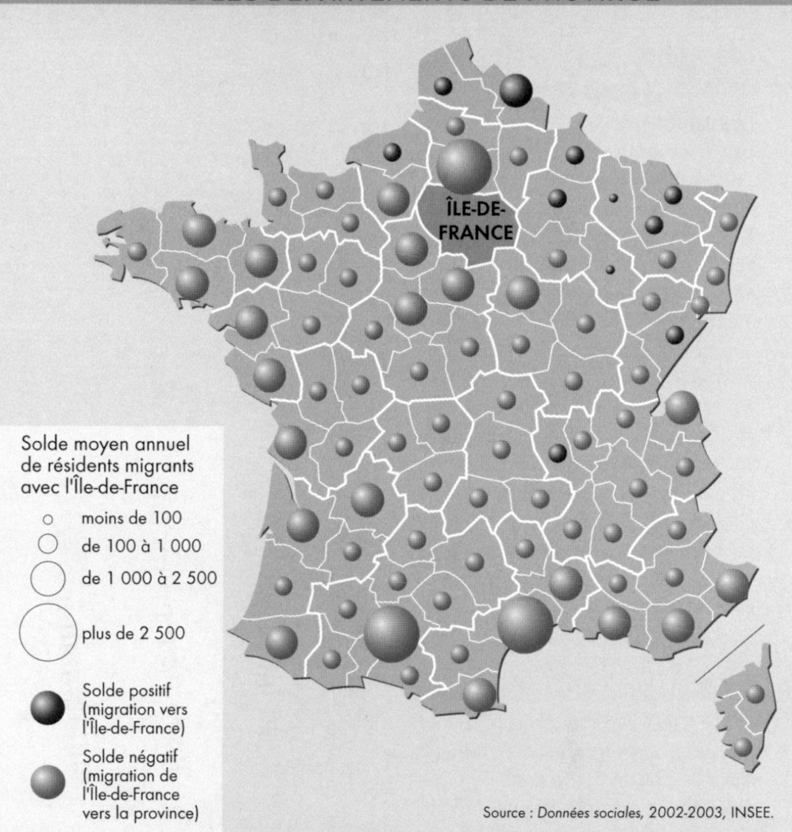

Source : *Données sociales, 2002-2003*, INSEE.

Le PIB par région et par habitant en 2002

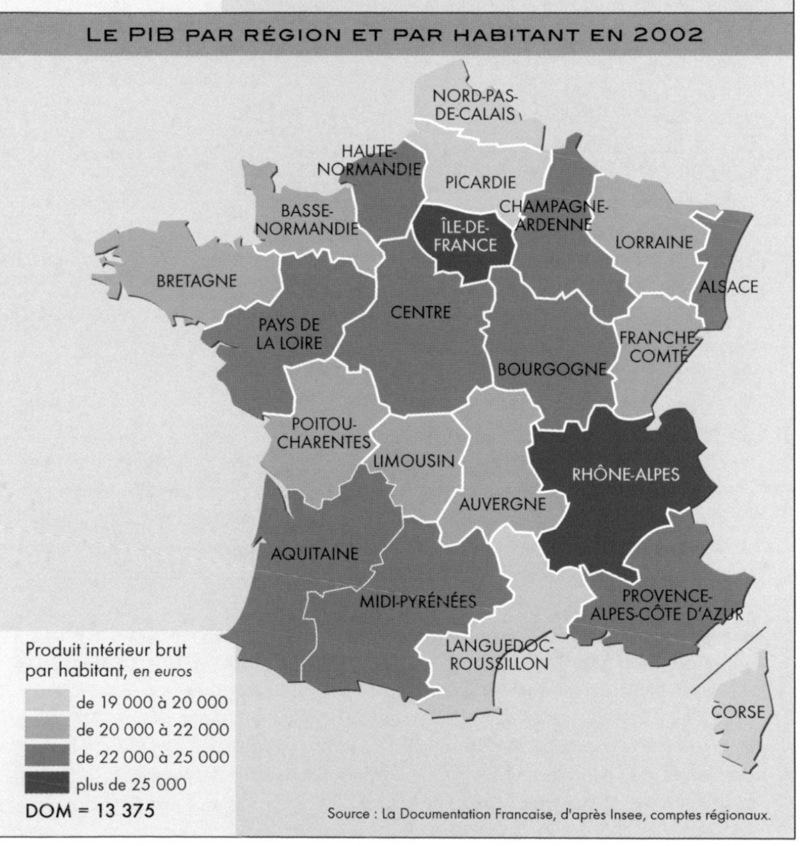

Source : La Documentation Francaise, d'après Insee, comptes régionaux.

Les capitales régionales dans la concurrence européenne

Une « Europe des villes » est en train de s'affirmer. Lyon regarde vers Turin et Stuttgart, Montpellier vers Barcelone, Lille se situe à mi-chemin entre Londres et Bruxelles. Dans tous les pays, on voit les grandes villes prendre des responsabilités dans les domaines économique, scientifique et culturel. Les métropoles régionales ont des ambassades à Bruxelles et la Commission peut négocier directement avec la région. Depuis vingt ans, toutes les grandes villes développent des stratégies économiques, elles promettent des soutiens aux entreprises qui investissent chez elles, elles créent des zones industrielles et les multinationales ne passent plus par Paris pour négocier leur localisation.

UNE VÉRITABLE COMPÉTITION ENTRE CAPITALES RÉGIONALES. Cette course à la première place s'est installée au sein de l'Europe. Ainsi Marseille est le troisième port d'Europe après Rotterdam et Anvers, Paris est la première ville aéroportuaire. Les villes allemandes concentrent un grand nombre de banques (Cologne-Bonn), de compagnies d'assurances (Munich) et d'institutions financières (Düsseldorf). D'un point de vue touristique, les villes de la Côte d'Azur (Toulon, Grasse-Cannes-Antibes) sont en très bonne place après Venise et Palma de Majorque. En revanche, les villes françaises accueillent peu les salons et congrès. En matière culturelle, les villes de Lyon, Grenoble, Marseille et Mulhouse rivalisent avec Munich et Milan en nombre de musées. Rapporté au nombre de leurs habitants, les villes régionales les plus estudiantines sont Bologne et Montpellier (30 %), puis viennent Toulouse, Grenade et Munster (20 %). De plus en plus de villes ont un projet universitaire offrant des formations diversifiées et pointues, créant ainsi un potentiel en main-d'œuvre qualifiée. À Toulouse, les deux tiers des scientifiques sont originaires de la région et ont fait leurs études à Toulouse.

DES VILLES INSCRITES DANS DES RÉSEAUX. Mis à part Paris, les villes de Lyon, Marseille, Toulouse, Lille, Strasbourg, Bordeaux, Montpellier, Nice, Nantes et Grenoble figurent parmi les villes ayant un rayonnement européen. Si le contexte historique est favorable à ce rayonnement, il est certain que le degré d'accessibilité et d'insertion dans des réseaux est devenu déterminant. Les grandes villes sont inscrites dans des réseaux et sont très bien reliées entre elles. Cette performance ne crée-t-elle pas un risque pour les villes petites et moyennes ?

LES PÔLES DE COMPÉTITIVITÉ

1 NORD-PAS-DE-CALAIS
Construction ferroviaire
Textile
Matériaux domestiques
Nutrition
Technologie PVC
Pôle aquatique

2 PICARDIE
Construction ferroviaire
Industries

3 ÎLE-DE-FRANCE
Logiciels
Santé
Image, multimédia
Viande
Cosmétique
Sécurité routière
Mobilité urbaine

4 LORRAINE
Fibres
Acier

5 CHAMPAGNE-ARDENNE
Agroressources

6 ALSACE
Innovations thérapeutiques
Automobile
Fibres

7 BOURGOGNE
Innovation alimentaire
Pôle nucléaire

8 FRANCHE-COMTÉ
Micromécanique
Automobile
Plasturgie

9 AUVERGNE
Viande
Céréales
Mécanique

10 RHÔNE-ALPES
Virologie
Transports urbains
Chimie
Plasturgie
Loisirs numériques
Textiles techniques
Énergies renouvelables
Sports et loisirs
Nanotechnologies
Fruits et légumes
Viande et produits carnés
Décolletage
Mécanique

11 PACA ET CORSE
Énergie
Fruits et légumes
Mer
Cosmétiques
Photonique
Gestion des risques

12 LANGUEDOC-ROUSSILLON
Agroalimentaire
Énergies renouvelables
Viande
Trimatec (Areva)
Fruits et légumes
Mécanique
Gestion des risques

13 MIDI-PYRÉNÉES
Biosanté
Viande
Céramique
Mécanique
Micro-ondes et photonique
Aéronautique

14 AQUITAINE
Agrosanté
Laser
Filière bois
Aéronautique

15 LIMOUSIN
Micro-ondes
Céramique
Viande
Mécanique
Biosanté

16 POITOU-CHARENTES
Mobilités
Automobile

17 PAYS DE LA LOIRE
Végétal
Biothérapies
Mécaniques
Pôle enfant
Génie civil
Automobile

18 CENTRE
Cosmétique
Énergie électrique
Céramique
Mécanique

19 BRETAGNE
Électronique et télécommunications
Mer
Agroalimentaire
Automobile

20 BASSE-NORMANDIE
Électronique
Filière équine
Propulsion

21 HAUTE-NORMANDIE
Logistique
Cosmétique
Propulsion

LA RÉUNION
Agronutrition

Source : E. Seznec, « Aménagement du territoire : une nouvelle politique d'innovation industrielle se met en place », *La Tribune*, 28 septembre 2005.

VERS UNE POLITIQUE INDUSTRIELLE RÉGIONALE

67 pôles de compétitivité ont été labellisés le 12 juillet 2005 dont 6 projets mondiaux. La mise en réseau des entreprises, de la recherche et de l'enseignement supérieur cherche à renforcer la place de la France dans l'économie de la connaissance. L'investissement des collectivités locales devrait permettre d'augmenter l'attractivité des territoires et ralentir les délocalisations.

LA DÉCENTRALISATION ET LES NOUVELLES PRÉROGATIVES

Vingt ans après la loi de décentralisation de 1982, le législateur relance le processus de renforcement du pouvoir des collectivités locales. D'un côté, l'appareil d'État ne peut plus à lui seul régler tous les problèmes liés à la ville ou à la solidarité ; de l'autre, l'angoisse est toujours grande de voir des disparités se creuser entre les régions et de voir le principe d'égale garantie des droits des citoyens, jusqu'ici assuré par l'État central, se déliter. Déjà des disparités existent entre régions, comme en Corse ou dans l'outre-mer, ou les règles particulières qui régissent l'Île-de-France. En 2003, le département devient le « chef de file » de l'action sociale décentralisée.

Des collectivités locales avec de nouvelles compétences

La loi de décentralisation de 1982 établissant que le président du conseil général devenait le premier personnage du département devant le préfet, commissaire de la République, a été une véritable révolution. Les collectivités locales retrouvaient ainsi une part d'autonomie et de vitalité comprimées auparavant par l'État. Il en a été de même au niveau régional, si bien qu'une fonction publique territoriale s'est constituée. Progressivement des responsabilités plus larges ont été attribuées aux régions, faisant perdre au département son rôle unique d'agencement entre le national et le local. Pour grossir le trait, les textes législatifs attribuaient des « blocs de compétences » à chaque catégorie de territoire : l'urbanisme, la politique foncière et les écoles à la commune, les fonctions de solidarité dans le domaine sanitaire et social, l'équipement rural et les collèges et transports scolaires au département, le développement économique et le transport ferroviaire à la région. Avec l'aide de l'État, les régions se sont mobilisées contre le chômage et la désertification industrielle, pour l'emploi, l'éducation et le développement culturel. En améliorant les infrastructures, les pouvoirs régionaux ont su gérer le territoire et l'espace et ont permis au rural profond de ne pas sombrer. En revanche, ils ne se sont guère attaqués aux grandes villes, dont les problèmes n'étaient pas de leur ressort. En 1992, l'organisation territoriale prend un nouveau souffle, avec l'intercommunalité qui permet à plusieurs communes de s'associer afin de résoudre les problèmes dus à la dispersion.

La multiplication des acteurs. Sans conteste, la décentralisation a engagé la France dans la voie de la modernisation en permettant aux capitales régionales d'entrer dans la compétition mondiale et de renforcer la démocratie locale. Mais la conséquence en a été la multiplication des acteurs et une certaine confusion des niveaux de responsabilités et des compétences dans l'esprit des citoyens, sans compter des contraintes juridiques et financières qui viennent freiner le système mis en place. Entre les communautés de communes, les communautés d'agglomérations, les communautés urbaines, sans parler des syndicats de communes, des pays, des agglomérations, rares sont ceux qui savent qui fait quoi.
Les regroupements de communes, créés pour diminuer le coût des services apportés aux communes, sont accusés d'être un facteur de hausse de la fiscalité locale et de remettre en question le pouvoir du maire.

DÉNOMBREMENT ET REGROUPEMENT DES COLLECTIVITÉS LOCALES

	2004	2005	2006-2007-2008
VERS LES DÉPARTEMENTS	Transfert du RMI et du RMA.	Transfert des fonds de solidarité logement et du fonds d'aide à la jeunesse.	Transfert de 43 000 TOS. Transfert des 2/3 des routes nationales (30 000 agents).
VERS LES RÉGIONS		Fonctionnement des structures de formation des travailleurs sociaux et du personnel paramédical. Transfert à la région Île-de-France du syndicat des transports régionaux.	Transfert de 50 000 TOS (techniciens, ouvriers de service) travaillant dans les lycées...

Source : J. Rouil, « Impôts locaux : une dérive qui inquiète », *Ouest-France*, 12-13 mars 2005.

Acte II de la décentralisation

Lancé à l'automne 2002, l'Acte II de la décentralisation a pour objectif d'en élargir le champ d'action. Il renforce le statut des collectivités territoriales (libre administration, autonomie financière, pouvoir réglementaire) et fournit de nouvelles clés de répartition des compétences entre État et collectivités. Le département devient ainsi le chef de file de l'action sociale lorsqu'une action nécessite le concours de plusieurs collectivités. Cette nouvelle loi s'inscrit dans une logique de remise en cause de l'État central, dont les finances publiques sont en crise, et dans la logique de la construction européenne qui privilégie une « Europe des régions ».

Les nouveautés. Les grands points de rupture avec la loi de 1982 concernent l'attribution de compétences à certaines collectivités ne relevant pas des attributions normales de leur catégorie (expérimentation) : par exemple l'Île-de-France pourra expérimenter une pleine compétence en matière de transports publics, et la région lyonnaise en matière d'éducation ; la prévalence de certaines interventions locales sur l'État lui-même (subsidiarité), contraire à la souveraineté étatique traditionnelle, et la reconnaissance d'un pouvoir réglementaire autonome à certaines régions, contraire au principe d'uniformité des statuts et qui peut remettre en cause notre conception traditionnelle de l'unité de la République.

Le retrait de l'Etat est affiché dans le projet de loi relatif aux responsabilités locales au profit de la région, qui devra assurer dorénavant le développement économique régional, la formation professionnelle et la gestion des fonds structurels européens les concernant. La décentralisation doit donc favoriser le recentrage de l'État sur ses fonctions principales et changer ses relations avec les régions qui voient leur pouvoir renforcé par des politiques communautaires et par l'économie de marché qui attise la concurrence entre territoires.

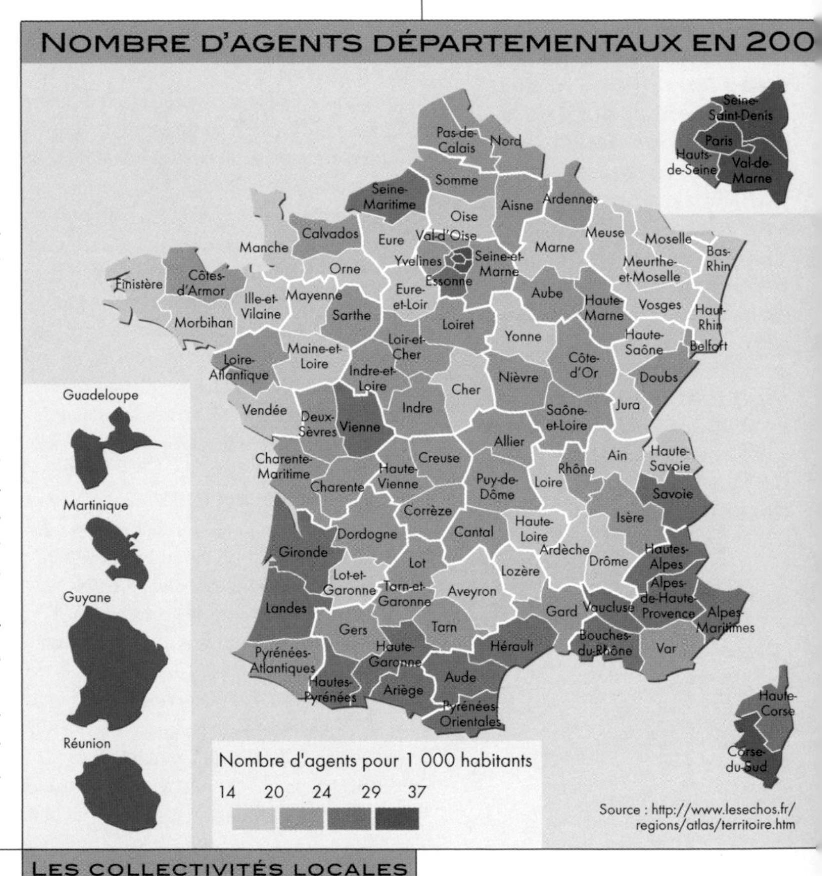

> ***Malgré la décentralisation, le poids des dépenses des collectivités locales dans le PIB (10,5 % en 2003) reste inférieur à la moyenne de l'Union européenne à 15 (11,4 % du PIB en 2003).***

Les collectivités locales en France en 2004

COLLECTIVITÉS LOCALES	
Communes	36 782
Départements	100
Régions	26
Territoires d'outre-mer	2
Collectivités à statut particulier	4
REGROUPEMENTS DES COLLECTIVITÉS LOCALES	
Communautés urbaines	14
Communautés d'agglomération	155
Syndicats d'agglomération nouvelle	6
Communautés de communes (et districts)	2 286

Source : http://www.ladocumentationfrancaise.fr/dossier-actualite/decentralisation/collectivites-locales.shtml

LES RÉGIONS SIGNATAIRES DE LA CHARTE ANTI-OGM

Source : H. Kempf, « Vingt régions européennes défient Bruxelles en refusant les OGM », *Le Monde*, 15 février 2005.

Vers une Europe décentralisée

Au Royaume-Uni, l'Écosse dispose d'un statut particulier. Édimbourg a son propre Parlement, qui infirme ou amende les lois décidées à Londres. En revanche, la région n'a pas son autonomie financière et ne peut avoir de régime fiscal propre.

En Allemagne, les Länder sont des États fédérés souverains ; l'État fédéral préserve quelques compétences : la monnaie, la défense, la diplomatie, les transports. Les Länder lèvent leur propre impôt sur les biens de consommation et les droits de succession, les autres taxes sont partagées avec l'État fédéral et les communes. La constitution prévoit un rééquilibrage des richesses entre Länder pauvres et Länder riches.

En Espagne, on compte 17 communautés autonomes. Pays basque, Galice, Andalousie et Catalogne ont été les premières et ont des pouvoirs plus larges en matière fiscalité, de justice, d'éducation, etc. Les régions collectent elles-mêmes l'impôt et en redistribuent une partie à l'État.

En Italie, les 20 régions ont la part belle avec toutes les compétences, sauf pour les fonctions régaliennes (défense, sécurité, monnaie). Les différences sont grandes entre régions riches du Nord et pauvres du Sud (la Calabre dépend jusqu'à 75 % des financements de l'État) ; l'État central régule les disparités par un fonds de péréquation.

UNE CHARTE COMMUNE À PLUSIEURS RÉGIONS

20 régions européennes ont signé une charte commune pour préserver l'agriculture traditionnelle.
Elles ont affirmé leur volonté de développer le réseau des régions et des autorités locales, qui se reconnaissent dans ces principes, afin de mener des actions communes.

Les régions face à la compétition mondiale

Aujourd'hui, dans un contexte de compétition mondiale, l'effort des pouvoirs régionaux se porte sur leur rôle moteur pour augmenter la croissance et l'emploi ; ils investissent dans l'accès aux capitales régionales (TGV, dessertes aériennes et plates-formes aéroportuaires), l'enseignement qui procurera les emplois supérieurs de demain, les activités tertiaires et les services spécialisés. Si, au niveau européen, les mégapoles françaises sont performantes en matière d'enseignement supérieur et de développement culturel, elles rencontrent encore des faiblesses par rapport aux autres capitales régionales dans les domaines liés à l'économie. En donnant plus de pouvoir économique aux régions dans son Acte II de la décentralisation, l'État entend aider celles-ci à entrer dans le modèle institutionnel de l'Europe des régions.

Vers un nouveau modèle étatique. L'État garde donc ses responsabilités dans les domaines de la sécurité, de la justice, de l'éducation, de l'emploi, de la santé, des équipements d'intérêt national. Il fixe les règles minimales au contrôle de la légalité et à l'évaluation de l'action des collectivités territoriales. En revanche, il entend rendre les collectivités financièrement autonomes : les collectivités disposeront de ressources propres, d'une fiscalité propre et d'un transfert de l'État correspondant aux charges transférées. Le débat se situe autour de la définition des ressources propres. Mais l'autonomie financière laisse craindre des risques d'aggravation des inégalités entre régions riches et régions pauvres, et des risques de pression fiscale renforcée : la demande sociale est plus forte lorsque le pouvoir est à proximité.
Cette nouvelle loi sur la décentralisation rompt avec le modèle de l'État fort et centralisateur qui caractérisait « l'exception française » et tend à se rapprocher de la logique régionaliste de l'Espagne et de l'Italie, ou fédérale de l'Allemagne. Mais dans l'esprit des Français, cette révolution n'a pas encore eu lieu, car il s'agit d'une véritable révolution culturelle.

COMBIEN SOMMES-NOUS ?

La population de la France ne cesse de croître : la mortalité recule, les naissances se maintiennent et le solde migratoire est en légère hausse. Pour la première fois, l'espérance de vie a dépassé les 80 ans. Ce succès est dû aux progrès de la lutte contre les maladies. La population de la France figure parmi les plus dynamiques d'Europe grâce à son espérance de vie élevée et au maintien de sa fécondité. Les migrations n'expliquent que deux cinquièmes de sa croissance. Au contraire, dans la plupart des autres pays européens, c'est grâce à la contribution de la migration que la population s'accroît.

LA PYRAMIDE DES ÂGES

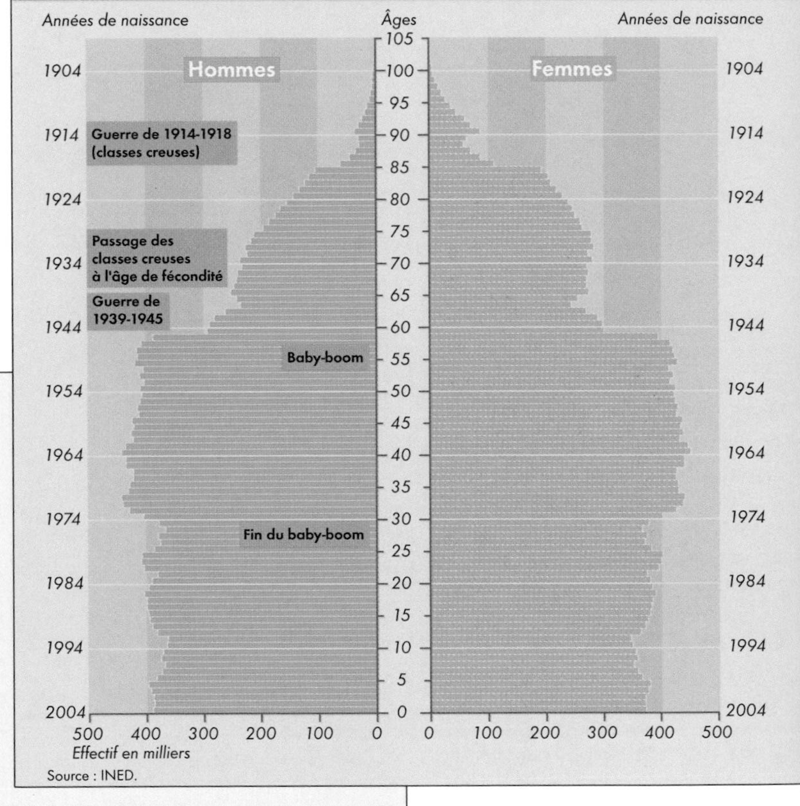

Source : INED.

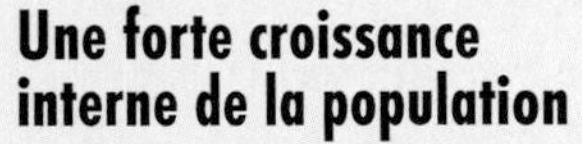

Une forte croissance interne de la population

Début 2006, la France compte 62,9 millions d'habitants, dont 1,9 million dans les départements d'outre-mer.

La croissance démographique entre 1999 et 2005 a été plus soutenue qu'entre 1990 et 1998 : le nombre de naissances s'est maintenu au-dessus de 760 000 par an, bien que la génération en âge d'avoir des enfants soit en diminution. Le nombre de mariages est à la baisse, sauf ceux dont l'un des conjoints est de nationalité étrangère. En revanche le succès du Pacs se confirme.

En termes de groupes d'âges, la part des moins de 20 ans (25,1 %) est en déclin. Elle représente aujourd'hui un quart de la population. La part des 20 à 64 ans ne bouge pas (58,7 %) tandis que la part des 64 ans et plus augmente (16,2 %). Autour de 16 000 centenaires en 2005, les prévisions portent le nombre à 46 000 en 2025 à raison d'1 homme pour 10 femmes à 104 ans.

Le solde naturel de la population est élevé en France (il y a eu plus de naissances que de décès en 2004), parce que, comparée à nos voisins, la structure par âge est favorable aux naissances et peu aux décès : fécondité relativement forte et recul de la mortalité. Ce solde naturel représente les trois quarts de l'augmentation de la population, le quart restant étant dû à l'immigration.

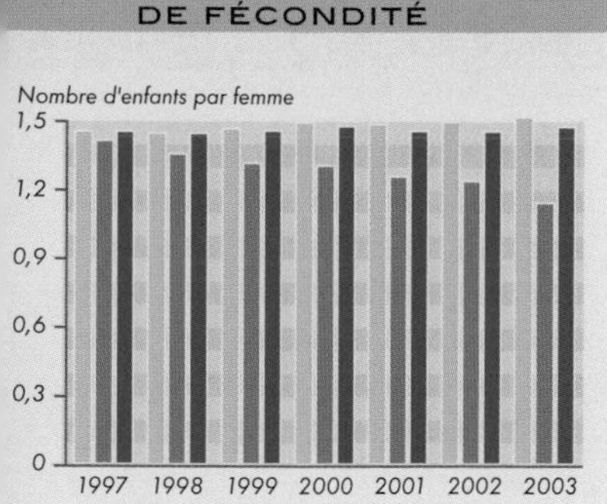

Source : J.-P. Sardon, « Évolution démographique récente des pays développés », *Population*, INED, n° 2, 2004.

UNE CONSÉQUENCE DE L'ARRIVÉE DES NOUVEAUX MEMBRES
La baisse de la fécondité dans les nouveaux pays membres efface la hausse de la fécondité de l'ancienne Union à 15.

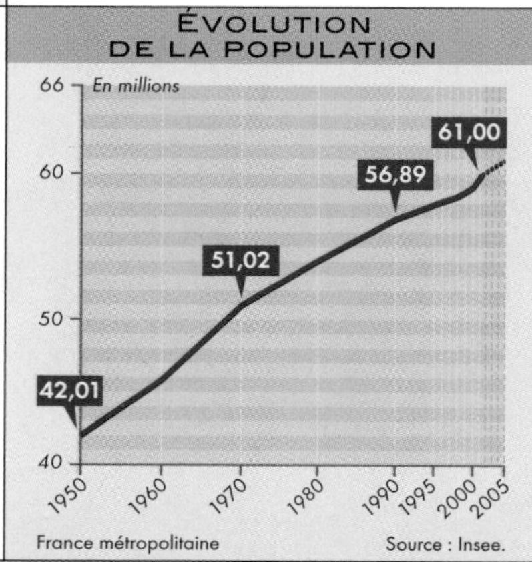

Source : Insee.

L'ESPÉRANCE DE VIE

En années

Femmes : 69,2 (1950) ; 73,6 (1960) ; 75,9 (1970) ; 78,4 (1980) ; 80,9 (1990) ; 82,8 ; 83,8 (2004)

Hommes : 63,4 (1950) ; 67,0 (1960) ; 68,4 (1970) ; 70,2 (1980) ; 72,7 (1990) ; 75,3 ; 76,7 (2004)

Source : INSEE.

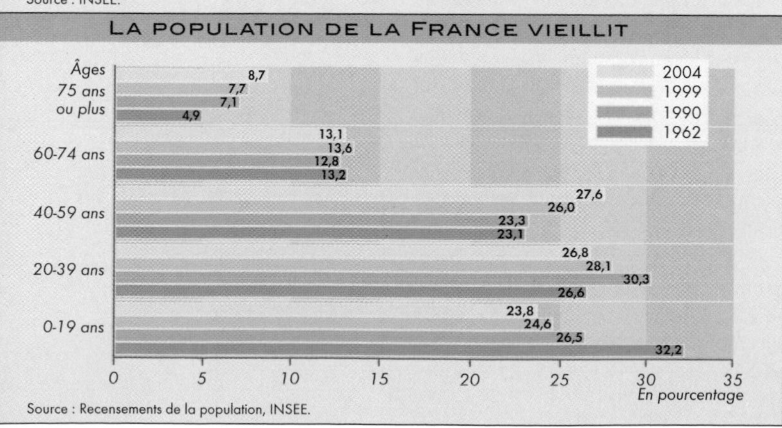

Source : Recensements de la population, INSEE.

La durée de vie s'allonge

10 000 centenaires ont vécu le XXe siècle dans sa totalité. Depuis l'après-guerre, l'espérance de vie ne cesse de croître, pour atteindre 76,7 ans pour les hommes et 83,8 ans pour les femmes en 2004. Cet écart reste le plus élevé de l'Union européenne. Lentement, l'écart se réduit entre les hommes et les femmes, car la mortalité prématurée en particulier chez les hommes recule : les accidents de la route et les suicides diminuent, les traitements contre le sida font des progrès. C'est en Espagne (83,7 ans) puis en France que les femmes vivent le plus longtemps. Mais cette situation ne saurait durer car la mortalité par cancer lié à la consommation d'alcool et de tabac chez les femmes augmente, et la mortalité liée au sida touche aujourd'hui davantage les femmes qu'auparavant. Il en résulte que les femmes risquent de perdre leur médaille d'or européenne en matière d'espérance de vie.

Les différences de longévité selon le milieu social restent élevées : en moyenne les cadres et professions libérales vivent plus longtemps, tandis que les ouvriers non qualifiés et les chômeurs ont un risque de décès plus précoce.

Au sein de l'Union européenne, la France joue un rôle pionnier en matière de recul de la mortalité. En revanche, elle connaît un certain retard en matière de prise en charge des personnes âgées, secteur appelé à se développer considérablement.

FÉCONDITÉ

Les femmes françaises maintiennent une fécondité élevée ; ces dernières années, elles ont en moyenne plus d'enfants qu'au cours des années 1990, repoussant le calendrier des naissances à des âges avancés. La hausse du nombre des naissances est surtout due aux femmes de plus de 30 ans ; ainsi l'âge moyen à la maternité s'élève à 29,7 ans. La descendance finale des générations était de 2,12 enfants par femme pour la génération née en 1954 ; elle est de 2 pour la génération née en 1964 qui a aujourd'hui 42 ans ; elle pourrait tomber au-dessous de 2 enfants dès la génération de 1969, alors que le seuil nécessaire au remplacement des générations est de 2,08.

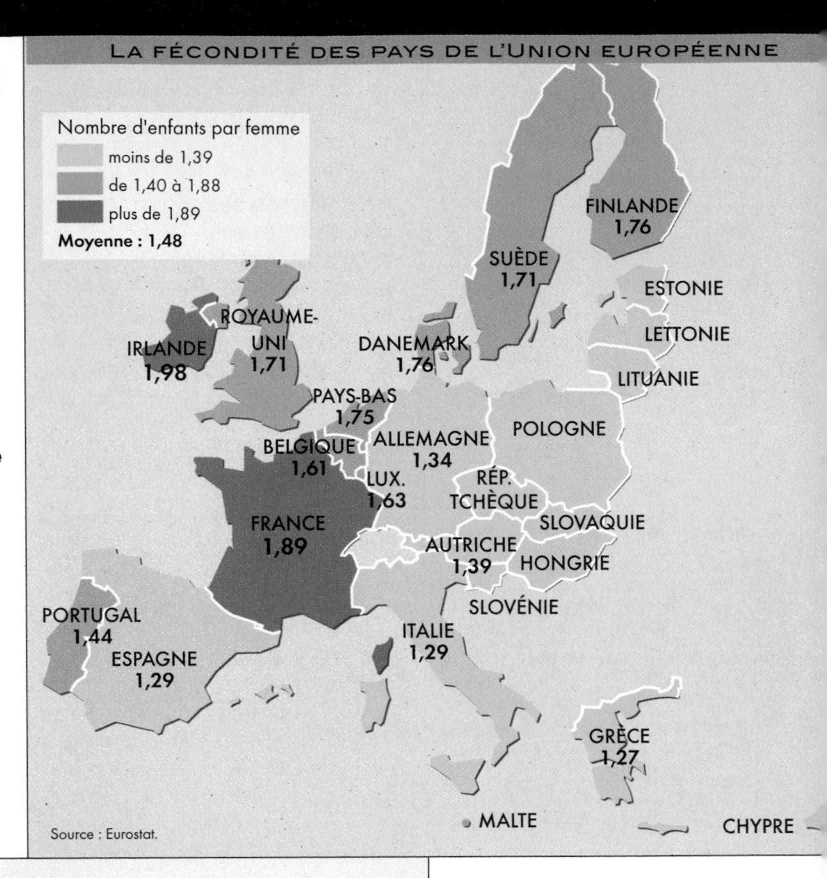

Une fécondité en constante augmentation en France

LES CHIFFRES EN EUROPE. Depuis vingt-cinq ans, la France se distingue très nettement des autres pays européens par sa fécondité, qui s'établit entre 1,8 et 1,9 enfant par femme. Elle se situe en seconde place de l'Union européenne après l'Irlande, qui semble avoir stabilisé la chute de sa fécondité autour de 1,9 enfant par femme. En Italie et en Espagne, pays traditionnellement très fertiles, ce taux est tombé à 1,2 et s'explique en grande partie par le refus des femmes – particulièrement les femmes qualifiées – de reproduire le modèle de leur mère restée à la maison, et leur désir de poursuivre une carrière professionnelle.

LES CHANGEMENTS DE COMPORTEMENTS. La fin des années 1970 marque un changement de comportement en France. Les familles nombreuses se raréfient et la première maternité est plus tardive. L'âge moyen des mères à la naissance de leur enfant est de 29,7 ans et les naissances après 40 ans (3,4 %) sont en augmentation. La grande majorité des couples ont au maximum deux enfants, 15 % en ont trois et 5,5 % au moins quatre. Aujourd'hui, l'image de la famille avec enfants reste très positive en France. Seule une femme sur dix restera sans enfant au terme de sa vie féconde (une sur cinq en Allemagne de l'Ouest). Les femmes françaises s'évertuent à concilier travail à temps plein et maternité, et elles y parviennent, ce qui semble plus difficile dans les autres pays. De même, la France est encore proche aujourd'hui du seuil de renouvellement des générations qui est (2,08 enfants par femme), alors que les autres pays de l'Union sont plus proches de 1.
Jusqu'aux années 1970, avoir un enfant sans être mariée était marginal. Depuis, les naissances hors mariage ne cessent de progresser. En 2005, c'est presque la moitié des naissances (48,3 %) qui proviennent de couples non mariés, et il est de plus en plus fréquent qu'un couple ait un premier enfant hors mariage et que le second naisse légitime, parce que né après l'union légale.

Le faible impact de l'immigration sur la fécondité

Les démographes le rappellent sans cesse, la France est le pays où la croissance démographique dépend le moins de l'immigration : chaque année, depuis vingt ans, le solde naturel est largement positif – il y a eu 270 000 naissances de plus que de décès en 2005 – alors que le solde migratoire (différence entre les entrées et les sorties de migrants) est proche de 100 000 personnes. 4,5 millions de personnes immigrées vivent en France. En vingt ans, la proportion d'immigrés augmente faiblement, puis progresse plus vite depuis 1999 (7,4 % de la population en 2004). Les naturalisations d'immigrés majeurs progressent de 37 % à 41 % entre 1999 et 2004, mais leur origine se diversifie. Ce sont les immigrés de l'Union européenne qui sont les plus nombreux. Mais ils sont en baisse, tandis que ceux du Maghreb et d'Asie sont en progression. L'immigration en France est minime par rapport à nos pays voisins, en particulier l'Allemagne – qui a connu une immigration massive en provenance de l'ex-Union soviétique – l'ex-Yougoslavie, l'Italie, l'Espagne et la Grèce, qui voient chaque année affluer massivement des migrations de main-d'œuvre.

UN ENFANT D'IMMIGRÉ NÉ EN FRANCE N'EST PAS UN IMMIGRÉ de la première ou de la deuxième génération en France, comme dans tous les pays d'Europe. Il est français puisque né sur le sol français. Les femmes immigrées ont au total un taux de fécondité supérieur à celui des Françaises de souche, mais cela est dû aux femmes arrivées récemment. Celles qui sont en France depuis plusieurs années ont un taux de fécondité qui se rapproche de celui des femmes françaises. Et ce n'est pas la fécondité de la femme immigrée qui alimente le plus le solde naturel démographique de la France puisque seulement une naissance sur huit est de mère immigrée en situation régulière ou irrégulière. Le nombre de femmes immigrées en âge de féconder est trop faible pour relever le taux de fécondité français (elles représentent 8,5 % des femmes en âge d'avoir des enfants). De ce fait, la fécondité des immigrées est supérieure à celle des Françaises de souche de seulement 0,07 enfant par femme. Et une fois sur deux, les enfants d'immigrés sont issus d'un couple mixte.

LA FÉCONDITÉ DES IMMIGRÉES A CHUTÉ en France. Au fil de l'intégration, elle rejoint la fécondité des femmes françaises et converge aussi avec la chute de la fécondité actuelle très sensible dans les pays du Maghreb et dans les capitales de l'Afrique subsaharienne. L'image de la famille immigrée nombreuse n'est plus d'actualité.

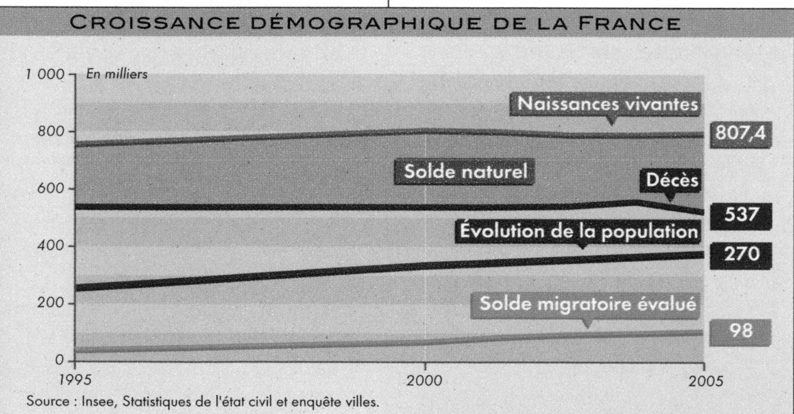

Source : Insee, Statistiques de l'état civil et enquête villes.

UNE CROISSANCE DÉMOGRAPHIQUE SOUTENUE

La croissance démographique est due pour les trois quarts à l'excédent des naissances sur les décès. Le solde migratoire intervient pour seulement un quart de la croissance.

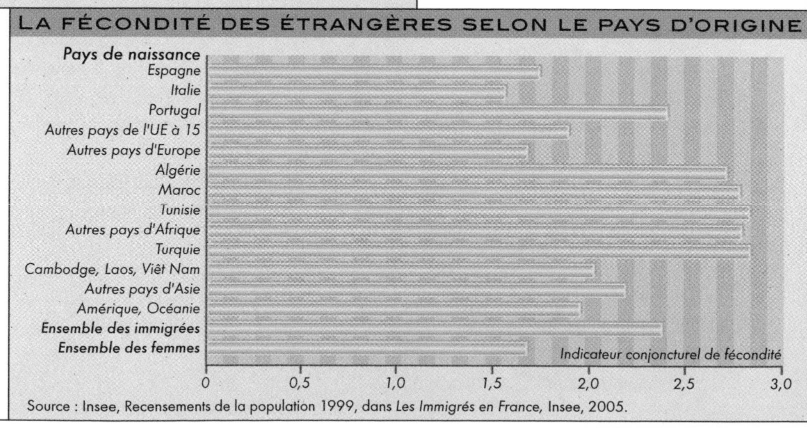

Source : Insee, Recensements de la population 1999, dans *Les Immigrés en France*, Insee, 2005.

COUPLES ET UNIONS (I)

Chaque année, le nombre de mariages est revu à la baisse. La part des célibataires est dominante parmi les nouveaux mariés, mais elle s'érode. Depuis une dizaine d'années, chaque reprise significative de la nuptialité concerne des couples ayant déjà des enfants ou des remariages pour l'un au moins des conjoints. Les mariages entre époux français diminuent, tandis que les mariages dans lesquels au moins un époux est de nationalité étrangère augmentent. Le Pacs, créé en 1999, fait plus d'adeptes chaque année. Mais, au vu des quatre premières années de création, ces unions semblent plus fragiles que les mariages. La fréquence du divorce augmente au fil des générations.

> **“** *Non seulement épouser son premier conjoint est devenu chose rare, mais avec la fréquence des ruptures, connaître successivement plusieurs vies de couple est devenu courant, ce que C. Baudelot appelle la « polygamie longitudinale ».* **”**

MARIAGES SUIVANT LES NATIONALITÉS

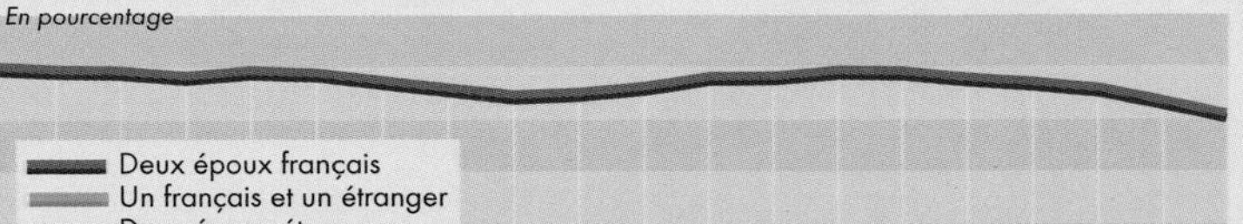

Source : INSEE.

Nuptialité, union libre

Dans le domaine de la famille, l'affaiblissement des normes a conduit à l'éclatement du modèle du couple marié avec deux enfants. Bien que ce modèle standard reste dominant, les situations familiales se sont diversifiées : on se marie moins souvent, un couple sur six n'est pas marié et, si mariage il y a, il intervient neuf fois sur dix après une expérience de vie en couple et presque une fois sur deux après la naissance du premier enfant. Ainsi, la vie en couple – ou l'union libre – a remplacé le mariage comme condition presque exclusive de la naissance des enfants.

LE MARIAGE. Depuis les années 1970, le nombre de mariages est en baisse, on ne compte pas plus de 300 000 noces par an. 82 % de ces mariages unissent deux célibataires, mais les remariages de veuves ou divorcées sont en légère augmentation. Cette baisse serait plus nette encore si l'on ne comptait pas les mariages mixtes et entre étrangers. En effet, depuis 1998, les mariages dont l'un des époux est étranger sont en progression (un mariage sur cinq). Dans la majorité, ce sont des mariages mixtes (85 %), en majorité une Française qui épouse un étranger, mais le nombre de mariages entre un Français et une étrangère tend à se rapprocher. Lorsqu'une Française épouse un étranger, il s'agit le plus souvent d'un ressortissant des pays du Maghreb.
Enfin, l'âge au premier mariage n'a cessé d'augmenter : la mariée a aujourd'hui 28,8 ans en moyenne et le marié 30,9 ans, contre respectivement 23 et 25 ans vingt ans plus tôt.

Le Pacs pour tous les couples

Depuis sa création en 1999, le succès du Pacte civil de solidarité (Pacs) est confirmé : 131 651 pactes signés entre novembre 1999 et novembre 2004, et un sur dix a été dissous. La plupart des gens associent Pacs et homosexualité, or les chiffres ne montrent pas cette évidence.

Bien que les statistiques ne donnent pas d'indication sur le sexe et l'âge du pacsé, on peut déduire que le Pacs attire aussi les hétérosexuels. En effet, son succès sur la France entière dépasse largement le nombre de couples homosexuels estimé. À Paris, où vit une importante communauté homosexuelle, le nombre de Pacs signés a diminué de moitié depuis 1999, alors qu'ailleurs, c'est en 2004 qu'il atteint son maximum. Mais cet engouement pour le Pacs reste relatif, il ne séduit pas la grande masse des couples qui restent concubins, et le taux de dissolution après les quatre premières années d'union est trois fois plus important que le taux de divorce pour la même période.

COMPARAISON ENTRE PACS ET MARIAGES

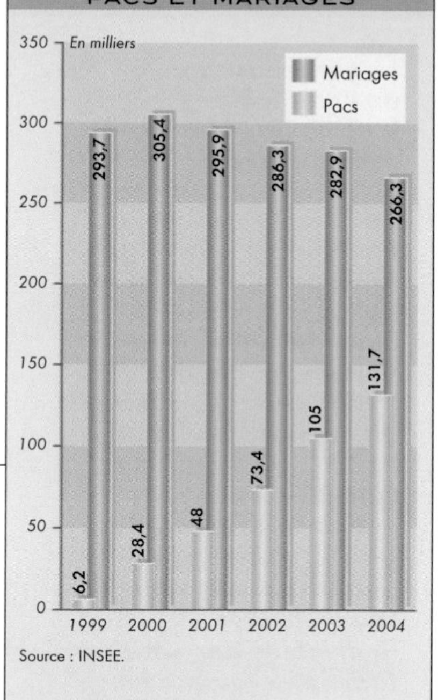

Source : INSEE.

LE PACS EST ENTRÉ DANS LES MŒURS

Le groupe social concerné va-t-il réussir un jour à obtenir du législateur des droits identiques à ceux du couple marié ?

TAUX DE DIVORCE SELON LA DURÉE DU MARIAGE

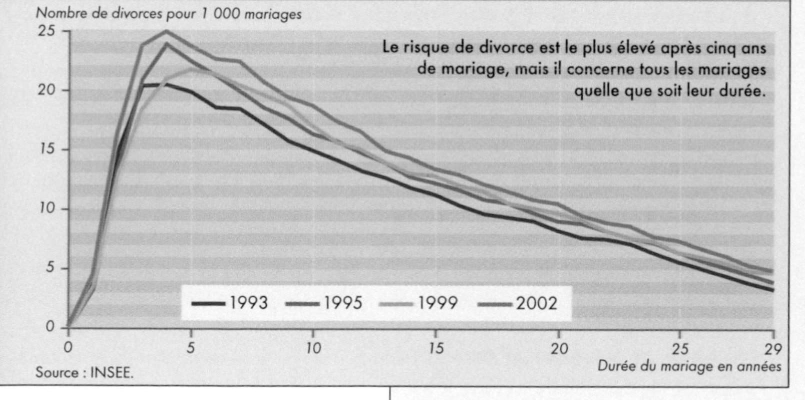

Source : INSEE.

Le nombre de divorces en hausse

Les mariages, moins fréquents, sont de plus en plus fragiles, comme en témoigne la hausse du taux de divorces. En 2003, plus de 125 000 divorces ont été prononcés, chiffre encore jamais atteint auparavant. Le taux de divortialité tend à augmenter : alors qu'il plafonnait autour de 38 divorces pour 100 mariages entre 1995 et 2001, il atteint 42,5 % en 2003 et rejoint la fréquence des autres pays européens en dehors des pays méditerranéens. Sur vingt ans, l'augmentation concerne tous les mariages quelle que soit leur durée, et la probabilité de divorcer intervient de plus en plus tôt.

UNE AUTRE IDÉE DE LA FIDÉLITÉ. La nouvelle loi sur le divorce, entrée en vigueur au 1er janvier 2005, a pour objectif d'apaiser les contentieux en matière de divorce. En cas de consentement mutuel, une seule comparution devant le juge est exigée. Le principe d'altération définitive du lien conjugal est accepté. Le divorce pour faute entraînant des conflits était très utilisé (37,7 % des cas) ; la nouvelle loi entend dissocier conséquences financières et répartition des torts. La sociologue Irène Théry voit dans cet assouplissement de la loi l'idée contemporaine du mariage : un engagement à une vie commune et non plus un *statu quo* à n'importe quel prix. C'est une idée plus complexe de la fidélité qui s'instaure.

La généralisation de l'union libre, l'affaiblissement du lien conjugal avec la montée du divorce, l'augmentation du nombre de foyers monoparentaux et de familles recomposées obligent à remettre en question le concept de famille, qui ne s'organise plus autour du modèle historique de la famille nucléaire (composée des parents et des enfants), mais autour d'une notion plus complexe, celle de la parentalité. Pourtant, la diversité des situations familiales tout au long de la vie des individus n'a pas remis en cause l'importance de la famille, qui reste une valeur dominante. Toutes les enquêtes montrent que les Français restent très attachés à la famille et la force des liens entre générations en est la preuve.

De la sexualité au couple et à la famille

En quelques décennies, les étapes qui conduisaient à la fondation d'une famille ont été complètement chamboulées. L'ordre chronologique traditionnel était : la fréquentation, le mariage, la sexualité qui provoquait la fécondité. C'est le mariage qui autorisait des rapports sexuels dont on ne parlait pas et dont la légitimité était la fécondité. Aujourd'hui, le cycle de la vie matrimoniale peut être scandé par les étapes suivantes : sexualité avec ou sans concubinage, résidence indépendante, résidence commune, première naissance, parfois mariage, seconde naissance, divorce, célibat, concubinage et de moins en moins souvent remariage. Dans ce calendrier, c'est la relation sexuelle qui assume un rôle essentiel dans la constitution du couple, puis dans son maintien. On pourrait dire que la période traditionnellement dévolue aux fiançailles, sensée mettre à l'épreuve une fréquentation et une inclination, est remplacée par une période de semi-cohabitation avec un passage rapide à une relation sexuelle qui sera déterminante. De gênante et dissimulée, la sexualité est devenue quasiment obligatoire : pas d'union sans sexualité ; dans les médias, elle est même recommandée pour les couples d'âge avancé.

LES RAISONS DU CHANGEMENT. En France, comme dans la plupart des pays d'Europe de l'Ouest, ce sont les premières générations d'après-guerre, nées aux alentours de 1950, qui apparaissent comme les initiatrices d'un nouveau comportement caractérisé par un mariage de plus en plus tardif et de moins en moins fréquent. Les femmes qui débutent leur sexualité dans les années 1970, grâce à la contraception, ne craignent plus les naissances non désirées. Elles décident alors d'avoir deux enfants en fonction de leur calendrier personnel (fin des études, emploi et partenaire stables) ; ce qui les conduit à envisager tardivement la grossesse, avec les problèmes que pose un désir d'enfant passé l'âge optimal.

LES NORMES DE COMPORTEMENT ONT CHANGÉ parce qu'elles sont de moins en moins transmises par la famille, l'école, le milieu social. À cela s'ajoute une observance religieuse en déclin depuis les années 1980. Les comportements de la jeunesse face à la sexualité sont élaborés lors des relations de plus en plus intenses et de plus en plus diversifiées en dehors de la famille ; les jeunes vivent dans un univers où la mixité sociale est plus grande, dans les écoles ou à la fac et, par ailleurs, les médias leur proposent des modèles de comportement qui définissent la sexualité comme la condition d'une vie sociale réussie où la femme exerce un rôle aussi actif que celui de l'homme. Mais du côté des parents, le changement aussi a eu lieu. Ils n'exercent plus auprès de leurs enfants ce contrôle pluriséculaire qu'ils exerçaient. Au contraire, eux-mêmes convertis, ils ont adopté une attitude permissive à l'égard de la sexualité de leurs enfants, sous leur toit ou au-dehors, au point de redouter un projet matrimonial précoce de leur enfant qui pourrait entraver un investissement coûteux dans les études. Ils préfèrent miser sur l'épanouissement de la vie sexuelle de leurs enfants.

> De plus en plus d'individus connaissent au cours de leur vie une période de célibat, soit comme étudiant chez ses parents en attente d'un travail stable, soit parce que divorcé en attente d'une nouvelle union, soit parce qu'en couple mais ne cohabitant pas à temps plein.

Les nouvelles formes de parenté

Aujourd'hui, la quasi-totalité des enfants nés hors mariage sont reconnus par leur père alors qu'au début des années 1970, ce n'était le cas que d'un enfant sur cinq. Cette progression a modifié l'image de l'enfant « naturel » qui, par la loi du 3 janvier 1972, voit ses droits assimilés à ceux de l'enfant légitime. Ainsi le concubinage a été légalisé. D'autre part, la position de la femme dans la famille s'est renforcée : outre sa condition économique améliorée, elle a obtenu le partage égalitaire de l'autorité parentale et sa position devient égale en droit et en liberté à celle de l'homme. Enfin, aux yeux de la loi, « l'intérêt de l'enfant » est dorénavant au centre des dispositions concernant la famille et le couple, si bien que l'enfant occupe aujourd'hui une place centrale dans la famille, tendance qui est apparue avec la progression de l'instabilité des couples, décompositions et recompositions familiales. La famille ne coïncide plus forcément avec le couple.

VERS UNE PARENTÉ SOCIALE. Tandis que le lien conjugal est dissoluble, le lien parental ne l'est pas. Quel lien prime en cas de recomposition familiale, de procréation médicalement assistée, de monoparentalité ou d'homoparentalité ? Le lien biologique ou le lien social ? Celui du père biologique qui ne voit parfois jamais son enfant ou celui du nouveau conjoint qui élève l'enfant et lui donne tout ce qu'un père apporte dans la construction de son identité et va lui assurer son avenir ? Le législateur s'interroge et propose de créer un cadre légal dans lequel le beau-parent pourrait exercer une autorité parentale.
De même, avec les possibilités de procréation artificielle, la femme a le pouvoir exclusif de concevoir un enfant ou de ne pas le concevoir. Seul compte le lien physique entre elle et son enfant, les hommes pouvant graviter et changer autour d'elle. Ces derniers peuvent être déclarés père ou au contraire évincés s'ils ne sont pas les géniteurs, même s'ils ont aimé et élevé les enfants. Les lois sur la procréation et la filiation donnent à la mère tout pouvoir. Victoire qui peut devenir amère lorsqu'elle devra prendre en charge la lourde tâche des soins et de l'éducation d'un ou de plusieurs enfants. Puisque de moins en moins d'enfants vivent avec leur deux géniteurs, c'est plus à partir de l'enfant, seule réalité pérenne, que la famille se définit aujourd'hui. La famille prend des formes nouvelles en Occident, comme le constate l'anthropologue Maurice Godelier. Mais elle se rapproche des modèles anciens où le couple ne représentait pas à lui seul la famille, où on pouvait avoir plusieurs pères et plusieurs mères : les liens de parenté se sont étendus à des liens sociaux plus larges.

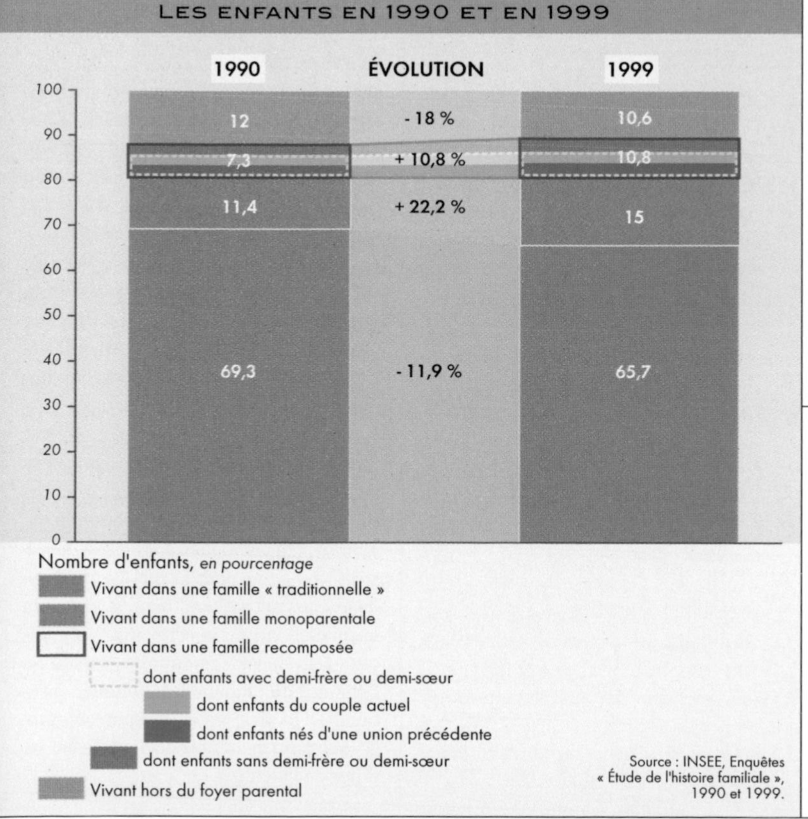

AVEC QUI VIVENT LES ENFANTS ?
Les deux tiers des enfants vivent avec leurs deux parents.

L'évolution de la famille : monoparentalité, séparation...

Psychologues et sociologues divergent sur l'évolution de la famille. Les uns, pessimistes, redorent l'image de la famille traditionnelle, la maisonnée chaleureuse et protectrice, mais où l'homme l'emportait sur la femme restée au foyer, où les enfants obéissaient aux parents, réprimant leurs rancœurs sans dire mot ; les autres voient au contraire dans la famille moderne les vertus d'une « famille démocratique », une institution vivace où les inégalités sont déstabilisées, une famille plus complexe, plus exigeante mais aussi plus fragile, où les enfants font leur apprentissage de plus en plus tôt et hors du cercle familial, et ne manquent pas de ressources face aux divorces ou à la monoparentalité. Comme le dit Irène Théry : « Ce dont nous souffrons, ce n'est pas du divorce, c'est de l'incapacité totale de la société à lui donner un autre sens que celui de l'échec. »

DÉPENDANCE GÉNÉRATIONNELLE. Les grands-parents d'aujourd'hui, qui ont reçu les dividendes des Trente Glorieuses, sont tentés d'aider leurs enfants et petits-enfants qui connaissent les difficultés d'une société en crise. Les transferts financiers se sont inversés puisque, avant, c'étaient les actifs qui aidaient leurs vieux parents. Les couples de 50 ans, au milieu de leur vie conjugale, voient leurs enfants les quitter pour s'installer dans un petit studio, seuls ou avec un ou une amie. Cette décohabitation ne rompt pas pour autant les liens, les enfants revenant le week-end chez les parents prendre un repas en apportant leur linge à laver. Ainsi ces couples se retrouvent en « jeune ménage » pour une seconde partie de la vie, plus longue que la première, et doivent se reconstruire dans la liberté du troisième âge et le rôle de grands-parents. De plus, leurs propres parents, à un âge avancé, demandent soins et assistance, sans être pour autant dépendants. La mère doit donc s'occuper des enfants et petits-enfants en même temps que de ses propres parents. Ainsi, décohabitation ne veut pas dire rupture des liens et la maisonnée d'autrefois logeant plusieurs générations est remplacée par le réseau, la parentèle localisée.

LA VALEUR FAMILLE. Le modèle historique du couple marié à vie avec enfants, qui représentait une famille forte, s'est cassé et les esprits chagrins le pleurent. Mais n'oublions pas que ce modèle était parfois très autoritaire, qu'il transmettait des valeurs contre lesquelles les enfants se révoltaient. De plus, le rôle de la femme n'était pas toujours enviable. La cellule familiale devenue plus fragile, des liens plus authentiques unissent ses membres, fondés sur des échanges affectifs et intellectuels plus forts. L'allongement de la vie permet à quatre générations de se côtoyer, dont les échanges sont plus libres et plus proches. Les activités en commun ne sont plus domestiques, mais bien de loisirs. Non seulement la famille est l'endroit où l'on se sent bien et détendu pour une large majorité (86 %), mais elle fait aussi l'unanimité lorsqu'on demande aux individus de choisir entre famille, métier, amis, origine géographique pour se définir. La famille est un pilier de l'identité.

LE PASSAGE DES ÉTAPES À L'ÂGE ADULTE SE FAIT PLUS TARD

Âges auxquels 50 % de la population sont concernés par l'événement

	1982	1999
Fin d'études	18	21
Obtention d'un emploi stable	22	25
Formation d'un couple	23	25
Premier enfant	26	29
Grand-parentalité		56
Arrière-grand-parentalité	HOMMES 84	FEMMES 87

Source : D. Chauffaut, « Les relations entre les générations : de la contrainte au plaisir ? », Credoc, Consommation et mode de vie, n° 164, mai 2003.

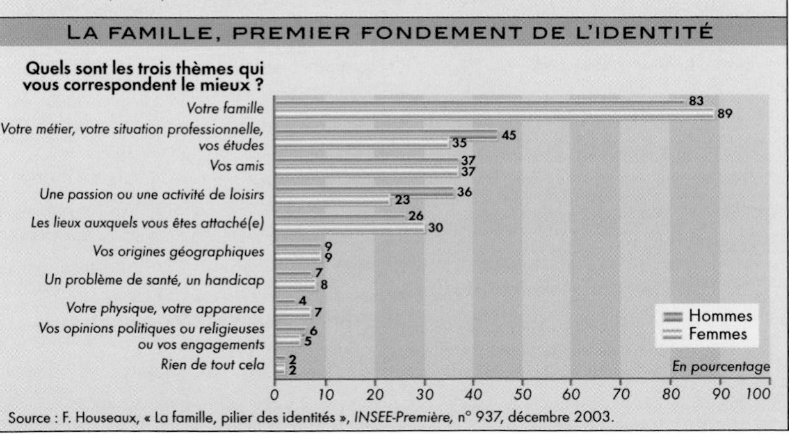

Source : F. Houseaux, « La famille, pilier des identités », *INSEE-Première*, n° 937, décembre 2003.

PROPORTION DE PERSONNES VIVANT SEULES

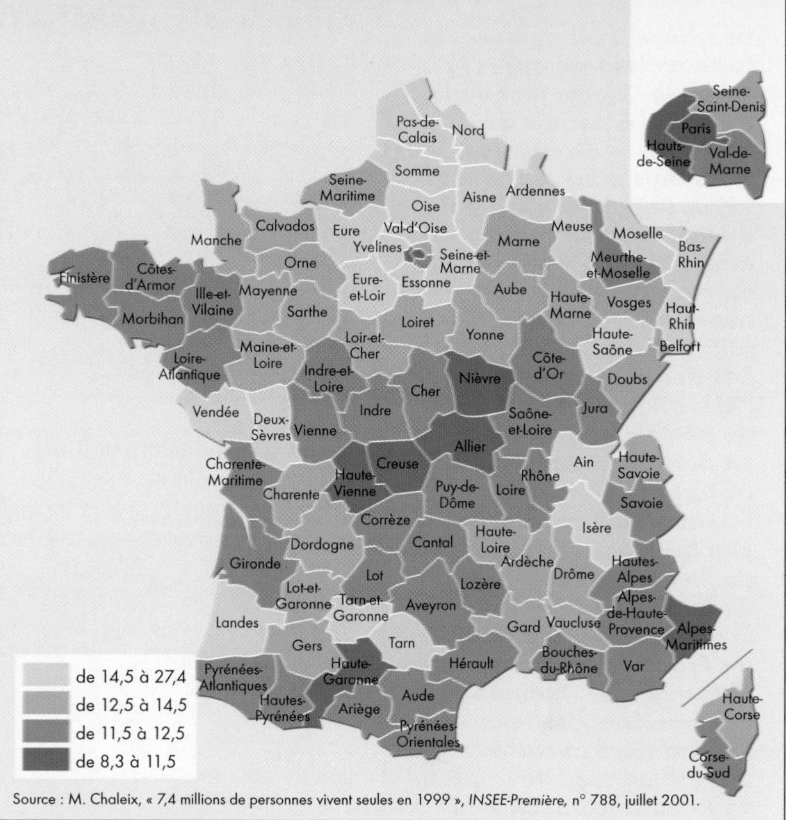

Source : M. Chaleix, « 7,4 millions de personnes vivent seules en 1999 », *INSEE-Première*, n° 788, juillet 2001.

RÉPARTITION EN FONCTION DU TYPE DE MÉNAGE

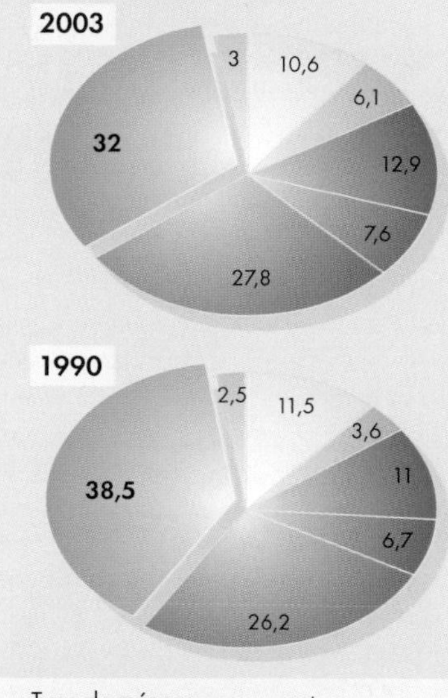

Type de ménage, *en pourcentage*
Personnes seules
- Seul et veuf
- Seul et divorcé ou séparé
- Seul et célibataire
- Familles monoparentales

Couples
- Sans enfant
- Avec enfant(s)
- Plus d'une personne sans famille

Source : Enquêtes emploi 1990 et 2003, INSEE.

LIEU DE RÉSIDENCE DES PERSONNES SEULES

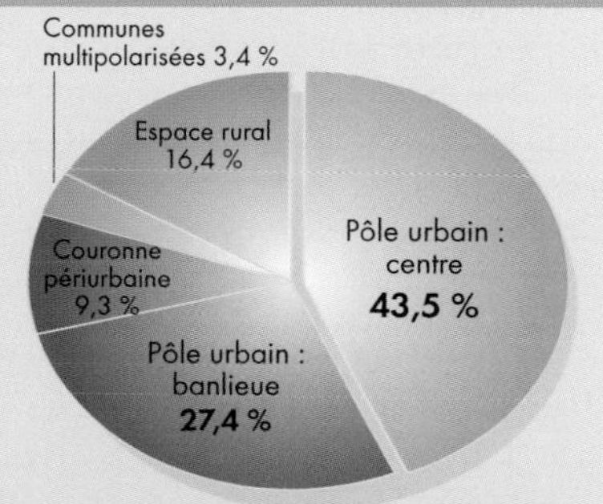

Source : M. Chaleix, « 7,4 millions de personnes vivent seules en 1999 », *INSEE-Première*, n° 788, juillet 2001.

Vivre seul aujourd'hui

LE NOMBRE DE PERSONNES VIVANT SEULES AUGMENTE, qu'elles soient célibataires, veuves ou divorcées. En 2004, 8,3 millions d'habitants vivaient seuls, soit 14 % de la population, contre 6 % quarante ans plus tôt. Avant 25 ans, femmes et hommes sont également concernés, ils sont le plus souvent étudiants ; en revanche, entre 25 et 30 ans, ce sont plus souvent les hommes qui sont seuls, deux fois plus que les femmes au moment de la quarantaine. Au-delà de 50 ans, ce sont les femmes qui se retrouvent seules en devenant veuves, les plus de 60 ans représentant la moitié des personnes seules. Si, autrefois, la crise du logement obligeait les célibataires et les veufs et veuves à vivre avec leurs parents ou leurs enfants, aujourd'hui chacun a son chez-soi, et les ruptures ou le veuvage laissent les personnes dans la solitude. D'autres facteurs peuvent contribuer à la solitude : les femmes diplômées du supérieur sont plus affectées par la solitude que les ouvrières, de même les hommes et femmes appartenant aux professions culturelles ou des médias ; ou encore habiter les centres des grandes villes où presque une personne sur deux vit seule.

VIVRE SEUL NE VEUT PAS DIRE SE SENTIR SEUL. Les personnes vivant seules ont une propension plus grande à développer des contacts que les couples. Leurs relations sont plus nombreuses et plus centrées sur les amis. Mais cela n'empêche pas le sentiment de solitude et le manque d'interlocuteur au sein du foyer. Si les personnes âgées seules acceptent avec philosophie leur isolement, en revanche, les célibataires et divorcés y sont plus sensibles. Les cas les plus pénibles se trouvent parmi les chômeurs et les personnes à bas revenus, dont la condition n'entraîne pas les autres à les rejoindre.

CROISSANCE ÉCONOMIQUE

La France a connu une très forte croissance après la Seconde Guerre mondiale, ce qui lui a permis de rattraper le niveau des États-Unis dans les années 1970. Depuis une vingtaine d'années, la situation économique s'est durablement dégradée, avec une croissance très faible depuis 1990. Ces dernières années, l'élévation du prix du pétrole explique en partie la très faible croissance en France. La situation actuelle, peu brillante au regard de l'histoire, l'est davantage au regard de la zone euro : depuis 1998, les Français consomment plus que leurs homologues allemands ou italiens, et l'économie française croît à un rythme supérieur à celui de la zone euro. Le solde négatif récent des échanges commerciaux avec les autres pays résulte de la moindre attractivité des produits français demandés par les pays émergents.

TAUX DE CROISSANCE DU PIB

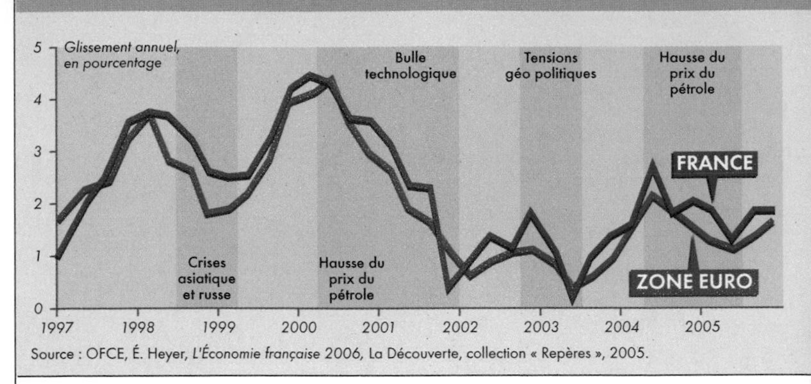

Source : OFCE, É. Heyer, *L'Économie française 2006*, La Découverte, collection « Repères », 2005.

Le PIB (produit intérieur brut)

Le PIB est un indicateur de mesure de la production marchande et non marchande. Il permet d'apprécier les performances économiques d'un pays et permet aussi les comparaisons avec les autres pays. Actuellement, la croissance moyenne annuelle mondiale est d'environ 5 % ; les deux pays principaux moteurs de cette croissance sont les États-Unis et la Chine. La zone euro et le Japon n'y participent pas. Le PIB participe à la mesure du bien-être matériel collectif de la société : si la croissance du PIB est faible, le chômage augmente, les revenus stagnent, les contraintes sur la consommation deviennent plus fortes et, au total, le niveau de bien-être matériel diminue.

L'État et l'économie

À la suite de fortes privatisations, l'emploi dans le secteur public marchand d'entreprise a chuté de moitié entre 1985 et 2002. Il représente aujourd'hui 5 % de l'ensemble des salariés, soit 1,1 million d'actifs répartis dans 1 600 entreprises contrôlées par l'État. L'emploi public en France est nettement plus élevé que dans les autres pays d'Europe, différence expliquée par le caractère public de la santé et de l'éducation.

> ***« L'État prend en charge 75 % des dépenses de santé contre 45 % aux États-Unis. Les indicateurs du système de santé français sont bons, mais la question de son financement n'est pas résolue. »***

LES EXPORTATIONS FRANÇAISES

La France est le premier exportateur mondial d'agroalimentaire. Ses autres atouts à l'exportation : les produits de haute technologie et le luxe.

DES ÉCHANGES MONDIAUX QUI S'INTENSIFIENT

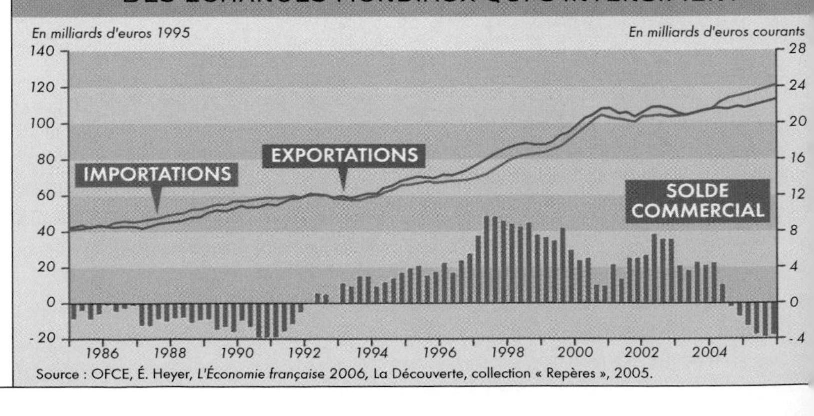

Source : OFCE, É. Heyer, *L'Économie française 2006*, La Découverte, collection « Repères », 2005.

Exportations et importations : une économie ouverte

Jamais la France n'a autant exporté qu'en 2004 ; pourtant, après trois années d'excédents, le solde de la balance commerciale est négatif. Les importations ont progressé plus que les exportations parce que les Français ont maintenu une consommation élevée et parce que les prix de l'énergie et des métaux ont augmenté. Les exportations sont essentiellement tournées vers la zone euro, dont la conjoncture est morose. La France reste déficitaire en énergie et en industrie civile, tandis qu'elle est excédentaire dans l'agroalimentaire.

La balance commerciale d'un pays est de moins en moins à elle seule un indicateur de performance économique puisque les produits exportés peuvent être fabriqués dans un autre pays qui bénéficiera de l'activité. Les exportations françaises se concentrent sur les produits de haute technologie (aéronautique, transports, centrales nucléaires), agroalimentaire et produits de luxe.

LA STRUCTURE DES ÉCHANGES DE LA FRANCE PAR ZONE

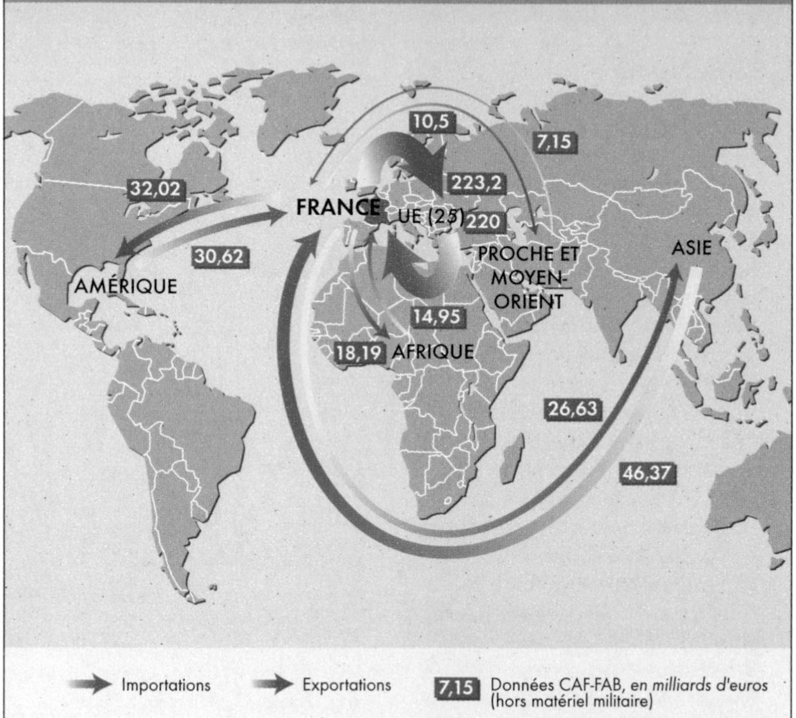

FRANCE
UE (25)
AMÉRIQUE
PROCHE ET MOYEN-ORIENT
ASIE
AFRIQUE
10,5
7,15
223,2
220
32,02
30,62
14,95
18,19
26,63
46,37

Importations — Exportations — 7,15 Données CAF-FAB, *en milliards d'euros* (hors matériel militaire)

Les trois quarts des échanges commerciaux se font avec l'Union européenne. Au-delà l'Amérique est le premier client et l'Asie le premier fournisseur de la France.

Source : C. Fouquet, « Commerce extérieur, la France perd des parts de marché et des exportateurs », *Les Échos*, n° 19350, 14 février 2005.

Émergence de l'idée de décroissance

Si le PIB permet de donner une idée du niveau de bien-être économique des habitants d'un pays, il est insuffisant pour mesurer le bien-être social : manquent les données sur la qualité de l'environnement, des conditions de travail ou des risques sanitaires. Le débat s'est ouvert quant au bien-fondé d'une croissance perpétuelle du PIB qui entraîne le gaspillage, la détérioration de l'environnement et l'épuisement des matières premières. Des tenants de la décroissance ont fait leur apparition qui militent en faveur d'une consommation minimale, sans publicité et sans marques. Ils veulent faire reculer le PIB en agitant le spectre de la marchandisation du monde, comme dans les pays du Sud où même la justice et la police se vendent. Or, la croissance du PIB apporte avec elle le développement de la solidarité et des services. Et c'est bien dans les pays du Sud que manquent l'éducation, la santé, l'assainissement, etc. On le voit bien, dans les pays riches du Nord, en période de croissance faible, c'est l'État-providence qui pâtit en premier du manque de richesses. L'autre alternative, peut-être plus plausible, à la sauvegarde de la planète, est défendue par les tenants du développement durable, qui mettent en évidence les moyens techniques pour produire autant en consommant moins de matières premières et réclament des systèmes fiscaux avantageant les productions écologiques.

Les dépenses publiques : protection sociale, santé et éducation

Protection sociale. La part des dépenses publiques dans le PIB est passée de 34,6 % à 54,6 % entre 1960 et 2004, dépassant de six points la moyenne européenne et obligeant à augmenter les prélèvements obligatoires dans les mêmes proportions. Parmi les dépenses publiques, la part dans le PIB des dépenses de l'État n'a pas progressé en vingt ans. En revanche, les prestations sociales constituent les deux tiers de l'augmentation. Pour l'essentiel, elles comprennent le versement des retraites et l'assurance maladie à tous les travailleurs, les allocations de chômage et les allocations familiales, dont la moitié ne sont pas sous conditions de ressources. Les retraites publiques en France sont généreuses (80 % du salaire net moyen).

Santé. La part dans le PIB des dépenses de santé a plus que doublé en quarante ans. La dépense par tête a été multipliée par 7 pour correspondre aujourd'hui à 2 300 euros par personne et par an.

Éducation. L'État prend en charge 94 % des dépenses d'enseignement (75 % aux États-Unis, 79 % en Allemagne). Cette dépense s'est stabilisée, car la démographie scolaire est en baisse, mais la dépense par élève ou étudiant augmente. La France a deux fois plus d'élèves ayant une faible formation initiale que l'Allemagne. Aux États-Unis, 1 étudiant sur 3 possède un diplôme de l'enseignement supérieur, contre 1 sur 5 en France et en Allemagne.

ÉCONOMIE ET EMPLOI

La population active occupée s'élève à 24,7 millions de personnes. La hausse des emplois féminins engagée dans les années 1960 se poursuit. Les femmes françaises sont les plus actives d'Europe, tandis que les jeunes seniors français (55-64 ans) sont parmi les moins actifs. Les emplois à durée déterminée ou précaires sont nombreux dans les secteurs de la construction et du tertiaire. Le chômage affecte tous les niveaux de la hiérarchie des salariés, cependant il est plus important chez les jeunes et les non-qualifiés, et sa durée est plus longue chez les travailleurs de plus de 50 ans. Le passage aux 35 heures a été apprécié par la grande majorité des personnes concernées qui ne souhaitent pas retrouver les 39 heures de travail par semaine.

LA POPULATION ACTIVE

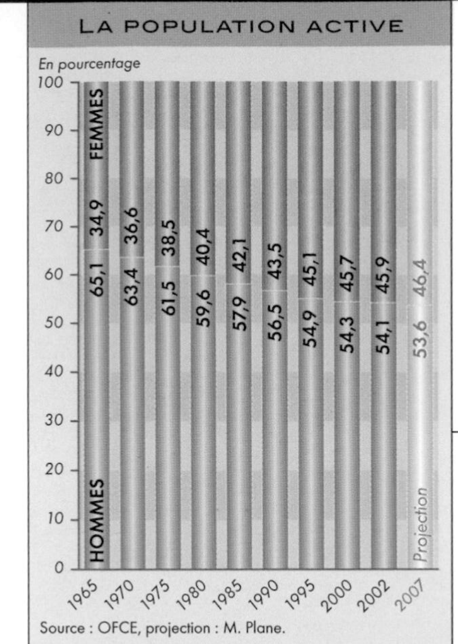

Source : OFCE, projection : M. Plane.

Le taux d'activité des femmes ne cesse d'augmenter, tandis que celui des hommes tend à stagner : sur 20 millions d'actifs en 1965, 35 % étaient des femmes ; sur 26 millions en 2002, 46 % sont des femmes.

> ***La France pêche par le sous-emploi de ses juniors, qui pénalise la croissance et les jeunes eux-mêmes. Les pays du Nord de l'Europe ont su organiser la transition entre études et travail grâce au développement de l'alternance sous contrat de travail.***

Des emplois en mutation

Face aux périodes difficiles, plusieurs solutions sont possibles : préserver l'emploi en diminuant le salaire (comme au Japon), faciliter les licenciements et les embauches (comme au Royaume-Uni ou aux États-Unis), réaffecter les salariés selon les besoins (comme dans les pays scandinaves). La France a choisi l'extension des emplois précaires (CDD, stages, intérim, contrats aidés, etc.). Le résultat est l'apparition d'un marché du travail dual : les emplois protégés (CDI) et peu fluides, car les chefs d'entreprise hésitent à embaucher des salariés en CDI. Ils vont plus souvent utiliser les emplois précaires pour limiter les salaires. Ainsi ces emplois précaires concernent souvent les mêmes personnes : les femmes, les jeunes, les moins qualifiés. Le taux d'emplois précaires en France est un des plus élevés d'Europe. En 2004, 73 % des embauches ont fait l'objet d'un CDD ; à peine la moitié d'entre elles ont été suivies par un CDI.

LA PROGRESSION DES CONTRATS COURTS

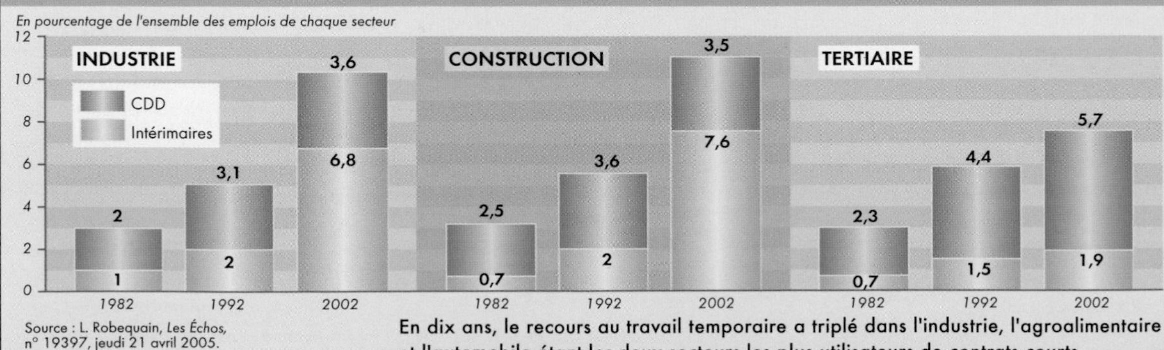

Source : L. Robequain, *Les Échos*, n° 19397, jeudi 21 avril 2005.

En dix ans, le recours au travail temporaire a triplé dans l'industrie, l'agroalimentaire et l'automobile étant les deux secteurs les plus utilisateurs de contrats courts.

LE CHÔMAGE

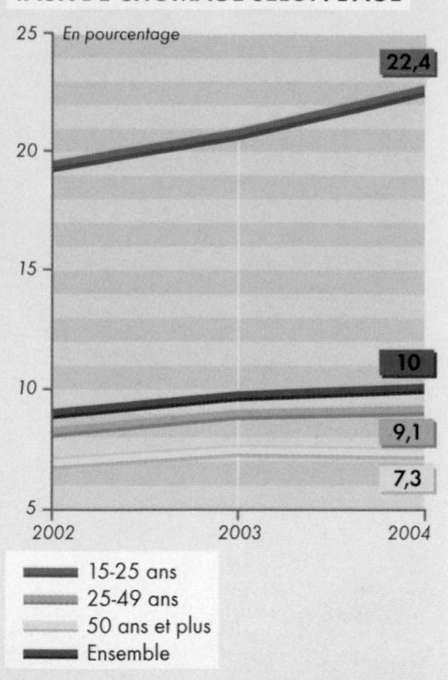

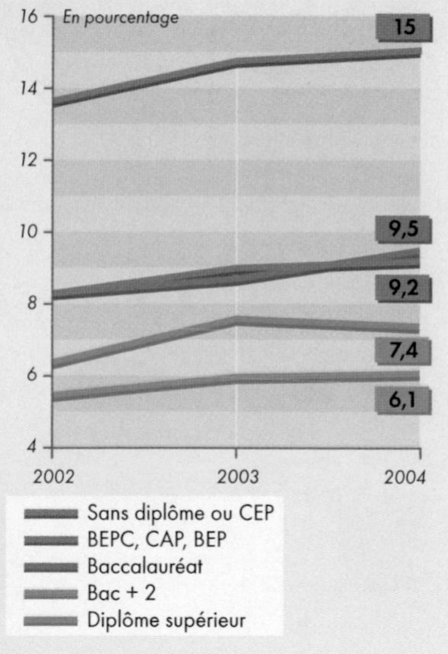

Source : Enquêtes emploi 2002, 2003 et 2004, Insee.

Le chômage affecte principalement certaines catégories de population

LES JEUNES. Depuis vingt ans, le taux de chômage des jeunes en France est proche de 10 % de la classe d'âge et 20 % de la population active associée ; c'est donc un chômage de masse à l'origine d'une grande souffrance sociale. En France, la part du chômage des jeunes (15-24 ans) est faible comparée aux autres pays européens. L'allongement des études ne laisse qu'un tiers des jeunes sur le marché du travail. Lorsqu'ils recherchent du travail, ils restent en moyenne six mois au chômage avant de trouver un emploi qui souvent prendra une forme particulière (CDD, contrats aidés, etc.). Selon l'enquête Génération 2001 du Cereq, seuls 36 % d'une génération sortie de la formation initiale accède directement à un emploi durable, et environ 33 % passent par des formes particulière d'emploi (CDD, intérim, etc.). En période de conjoncture difficile, les jeunes diplômés du supérieur (selon une enquête de l'Apec effectuée en avril-juin 2004, 50 % des jeunes de niveau bac + 4 sont au chômage un an après la fin de leurs études) éprouvent des difficultés à trouver leur premier emploi et risquent de se trouver déclassés à leur première embauche car, lorsque la conjoncture s'améliore, les employeurs ont tendance à embaucher la dernière promotion sortie. Les dernières innovations, comme le contrat nouvelle embauche (CNE) ou le contrat première embauche (CPE), qui touchent en particulier les jeunes, ajoutées à l'idée qui germe d'un contrat de travail unique, sont toutes des réformes qui visent à généraliser l'assouplissement du droit au travail.

LES NON-QUALIFIÉS. Ils constituent la part la plus importante du chômage (35 % des chômeurs en 2002). Pour cette catégorie dont la particularité est de ne pas épargner et de consommer, l'État a allégé les cotisations sociales qu'il prend à sa charge afin de rendre leur niveau de productivité attractif pour les employeurs (coût net pour l'État : 9 milliards d'euros en 2004).

LES SENIORS. Enfin, la situation de l'autre catégorie, celle des seniors, est tout aussi dramatique : les entreprises se détournent des seniors qui connaissent plus que les autres le chômage de longue durée : 63 % des chômeurs et 60 % des chômeuses de plus de 50 ans sont à la recherche d'un emploi depuis plus d'un an, âge où les charges familiales peuvent être encore très lourdes. Comparé aux autres pays européens, l'emploi des seniors de 55-59 ans est très faible en France. Plusieurs dispositifs ont permis de les écarter du marché du travail (préretraites, dispense de recherche d'emploi), ce qui, ajouté à un départ légal précoce (60 ans), conduit à un âge de départ moyen en France de 59,6 ans contre 61,4 pour la moyenne européenne. Et il n'est pas certain que le départ à la retraite des cohortes du *baby boom* conduise les employeurs à prolonger les fins de carrière de leurs salariés âgés ; sans doute préféreront-ils réorganiser leur processus de production et ne pas remplacer tous les départs.

LES PLUS TOUCHÉS PAR LE CHÔMAGE

Le chômage de longue durée affecte surtout les plus âgés, mais il tend à diminuer grâce aux mesures prises en 2001.

LE CHÔMAGE DE LONGUE DURÉE

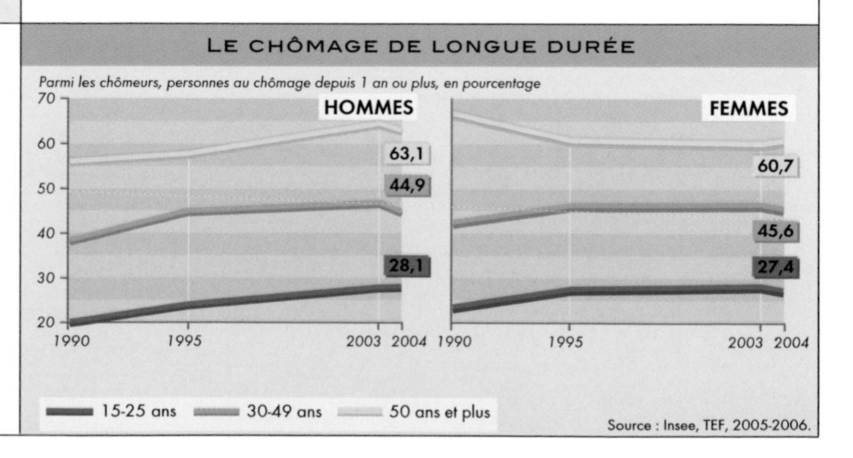

Source : Insee, TEF, 2005-2006.

CRÉATION D'ENTREPRISES EN FRANCE

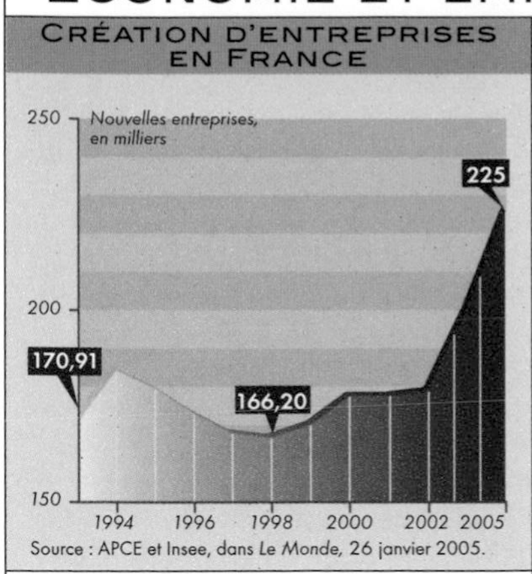

Source : APCE et Insee, dans Le Monde, 26 janvier 2005.

DE NOMBREUSES CRÉATIONS D'ENTREPRISES

Les entreprises pérennes (50 % après leur création) créent en moyenne 2,1 emplois après trois ans d'activité, en particulier dans les domaines de l'immobilier et de la construction.

> « *L'impact de la croissance sur l'emploi est amorti par le cycle de productivité : les entreprises n'ajustent pas immédiatement leurs effectifs aux besoins de la production ; elles préfèrent utiliser les heures supplémentaires ou le chômage partiel.** »

Les créations d'entreprises

Un peu plus de 300 000 entreprises naissent chaque année. Huit fois sur dix, il s'agit d'une nouvelle entreprise, les autres étant des reprises. L'étude de la dernière cohorte de créations permet de dire que les entreprises créent 2,1 emplois en moyenne après trois ans d'activité. L'impact sur l'emploi de la création d'entreprises est donc réel et le dispositif permettant de créer une SARL avec 1 euro (plus symbolique que réel, car souvent le montant est supérieur) attire ceux qui veulent se lancer dans le *business*.

UN CRÉATEUR SUR TROIS était au chômage avant de se lancer et 33 % des créateurs ont un diplôme de l'enseignement supérieur. L'âge moyen du créateur est de 39 ans et 29 % sont des femmes en 2002. Nombreux sont les chômeurs qui sont attirés par les aides à la création d'entreprise (Accre), qu'ils cumulent avec les aides de retour à l'emploi (Pare). Le renouvellement du tissu productif est plus dynamique en région Paca et moins important en Auvergne et en Limousin. Les créations les plus nombreuses concernent les secteurs de l'immobilier, du commerce et de la construction. Le commerce de détail connaît une évolution spectaculaire.

LES FERMETURES D'ENTREPRISES TENDENT À AUGMENTER de nouveau depuis 2001 sous l'effet d'une conjoncture moins favorable (– 10 % d'entreprises en 2001, – 22 % en Allemagne) et après avoir connu une baisse régulière.

TAUX DE CHÔMAGE RÉGIONAL

DES DISPARITÉS RÉGIONALES

Régions industrielles et attrait méditerranéen expliquent des taux de chômage élevés au nord et au sud.

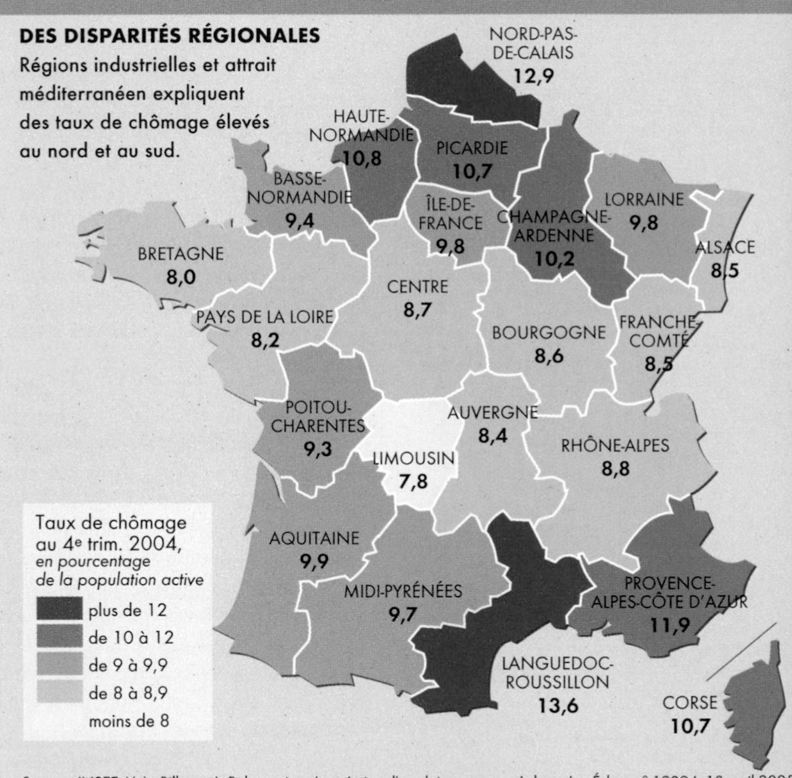

Source : INSEE, V. Le Billon et L. Robequain, « La création d'emplois en panne sèche », *Les Échos*, n° 19394, 18 avril 2005.

DÉFAILLANCES D'ENTREPRISES PAR SECTEUR

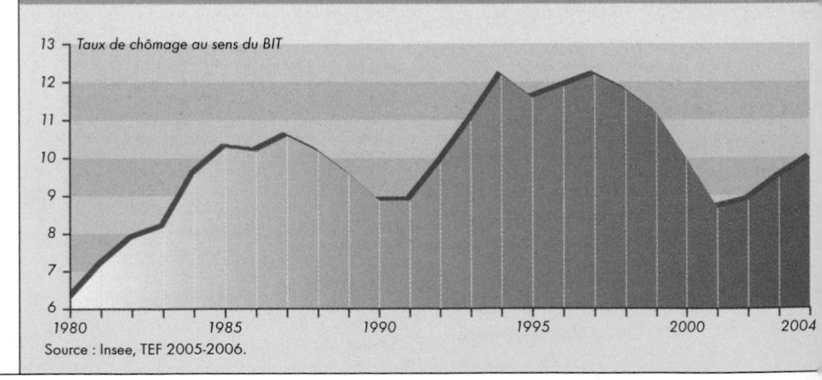

Source : Insee, TEF 2005-2006.

LES FRANÇAIS PAS MOINS TRAVAILLEURS QUE LES AUTRES

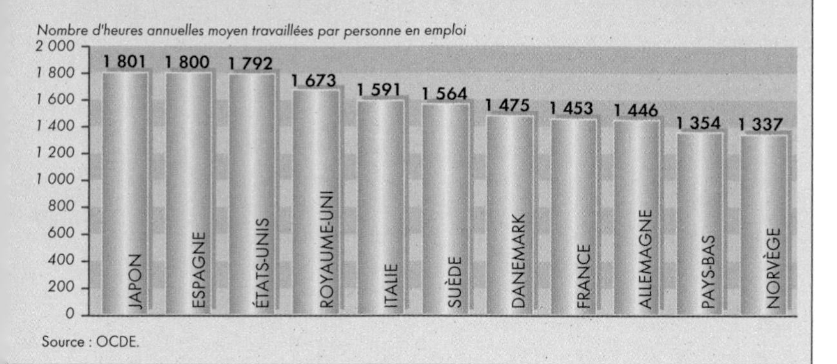

Source : OCDE.

Le temps de travail des Français

Le Français passe pour un paresseux. Sur le long terme, la durée du travail baisse dans tous les pays. Mais, avec les 35 heures hebdomadaires, les cinq semaines de congés payés et la dizaine de jours fériés, les Français qui ont un emploi effectuent beaucoup moins d'heures que les Américains et les Japonais (– 20 %), mais pas moins que les Allemands, dont les accords ont entériné le passage aux 38 heures, voire 32 heures par semaine ou les Néerlandais qui travaillent davantage à temps partiel.

Mais qui travaille le plus ? La tendance à la baisse de la durée du travail s'était interrompue au cours des années 1990 (tout au moins avant l'instauration des 35 heures). La durée du temps de loisirs n'augmente pas dans les mêmes proportions pour tous les actifs occupés. Si on constate une progression du temps libre féminin, c'est au détriment des activités domestiques et non pas de l'activité professionnelle.

Le temps de loisirs. Les enquêtes successives sur l'emploi montrent que, sur l'ensemble de la population active, les milieux populaires disposent désormais de plus de temps de loisirs que les milieux favorisés. Il ne s'agit pas vraiment d'une victoire, car cette progression résulte de l'extension du chômage, qui a touché en priorité les moins qualifiés. Le déterminant principal de cette inversion est le niveau de diplôme, plus que le niveau de revenu : dans l'enquête Emploi du temps de l'Insee, les détenteurs de diplômes moyens travaillent 8 minutes de plus par jour que les non-diplômés, et les détenteurs de diplômes supérieurs les devancent de 19 minutes par jour. Cette différence concerne aussi bien les hommes que les femmes. Après l'application de la loi sur les 35 heures, les résultats d'enquêtes montrent que cet écart se maintient entre les plus qualifiés et les moins qualifiés. La charge de travail se déplace donc vers les plus qualifiés. Cette évolution laisse présager l'augmentation du degré d'exigence de diplôme pour occuper un emploi.

Les politiques de l'emploi

Depuis le début des années 1980, la France tente de réduire la durée du travail pour augmenter le nombre d'emplois et diminuer le chômage. En 1981, ce fut le passage des 40 heures aux 39 heures de travail par semaine sans réduction de salaire. Par la suite, on a essayé différentes négociations avec les partenaires sociaux autour de la flexibilité des horaires, puis la flexibilité du marché du travail, plus simplement la suppression de l'autorisation administrative de licenciement. En 1988, le gouvernement a négocié une réduction de la durée du travail contre un crédit d'impôt, puis, en 1993, l'aide au développement du temps partiel. En 1996, la loi Robien est votée : 40 % de charges en moins la première année, 30 % les années suivantes, contre 10 % de durée du travail en moins et 10 % de salariés en plus. Enfin, en 2000, les deux lois Aubry sur les 35 heures ont eu des conséquences sur l'emploi (300 000 emplois créés) et sur la vie quotidienne des salariés concernés. La politique actuelle est orientée vers une diminution des charges sur les bas salaires, sachant que ces personnes, plus souvent sans qualification et touchées par le chômage, n'épargnent pas mais consomment. Outre ces allègements, des dispositifs d'aide au retour à l'emploi ont été mis en place (Pare et Pap, contrats aidés), qui ont un résultat positif sur la baisse du chômage.

DURÉE DE TRAVAIL ET CONGÉS

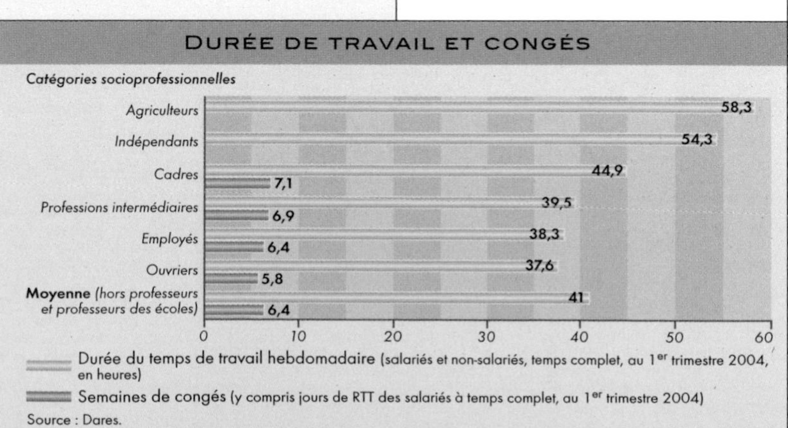

Source : Dares.

DES SEMAINES LOURDES

Parmi les salariés, les cadres ont désormais les semaines travaillées les plus chargées.

Les 35 heures ou l'idée de partager le travail

OBJECTIFS. L'idée initiale des 35 heures était le partage de l'emploi afin de procurer du travail à plus de personnes. La mise en place des 35 heures résulte du vote de deux lois proposées par Martine Aubry : la loi Aubry I du 13 juin 1998 et la loi Aubry II du 19 janvier 2000. Quatre objectifs étaient visés : créer des emplois, améliorer la compétitivité des entreprises françaises, améliorer les conditions de travail et favoriser un meilleur équilibre entre vie professionnelle et vie privée. Mais la durée légale du travail ne se confond pas avec la durée effective. Le passage aux 35 heures s'est accompagné de l'annualisation du temps de travail limité à 1 600 heures par an, hors heures supplémentaires. En 2001, les salariés passés aux 35 heures travaillent en moyenne un peu moins de 39 heures par semaine. Les modalités de réduction du temps de travail ont été très variables : certains travaillent toujours autant, voire plus chaque semaine, mais ont plus de vacances, et d'autres ont connu une baisse effective de leur durée hebdomadaire. En 2004, les ouvriers travaillent 37 heures par semaine et ont 5,8 semaines de congés par an, alors que les cadres travaillent 45 heures et ont une semaine et demie de congés en plus. Les employés ont connu à la fois une baisse hebdomadaire de la durée du travail et une augmentation du temps des vacances.
L'objectif central des lois sur les 35 heures était de permettre des créations d'emplois. Sur 1,5 million d'emplois créés au cours de la période 1998-2002, entre 330 000 et 500 000 résulteraient de la réduction du temps de travail.

IMPACT SUR LA VIE QUOTIDIENNE. Les salariés sont assez satisfaits de l'impact des 35 heures sur leur vie quotidienne, qui s'est améliorée pour 62 % d'entre eux. Les femmes sont en général plus satisfaites que les hommes, mis à part les salariées les moins qualifiées. Elles sont d'autant plus satisfaites qu'elles ont des enfants de moins de 12 ans. Le temps libre gagné est souvent utilisé pour passer plus de temps en famille. La perception de l'impact sur la vie professionnelle des salariés est inverse, puisque 61 % n'ont pas observé d'amélioration.

MAINTIEN DES 35 HEURES ? Depuis le gouvernement Raffarin, des changements ont été décidés qui consistent pour l'essentiel à augmenter la possibilité de recours aux heures supplémentaires. Un sondage réalisé en septembre 2003 montre pourtant que 42 % des Français souhaitaient maintenir les 35 heures : entre 45 et 55 % des cadres, professions intermédiaires, des employés et des ouvriers préféraient maintenir les 35 heures, contre environ 35 % des retraités et des inactifs, ces derniers souhaitant revenir aux 39 heures. 60 % des salariés passés aux 35 heures préfèrent les maintenir, alors que ce n'est le cas que pour 40 % des salariés encore aux 39 heures. En réalité, la remise en cause des 35 heures n'apparaît pas comme le débat essentiel pour les Français : quand on leur demande en 2004, parmi neuf dossiers, quelles devraient être les priorités du gouvernement, ils classent 7e celui des 35 heures.

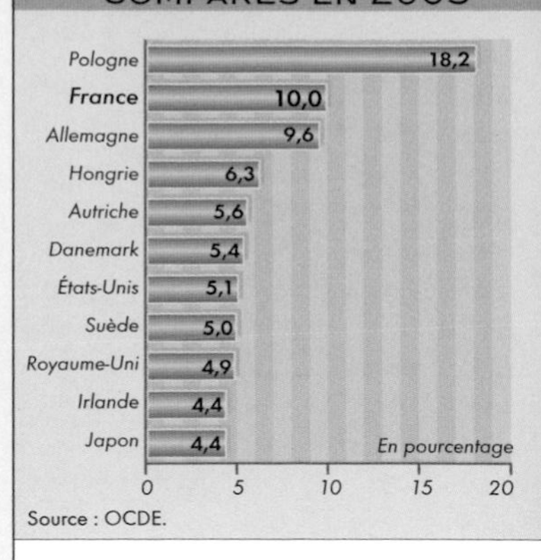

LE PASSAGE AUX 35 HEURES
En juin 2003, 74 % des salariés d'entreprises de plus de 20 salariés et 23 % des salariés des petites entreprises (moins de 20 salariés) étaient aux 35 heures.

BILAN DEUX ANS APRÈS LA LOI AUBRY

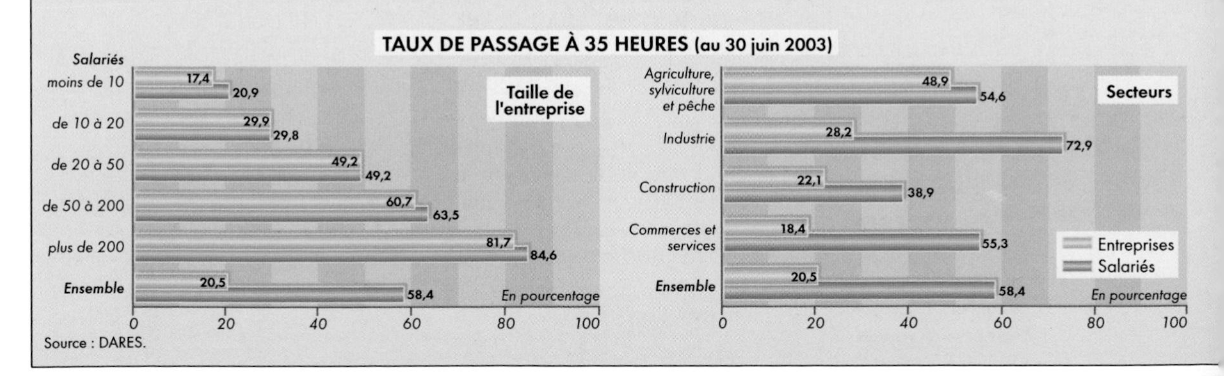

VERS LA DÉSINDUSTRIALISATION ?

La France n'est pas en voie de désindustrialisation : la part de l'industrie dans la création de richesse est de 20 %, et le double si l'on compte la part des services liés à l'industrie. En revanche, les gains de productivité ont fait chuter l'emploi industriel. Dans les régions de « mono-industrie », les fermetures d'usines sont catastrophiques, tandis que, dans les régions de « pluri-industrie » où l'économie productive est en constante mutation, elles passent inaperçues.

GAINS DE PRODUCTIVITÉ

La baisse de l'emploi dans l'industrie n'est pas due aux délocalisations récentes. Elle est ancienne et liée en priorité aux gains de productivité. On produit autant avec moins de travailleurs.

RÉPARTITION DE L'EMPLOI PAR SECTEUR

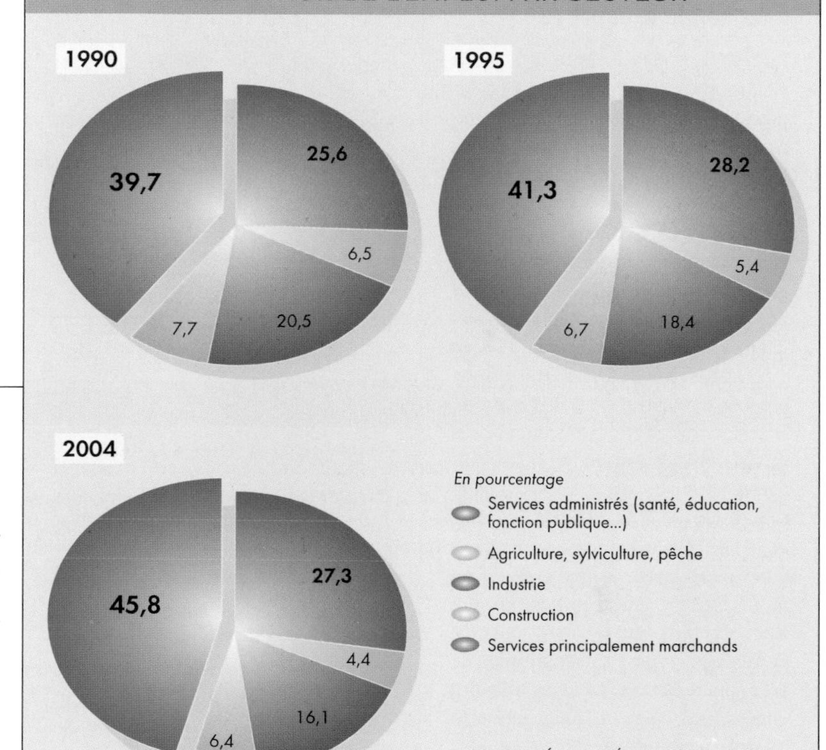

Source : OFCE, É. Heyer, *L'Économie française 2006*, La Découverte, collection « Repères », 2005.

Les mutations de l'emploi vers le secteur des services

L'emploi dans l'industrie française n'occupe plus qu'un actif sur six et un sur quatre en Allemagne. Le chômage de masse a dépeuplé la sidérurgie, la chimie et le textile. La France est devenue en 2000 le deuxième exportateur mondial de services, ce qui lui permet de dégager un solde positif de sa balance des paiements, contrairement à l'Allemagne et à l'Angleterre. À eux seuls, en 2003, les services marchands et non marchands (administration, éducation, santé et action sociale) assurent 73,1 % des emplois et 73,4 % de la valeur ajoutée globale. La valeur ajoutée par les hôtels-restaurants est supérieure à celle créée par l'industrie automobile ou la transformation des métaux. Les entreprises du secteur du commerce sont les plus nombreuses et représentent 1 entreprise sur 4.

LES SERVICES
Ce sont les services qui créent la richesse. L'industrie a externalisé une partie des services (entretien, comptabilité, etc.) qu'elle assurait auparavant.

L'économie productive

En 2003, la France compte 2,5 millions d'entreprises non financières. Une sur deux n'a pas de salariés, 93 % en emploient moins de 10, et 0,2 % dépassent les 250 salariés. 7,4% des entreprises sont des PME (entre 10 et 250 salariés). Entre 1978 et 2003, la part de la valeur ajoutée industrielle diminue de 5,4 points pour s'établir à 22,6 % du PIB en 2004. La part de l'emploi industriel dans l'emploi total passe de 34 % en 1978 à 21 % en 2004. Une partie des emplois de l'industrie est transférée vers le secteur des services aux entreprises industrielles (gestion, publicité, nettoyage, sécurité, etc.), qui se concentrent sur le cœur du métier. À l'inverse, la part de la valeur ajoutée des services dans le PIB passe de 45,6 % en 1978 à 53,8 % en 2004. Jusqu'en 1993, ce sont les très petites entreprises qui ont créé de l'emploi, grâce à la tertiarisation de l'économie. Depuis et jusqu'à la fin des années 1990, l'emploi a augmenté dans les grands groupes.

LA BAISSE DES EFFECTIFS DE L'EMPLOI INDUSTRIEL est peu liée aux délocalisations. En revanche, les gains de productivité (production constante avec moins d'effectifs) sont la principale raison de cette baisse de l'emploi industriel, ainsi que la sous-traitance de certaines activités, comptabilisées dorénavant dans les services (par exemple : la maintenance, la recherche, etc...). Cette tendance est observée dans tous les pays industriels avancés. Elle correspond également à la diminution générale de la consommation de produits industriels.

RÉPARTITION DE LA VALEUR AJOUTÉE PAR SECTEUR

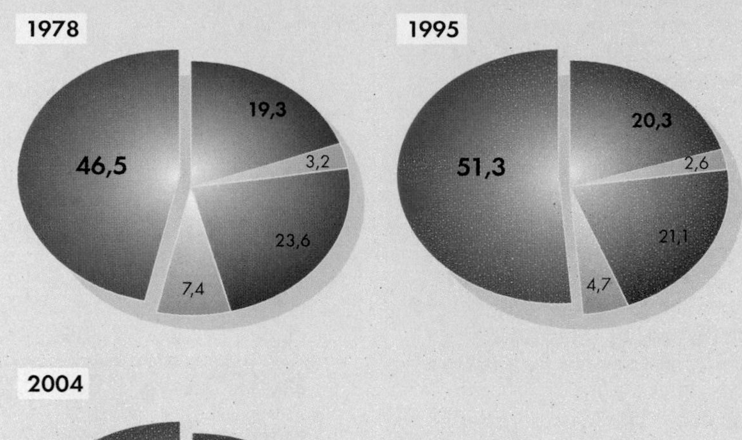

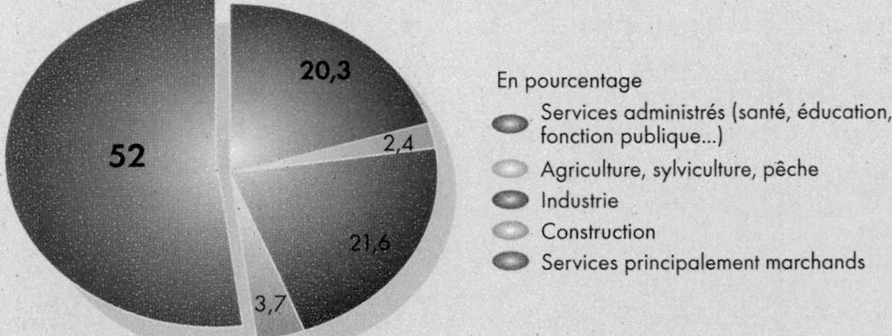

Source : É. Heyer, *L'Économie française 2006*, OFCE, La Découverte, collection « Repères », 2005.

NOMBRE D'ENTREPRISES SELON LA TAILLE ET DE PME SELON L'ACTIVITÉ

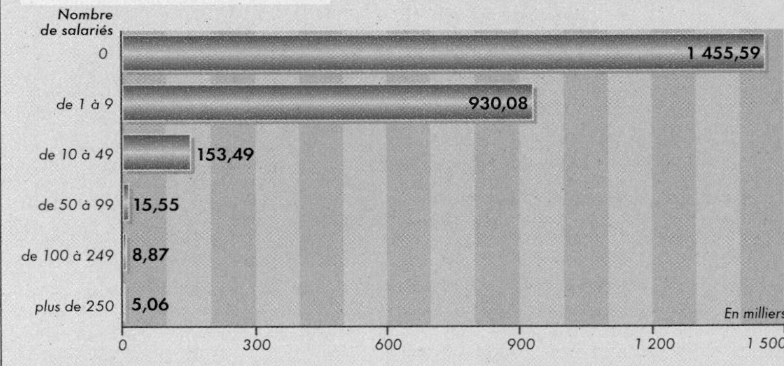

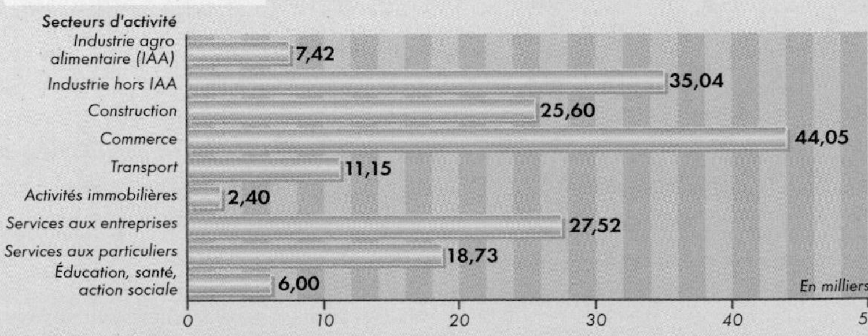

Au 1er janvier 2004, champ ICS (industrie, construction, commerce, services), hors entreprises agricoles et financières. Données définitives.
Source : INSEE, TEF, 2005-2006.

LES 20 PREMIÈRES ENTREPRISES EXPORTATRICES EN 2004

	RAISON SOCIALE	SECTEUR D'ACTIVITÉ
1	RENAULT SAS	Automobiles
2	PEUGEOT CITROËN AUTOMOBILES SA	Automobiles
3	AUTOMOBILES PEUGEOT	Automobiles
4	AVSA	Commerce
5	AIRBUS FRANCE	Aéronautique
6	THALÈS NAVAL SA	Équipements d'aide à la navigation
7	AUTOMOBILES CITROËN	Automobiles
8	ÉLECTRICITÉ DE FRANCE	Production et distribution d'électricité
9	ATOFINA	Chimie
10	SCHNEIDER ELECTRIC INDUSTRIES SAS	Machines et appareils électriques
11	TOTAL FRANCE	Cokéfaction, raffinage
12	RENAULT VI	Automobiles
13	SANOFI WINTHROP INDUSTRIE	Pharmacie
14	MICROELECTRO HOLDING NV	Commerce
15	SAGEM SA	Appareils d'émission et de transmission
16	LABORATOIRE GLAXOSMITHKLINE	Pharmacie
17	ALCATEL CIT	Appareils d'émission et de transmission
18	DASSAULT AVIATION	Aéronautique
19	COMPAQ COMPUTER INTERNATIONAL GMBH	Commerce
20	AVENTIS INTERCONTINENTAL	Commerce

Source : Direction générale des douanes et droits indirects, département des statistiques et des études économiques.

Révolution dans l'entreprise

Concurrence mondiale, pression des actionnaires, dogme de la création de valeur ont poussé les managers à adopter un nouveau style d'encadrement qui n'est pas entravé par une action syndicale quasiment absente dans les entreprises dont les services sont répartis sur le territoire.

LES START-UP. Entre 1999 et 2001, les start-up explosent et inaugurent un mode de gestion moderne, très réactif et sans esprit de hiérarchie. La population est jeune et prend des risques. Bien que l'euphorie du marché des nouvelles technologies soit retombée, les grands groupes, poussés par la globalisation des marchés, la rapidité des cycles économiques, le raccourcissement de la durée de vie des produits et la rapidité de circulation de l'information, ont bien perçu le style de management moderne. Les grandes entreprises décloisonnent leurs services, font de l'information du *knowledge management.* Certaines d'entre elles ont plus de 50 % de leurs salariés hors frontières. La hiérarchie pyramidale a fait place à des *business units*, le management à l'anglosaxonne triomphe. Par ailleurs, les grandes entreprises se soumettent devant la pression sociale : elles se doivent de publier dans leur rapport d'activité les informations sociales, environnementales et éthiques, nouvelles valeurs qui leur permettent d'attirer les jeunes et d'améliorer leur image auprès des consommateurs.

> ***« En 2005, le secteur des services a affiché son plus fort taux de croissance, en contraste avec le secteur industriel qui poursuit son ralentissement. Ce secteur a connu une croissance plus forte en France qu'en Allemagne. Le secteur des services occupe près de 7 actifs sur 10. »***

LES GROUPES. Un groupe est l'ensemble des entreprises détenues par une seule autre. Les groupes en France emploient 55 % des salariés. Ils sont surtout présents dans les secteurs de l'énergie et de l'industrie automobile. 8 millions de salariés travaillent dans un groupe, dont 3 sur 10 dans des groupes étrangers qui dominent les secteurs des services aux entreprises, les biens intermédiaires et d'équipement et la distribution. Depuis la fin des années 1990, les grands groupes rachètent les PME qui marchent bien, en détruisant en interne les emplois remplacés par ceux plus performants de la nouvelle PME. En France, la répartition des entreprises par taille ou par chiffre d'affaires est unique dans les pays industrialisés : le nombre de toutes petites entreprises qui n'atteignent jamais la taille supérieure est très grand. Dans un contexte économique tendu, les PME françaises résistent relativement bien à la morosité économique. Et les petites PME encore mieux que les plus importantes. Ce sont les petites PME qui enregistrent en proportion le plus d'embauches dans le secteur des services, des transports et du commerce.

L'AGRICULTURE FRANÇAISE FACE À L'EUR

La France est la première puissance agricole de l'Union européenne, devant l'Allemagne. Elle est aussi le second exportateur mondial de produits agroalimentaires, derrière les États-Unis. Bien qu'elle n'emploie plus que 6 % des actifs et n'assure que 2 % du PIB national, l'agriculture constitue l'une des activités les plus dynamiques du pays. L'industrie agroalimentaire est très ouverte à l'exportation. Elle dégage un excédent commercial supérieur à 7 milliards d'euros. Les ventes de vins et spiritueux sont les produits les plus exportés, suivis par les produits laitiers et les céréales.

L'AUGMENTATION DES RENDEMENTS

Le rendement moyen du blé a considérablement augmenté : 15 quintaux à l'hectare entre les deux guerres mondiales, 25 quintaux dans les années 1960, environ 73 quintaux ces dernières années, avec des records à 130 quintaux à l'hectare.

Une petite histoire de la politique agricole commune (PAC)

Création de la PAC. Entre 1960-1974, la PAC est mise en place. Le premier chantier de la France d'après-guerre est l'agriculture. La première loi d'orientation en 1962 valorise les unités agricoles familiales. Les rendements explosent dans tous les secteurs, les organismes para-agricoles fleurissent dans tout le pays, les agriculteurs s'endettent et achètent du gros matériel. La grande distribution se développe, la demande est pressante. Le choc pétrolier de 1973 marque un coup d'arrêt, le prix des engrais s'envole. Le prix du blé diminue, de nombreuses exploitations font faillite. En 1984, les « montagnes de beurre » et les « lacs de lait » en stock obligent à instaurer des quotas laitiers européens.

Abandon de la première PAC. L'Europe est trop petite pour avaler toute la production. Entre 1984 et 1992, on abandonne la première PAC pour instaurer la seconde, qui permet de baisser les prix à l'exportation, grâce à des subventions données aux agriculteurs pour s'adapter aux prix mondiaux. L'idée est de favoriser la vocation exportatrice de la CEE.

Vers une agriculture raisonnée ? La surproduction et les crises sanitaires que traverse l'agriculture entre 1996 et 2000 portent un coup à la profession, à qui on demande une production plus transparente (traçabilité). De là est venu le concept d'agriculture raisonnée qui peine à se concrétiser sur le terrain. La troisième PAC est décidée en 2003. Elle tend à diminuer les subventions européennes à l'agriculture (50 % du budget européen). L'exportation du beurre et de la poudre de lait n'est plus soutenue. Adieu quotas laitiers et quotas betteraviers. L'agriculture sera soumise à la concurrence directe mondiale. On prévoit une division par deux du nombre d'exploitations agricoles d'ici une dizaine d'années. Parmi ceux qui espèrent poursuivre leur activité, certains parient sur une agriculture de qualité (AOC, labels bio, etc.) réclamée par les consommateurs, tout en entretenant les paysages à la demande de la collectivité.

La nouvelle politique agricole. Jusqu'à présent, la spécialisation de la production agricole (grandes cultures, élevages porcins et avicoles intensifs) permettait des économies d'échelle, la réduction de l'emploi agricole et l'intensification par rapport à la terre, éléments remis en cause par la nouvelle politique agricole, favorable à la diversification des productions et à la protection de l'environnement.

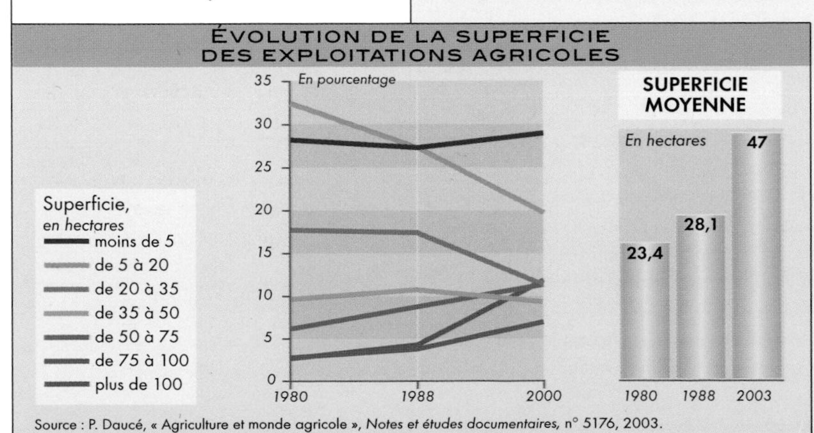

Source : P. Daucé, « Agriculture et monde agricole », *Notes et études documentaires*, n° 5176, 2003.

OPE

« La réforme de la PAC de 2003 prévoit de « conditionner » et de « découpler » les aides de la production. Les aides, attribuées jusque-là selon la production et la région, seront dorénavant rapportées à la surface, qu'il y ait ou non production. »

L'état de l'agriculture et de la pêche française

L'AGRICULTURE. Avec une superficie cultivée en diminution, une population d'actifs agricoles en déclin (environ un million de personnes), une augmentation considérable des quantités produites, les gains de productivité dans le secteur agricole sont spectaculaires. Mais l'augmentation des volumes produits s'accompagne d'une diminution des prix. Considérant la baisse des subventions d'exploitation (sécheresse, gel des terres, prime herbagère, etc.) et les impôts, le résultat agricole net diminue chaque année depuis 1998. En ajoutant les charges salariales pour certaines exploitations et les intérêts des prêts, le revenu d'entreprise agricole par actif non salarié baisse, tandis qu'il augmente dans les nouveaux États membres de l'Union grâce aux aides communautaires et à de bonnes récoltes.

LA PÊCHE. Avec 880 000 tonnes de production par an, la France se situe au quatrième rang de l'Union européenne pour la pêche (derrière l'Espagne, le Danemark et le Royaume Uni) et au deuxième rang pour l'aquaculture (derrière l'Espagne) grâce aux huîtres et au truites. Elle se situe au dix-huitième rang en matière d'exportations (la Chine est au premier rang) et c'est le quatrième pays importateur après le Japon, les États-Unis et l'Espagne.

LES GRANDES RÉGIONS AGRICOLES

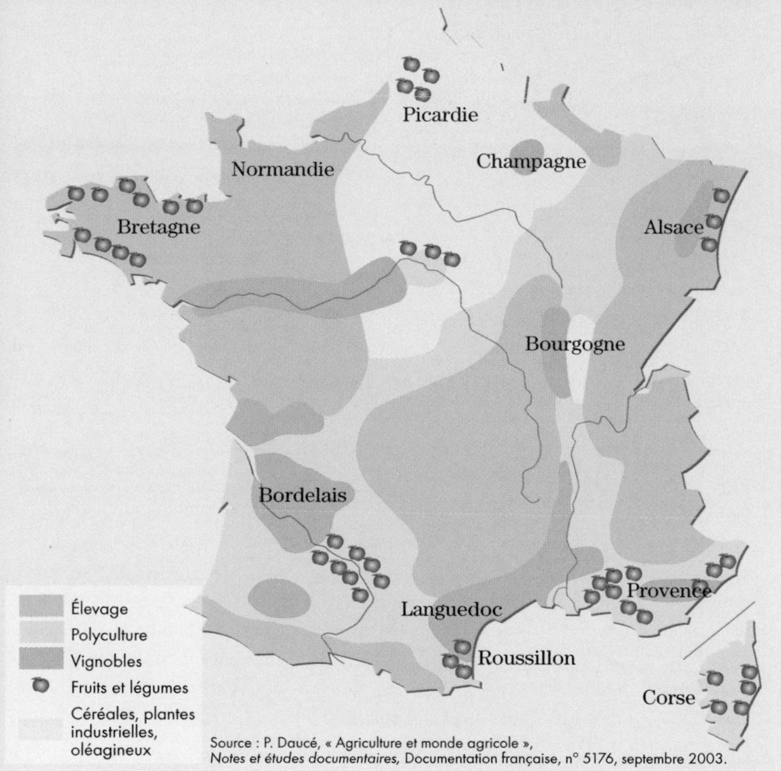

Picardie
Normandie
Champagne
Bretagne
Alsace
Bourgogne
Bordelais
Languedoc
Provence
Roussillon
Corse
Élevage
Polyculture
Vignobles
Fruits et légumes
Céréales, plantes industrielles, oléagineux

Source : P. Daucé, « Agriculture et monde agricole », *Notes et études documentaires*, Documentation française, n° 5176, septembre 2003.

L'avenir incertain de l'agriculture française

Un avenir incertain se dessine pour l'agriculture française : maintien des grandes plaines céréalières et des vignobles dont les producteurs restent très compétitifs face à la concurrence argentine, américaine ou ukrainienne, la compétition entre les producteurs de viande bovine de lait et de sucre devenant plus fragile ; maintien de l'élevage dans l'Ouest ; maintien de la production de fruits et légumes grâce à une agriculture de qualité de plus en plus exigée par les consommateurs.

Une fois les agriculteurs du *baby boom* partis à la retraite, le reste du territoire pourrait être aménagé pour accueillir touristes et retraités de toute l'Europe.

LE NOUVEAU PORTE-MONNAIE DU CONSO

Depuis une quarantaine d'années, la dépense de consommation par chacun des Français a été multipliée par trois. La part de la consommation liée aux besoins essentiels (nourriture, vêtements, logement) tend à reculer, excepté la santé, tandis que, dans la même période, la consommation liée aux nouveaux besoins (services, loisirs, culture) tend à augmenter. La société de consommation bat son plein : la consommation totale augmente, malgré un pouvoir d'achat en faible hausse et un taux de chômage élevé. Mais les comportements d'achat ont changé.

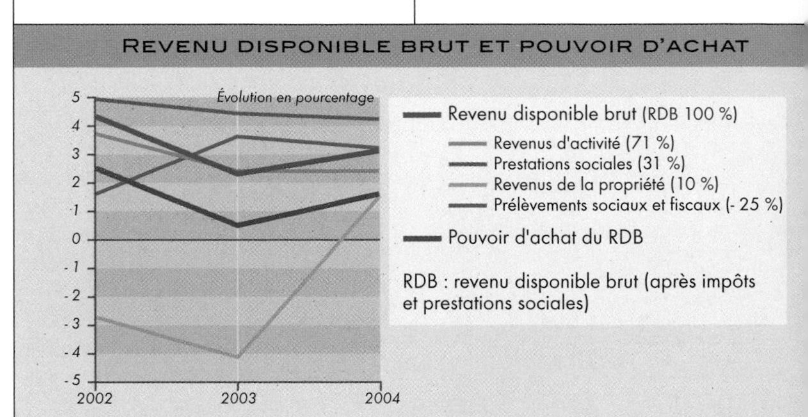

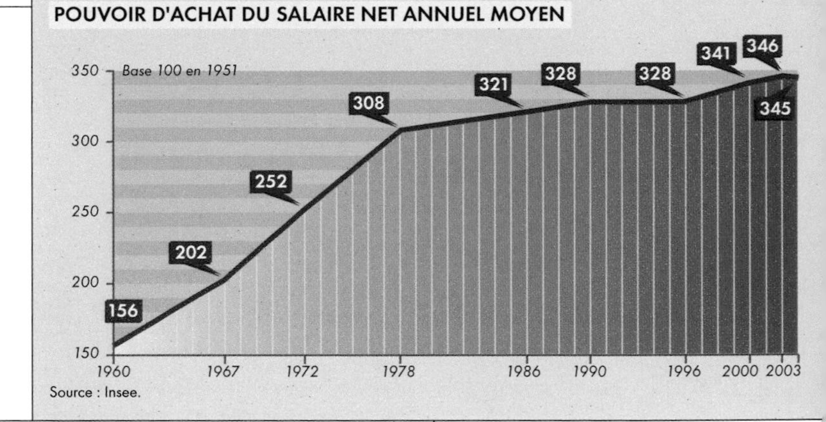

Source : Insee.

Vers un nouveau mode de consommation

Les comportements de consommation ne reflètent plus le statut social. Dans les années 1950, les familles aisées mangeaient souvent de la viande rouge et achetaient dans les « bonnes maisons », tandis que les ouvriers s'offraient un rôti les jours de fête et achetaient vêtements et chaussures sur le marché. Aujourd'hui, cadres comme ouvriers se fournissent dans les mêmes réseaux de distribution (la grande distribution réalise les deux tiers de la vente alimentaire). Le même consommateur peut acheter du bas de gamme et du haut de gamme ; il connaît les astuces du marketing, n'hésite pas à comparer les prix, aidé en cela par Internet. Il fréquente aussi bien les magasins *hard discount* (qui se sont largement développés pour remplacer le commerce de proximité) pour ses achats alimentaires, que les clubs sélects pour ses vacances.

L'ÉVOLUTION DU POUVOIR D'ACHAT

Le pouvoir d'achat est en faible hausse ces dernières années, en raison de la modération salariale.

MMATEUR

La diversification des profils de consommateurs

Les hyperconsommateurs. Un nouveau clivage est en train d'émerger entre deux catégories de consommateurs. Le premier est celui que les spécialistes appelle le groupe « hyperconsommateur », composé de *fashion victims*, proches du fétichisme, pour qui la marque fonctionne comme un message, un rôle social de reconnaissance de gens du même groupe. Ainsi, vous être membre du club Nike, GAP, Chanel ou Diesel. Grâce à la marque (souvent inscrite en toutes lettres ou sous forme de logo), on s'achète une adhésion à une tribu. Ces « hypers » prennent du plaisir à acheter, ils sont jeunes, tiennent à paraître jeunes et utilisent les marques pour exister. Ils surconsomment les produits emblématiques de la culture américaine.

Les alterconsommateurs. La deuxième catégorie, les « alterconsommateurs », est radicalement opposée au profil des « hyperconsommateurs », car favorable à une consommation éthique. Les « alters » se méfient de la publicité, n'achètent pas de marques et veillent à ce que la fabrication du produit n'affecte pas l'environnement. Ils sont contre les OGM, pour les fromages authentiques et les vins de terroir. Ils sont plutôt urbains, ont plus de trente ans, des revenus confortables et des pratiques culturelles intenses. Ils sont généreux envers les œuvres de charité et détestent la restauration rapide, la téléréalité et les parcs à thèmes. Pour eux, l'acte d'achat a une composante sociale ou humaniste, presque militante contre l'excès d'individualisme. Ils sont prêts à boycotter certaines marques et refuser de faire des achats le dimanche. Ces derniers temps, les distributeurs ont pris conscience de ce nouveau comportement. La publicité affiche alors de nouvelles valeurs : « marques vertes », « consommer mieux », « commerce équitable », etc.
Les spécialistes de marketing sont rassurés car ces deux groupes ont de beaux jours devant eux. Le premier, parce qu'il y aura toujours des individus pour acheter des marques, sortes de « prothèses psychiques » ; le second, parce que les problèmes humains et écologiques de la planète ne seront pas résolus demain.

> « Ces dernières années, la consommation se maintient grâce à la réduction de l'épargne des ménages, qui reste malgré tout à un niveau élevé. »

L'augmentation de la consommation de services

Le secteur des services à domicile est en plein boom. Qu'il s'agisse de la livraison à domicile des repas, de jardinage, de ménage ou de coiffure à domicile, d'aide aux personnes âgées ou de services de sécurité, de cours particuliers pour les enfants, de plus en plus de Français préfèrent faire appel à un service marchand pour les tâches répétitives et dégager ainsi du temps pour les loisirs et le repos. Les services aux particuliers vont augmenter sensiblement avec l'arrivée des *baby boomers* à la retraite qui renforceront leurs habitudes de recours aux services marchands, tant pour ce qui est des voyages que de l'aide à domicile. Les mesures du plan Borloo vont dans le sens d'un accroissement de la demande ; elles tendent à favoriser les emplois destinés à l'aide à domicile des personnes âgées, en particulier en élargissant le champ d'utilisation des chèques emploi-service.

PART DE MARCHÉ DES FORMES DE DISTRIBUTION

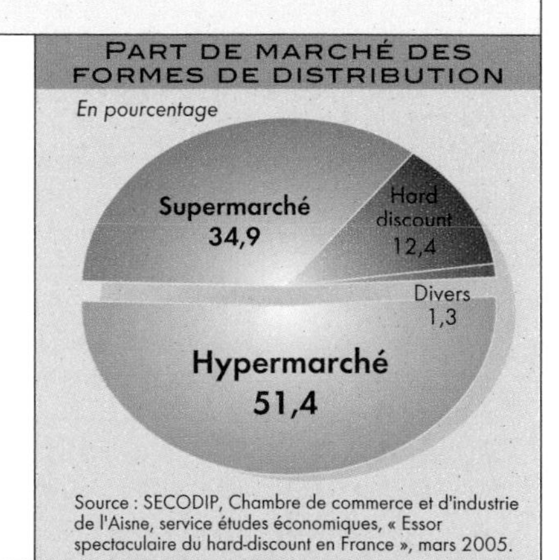

Source : SECODIP, Chambre de commerce et d'industrie de l'Aisne, service études économiques, « Essor spectaculaire du hard-discount en France », mars 2005.

ÉVOLUTION DES PARTS DE MARCHÉ DES MAGASINS HARD DISCOUNT

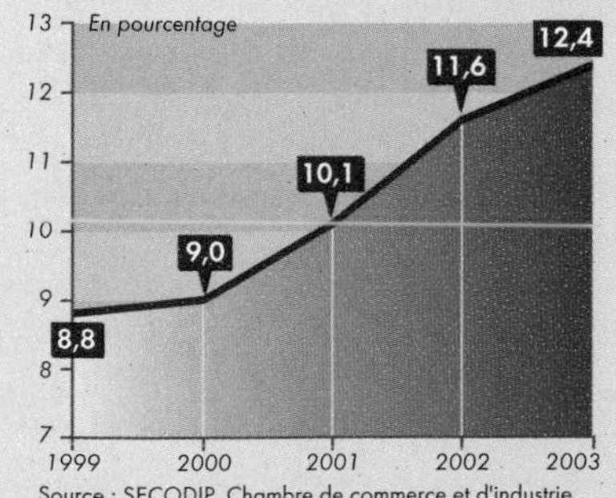

Source : SECODIP, Chambre de commerce et d'industrie de l'Aisne, service études économiques, « Essor spectaculaire du hard-discount en France », mars 2005.

Les magasins à prix bas vont bientôt représenter 15 % du marché (35 % en Allemagne). Les classes moyennes (familles plutôt jeunes et nombreuses) forment la clientèle principale du *hard discount*. Outre le prix, la proximité et la simplicité du choix expliquent le succès de cette forme de distribution.

LE NOUVEAU PORTE-MONNAIE DU CONSOMMATEUR

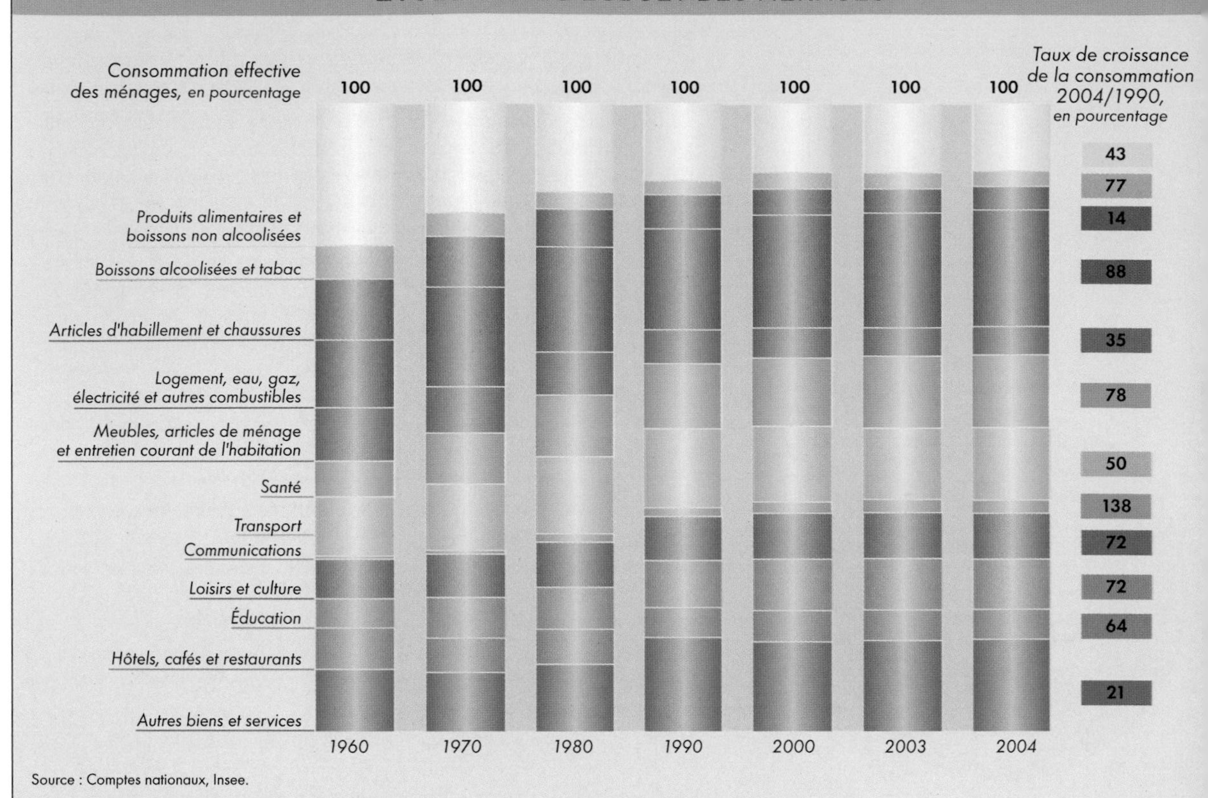

Source : Comptes nationaux, Insee.

Adieu pain, beurre, gras-double...

L'alimentation n'est plus une hantise ni un moyen de compenser des frustrations. Elle a cédé la place à la maison et au mieux-vivre dans le budget familial. Après avoir doublé entre 1960 et 1980, la part de l'alimentation dans le budget des ménages ne progresse plus. Elle est désormais dépassée par les parts consacrées à la santé et au logement. Grâce aux recommandations sanitaires reprises par la publicité, les Français font attention à ce qu'ils mangent. Sucres, graisses et viandes rouges sont remplacés par les édulcorants, la margarine allégée, la volaille et le poisson. Le mode de vie actuel ne nécessite plus d'aliments à riche valeur nutritive. En revanche, il encourage l'achat de plats préparés à portions individuelles. Grâce au surgelé, au micro-onde et aux canettes, même les hommes n'hésitent plus à préparer le dîner de tous les jours. Les repas à la cantine, au restaurant ou au *fast food* assurent le déjeuner d'un nombre grandissant de personnes.

L'augmentation de l'obésité

En 2005, 11,9 % des adultes et 15 % des enfants sont obèses. Si la tendance à l'obésité persiste à augmenter en France à son rythme actuel, en 2020 elle atteindra 20 % de la population, soit le pourcentage actuel des États-Unis. L'obésité infantile a augmenté de 375 % entre 1980 et 1996. La sédentarité et la consommation de sucres et de produits gras expliquent le phénomène. Les régions du Nord et du Bassin parisien sont les plus touchées. Une nouvelle génération d'aliments fait son apparition : elle se concentre moins sur le « prêt à déguster » que sur le « sur-mesure » pour s'adapter aux besoins sanitaires de chacun : sans sucre, sans caféine, sans graisse, oméga 3, etc.

Des habitudes alimentaires différentes

Selon l'âge. Des différences s'observent entre jeunes et plus âgés, tout comme entre cadres, agriculteurs et ouvriers. Les jeunes mangent en général moins, ils adoptent les comportements alimentaires des Anglo-Saxons : céréales et jus de fruit au petit déjeuner, alimentation composée de confiseries, produits laitiers, boissons sucrées, le tout absorbé sous forme de grignotage en dehors du domicile en guise de repas. À l'opposé, après 60 ans, les ménages consacrent du temps et de l'argent à l'alimentation. Ils sont attachés aux produits bruts, traditionnels.

Selon la catégorie sociale. Les habitudes alimentaires des cadres et des agriculteurs s'opposent. Les cadres sont surconsommateurs de produits « santé-forme » transformés, de viandes blanches, de poissons, de fruits et légumes, tandis que les agriculteurs consomment des graisses et sucres bruts, des viandes rouges et du porc. La structure de la consommation des ouvriers et employés se situe entre les deux.

CONSOMMATION DE SERVICES DES MÉNAGES

Services aux particuliers
Hôtels et restaurants
Activités récréatives, culturelles et sportives
Services personnels et domestiques
Total de la consommation des ménages

Source : Comptabilité nationale annuelle, INSEE.

CONSOMMATION DE SERVICES DANS LE BUDGET TOTAL DES MÉNAGES

En pourcentage
12
10
8
6
4
2
0
1980
1990
2000
2004

TAUX DE CROISSANCE EN VOLUME 2004/1980

En pourcentage
48,4
27,6
140,6
24,1
70

LA PART BELLE AUX LOISIRS

La consommation de services récréatifs a augmenté deux fois plus que la consommation totale.

L'ascension inexorable des dépenses de santé

Les dépenses de santé supportées par les ménages et par la collectivité ont augmenté en volume plus rapidement que l'ensemble de la consommation. L'allongement de la vie, les progrès en matière de soins et les campagnes de prévention ont incité les Français à dépenser plus pour leur santé et leur confort. Ils sont nombreux à penser que « la santé n'a pas de prix ».

Au niveau national, les dépenses sont générées en premier par les maladies cardio-vasculaires. Puis interviennent les dépenses liées aux troubles psychiques (les antidépresseurs), avant les dépenses liées aux cancers.

> ***« Depuis les années 1960, les dépenses de logement, santé, transport, communications et loisirs augmentent plus rapidement que les autres postes de la consommation. »***

ÉVOLUTION D'INDICE DE LA MASSE CORPORELLE

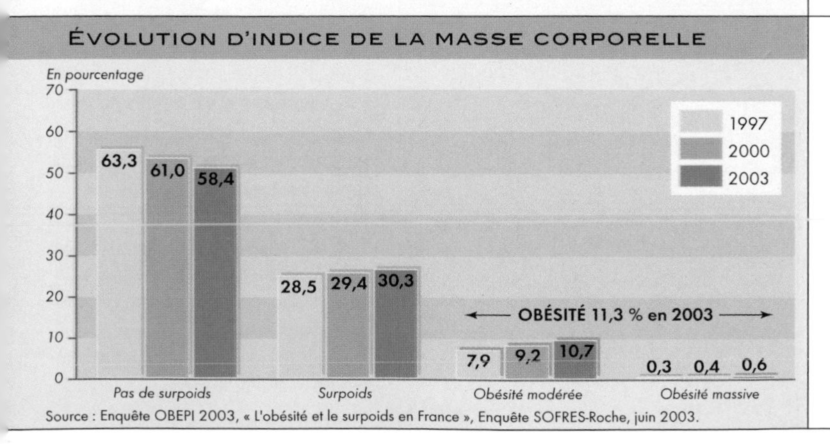

Source : Enquête OBEPI 2003, « L'obésité et le surpoids en France », Enquête SOFRES-Roche, juin 2003.

L'ÉVOLUTION DE L'OBÉSITÉ

En six ans, la prévalence de l'obésité est passée de 8,2% à 11,3 % ; la proportion de personnes en surpoids, de 28,5 % à 30,3 % ; l'obésité grave, de 0,3 à 0,6 %. La population française a grossi de 1,7 kg.

LE NOUVEAU PORTE-MONNAIE DU CONSOMMATEUR

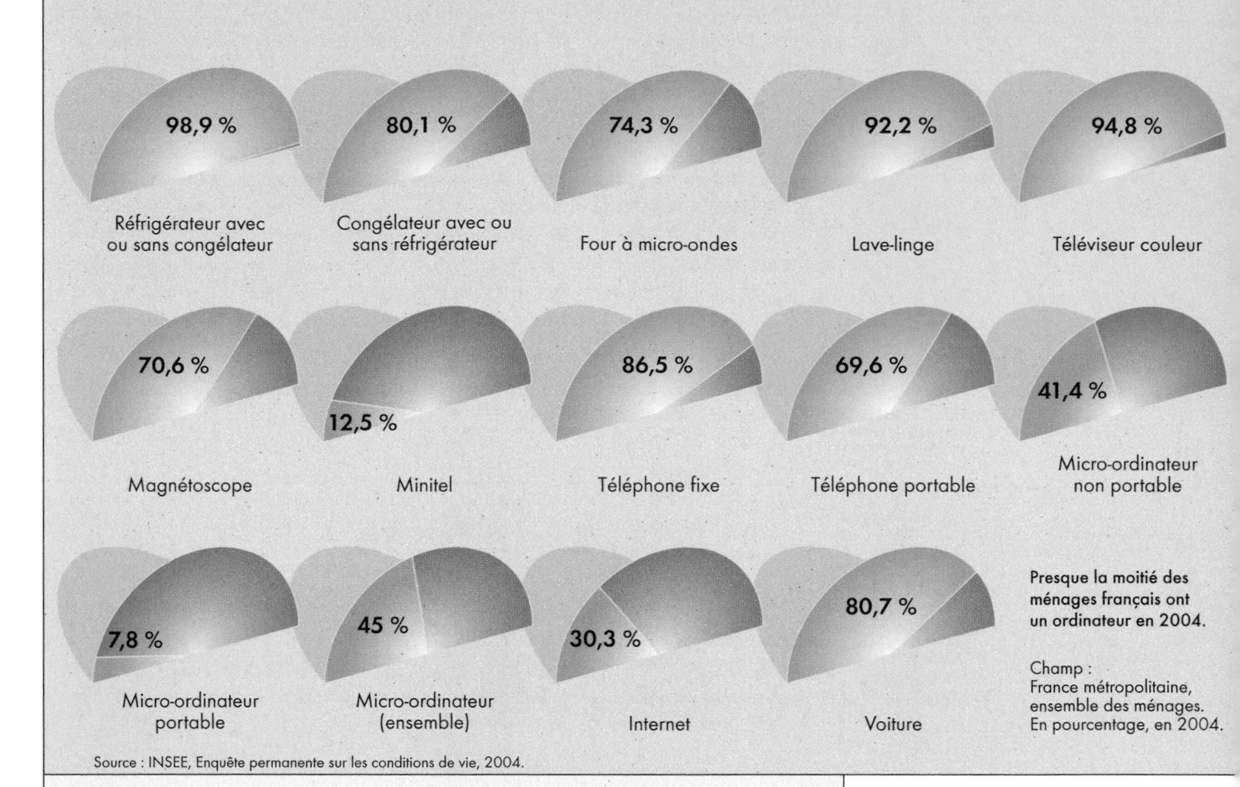

Source : INSEE, Enquête permanente sur les conditions de vie, 2004.

Les produits en vogue : les nouvelles technologies

Les nouvelles technologies de l'information et de la communication (TIC) font leur percée dans les foyers. Elles absorbent à elles seules plus de 30 % de la hausse de la dépense des ménages sur la dernière décennie. D'une part, les innovations se multiplient ; d'autre part, leurs prix baissent. Tous les ménages ont un téléviseur voire deux, les deux tiers ont un magnétoscope, 60 % une chaîne hifi et 15 % un caméscope. Le micro-ordinateur est enfin arrivé chez 45 % des ménages, dont un tiers est connecté à Internet. Écrans plats, lecteurs de DVD et home cinéma sont prisés. Entre 2002 et 2003, les appareils photos numériques ont fait une progression de 113 %. Le MP3 est le cadeau de Noël incontournable chez les 13-35 ans.

> *Avec 13 millions d'acheteurs en 2005, les achats sur Internet s'envolent. Ils concernent en priorité les produits des nouvelles technologies, les livres et les voyages.*

Un nouvel Eldorado : le commerce en ligne

Début 2005, le commerce en ligne passe la barre des 1 % du commerce de détail. Chaque année, le nombre de sites augmente et les plus dynamiques sont ceux qui offrent des loisirs et des biens culturels. Tout d'abord francilien, âgé de 35 ans, diplômé du supérieur, en couple avec deux enfants, le profil du cyberacheteur évolue. Les habitants des zones rurales se lancent dans ce type d'achat, comme les parents plus âgés incités par leurs enfants. Les avantages sont nombreux : on reste chez soi, on est informé des produits existants et nouveaux, et on se distingue par une pratique élitiste. La décision d'achat est motivée en premier par le prix. Le cyberacheteur fait son apprentissage : son premier achat est modeste – un livre ou un disque –, puis il monte en gamme avec l'achat d'un voyage ou d'un nouvel ordinateur.

TAILLE ET PEUPLEMENT DES RÉSIDENCES PRINCIPALES

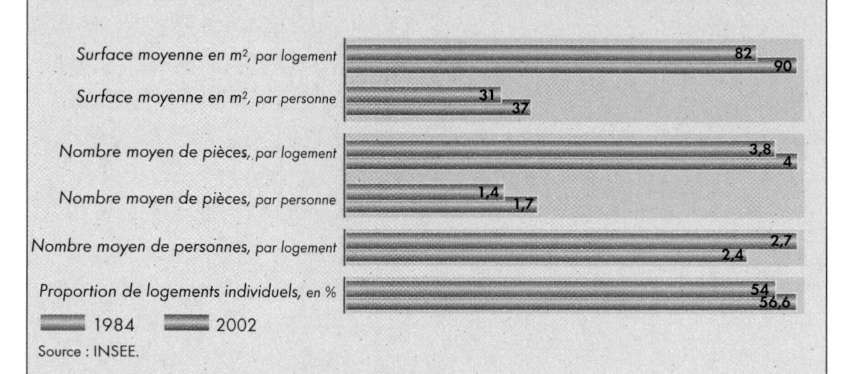

Source : INSEE.

CLASSEMENT DES ACHATS EN LIGNE

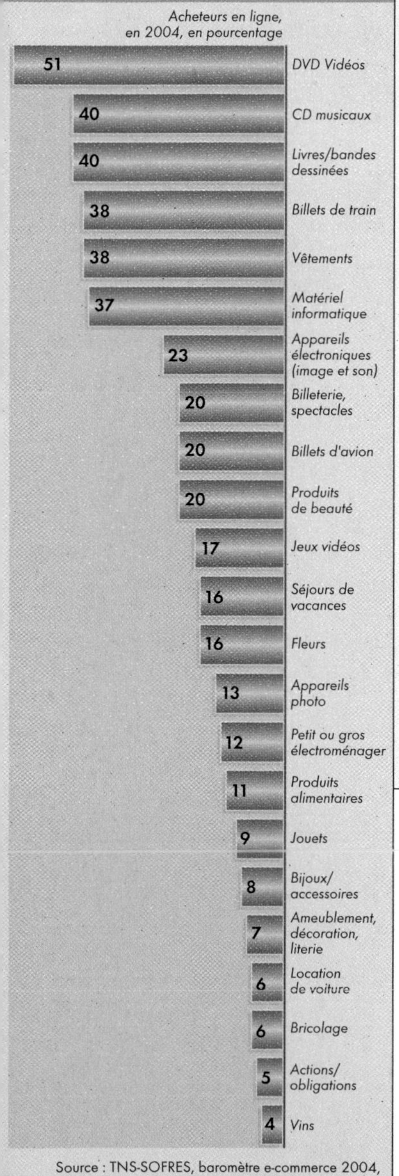

Source : TNS-SOFRES, baromètre e-commerce 2004, vague 2.

Près de 20 % du budget consacré au logement

Les trois quarts du budget logement des Français sont consacrés au loyer, à peine 10 % aux charges et le reste à l'énergie. L'aspiration des Français à habiter une maison individuelle isolée s'est réalisée pour 37 % d'entre eux ; 20 % habitent des maisons individuelles mitoyennes et 41 % un immeuble collectif. La taille des ménages a diminué : le nombre de familles nombreuses a baissé, les divorcés ont chacun leur logement et les personnes âgées ne vivent plus chez leurs enfants. Elles préfèrent rester seules dans leur logement ou être hébergées par une maison de retraite. Il en résulte que chacun dispose de plus de place : 20 % de surface en plus en vingt ans. Aujourd'hui, la surface moyenne des logements est de 90 m² pour quatre pièces, mais la part des moins de 40 m² augmente plus vite que celle des plus de 100 m². Plus d'un Français sur deux est propriétaire de son logement (près de 57 %) et a accompli son rêve de posséder une maison individuelle (80 % des propriétaires).

LA MAISON IDÉALE. La maison neuve idéale se situe sur une parcelle isolée. Chacun y a son coin mais la cuisine est devenue la pièce majeure, le lieu du rassemblement : elle est vaste et bien équipée en électroménager. La salle à manger a disparu. Les recompositions familiales accentuent l'exigence d'intimité des parents, qui occupent une chambre éloignée de celle des enfants, où le lit de plus en plus grand est l'élément central ; un dressing, signe du luxe bourgeois, et une salle de bains la prolongent. La chambre des enfants contient plusieurs lits, pouvant accueillir des enfants de familles recomposées ; elle est contiguë à une salle de jeux et à une seconde salle de bains. Le bureau avec son équipement informatique et la salle TV avec son home cinéma sont des pièces à part entière puisque chaque Français passe 3 h 24 par jour en moyenne devant son écran. L'extérieur de la maison cherche à imiter le « néorégional typique » : mas provençal dans le Sud et longère aux volets bleus en Bretagne.

Les grandes institutions nationales – l'État, l'Église, l'armée et l'école – ont perdu leur rôle fédérateur mais elles ne sont plus l'objet de conflits. Elles n'imposent plus leur magistère. Le citoyen devient un client d'un service public dont il exige une prestation personnalisée. Vis-à-vis de l'école et de la santé,

les Français se comportent de plus en plus en consommateurs et ils adoptent souvent des comportements stratégiques individualistes qui conduisent à diversifier les systèmes et rendent difficile l'application du principe d'égalité. Les syndicats ont perdu leur base militante mais ont gardé leur légitimité au sein des institutions de gestion de la démocratie sociale. La défense des intérêts se traduit aujourd'hui à travers des réseaux, des associations, des corporatismes qui engendrent une inflation des conflits d'intérêt et, par conséquent, le recours au système judiciaire.

Les Français et leurs institutions

L'ÉTAT ET LES INSTITUTIONS PUBLIQUES

Autrefois interventionniste et planificateur, l'État aujourd'hui s'en tient à ses fonctions régaliennes et à sa mission de régulateur. En revanche, il a considérablement renforcé sa fonction d'assureur, de distributeur de solidarité. Les Français attendent de l'État une relation encore plus démocratique, ils attendent de meilleurs services, plus personnalisés, et sont favorables en cela à la décentralisation de prestations. Pour certains domaines, ils souhaitent un État moins présent, tandis qu'ils veulent un État garant des principes de solidarité nationale, de justice et d'égalité.

Le rôle de l'État

LES FONCTIONS RÉGALIENNES. Décrié par certains pour son poids excessif, depuis l'après guerre, et encore plus depuis une vingtaine d'années, l'État a connu des évolutions contrastées, changeant en même temps son rapport avec la société. Tout d'abord, les fonctions régaliennes de l'État, qui sont en quelque sorte son épine dorsale (l'armée, la police, la justice), sont assurées de façon constante ; elles demeurent même les principales fonctions à la charge de l'État central. L'État «interventionniste» ou «modernisateur» s'est évanoui à la fin des années 1970, il a abandonné la planification et la politique des prix. Il cofinance sous forme de subventions des investissements entrepris par les collectivités locales. Il est devenu un État «régulateur», timidement «incitateur» avec une politique économique bridée par les instances supranationales.

LES FONCTIONS SANITAIRES, SOCIALES ET ÉDUCATIVES. En revanche, l'État a considérablement développé ses fonctions sanitaires, sociales et éducatives. Le nombre d'éducateurs sociaux, d'assistantes sociales, de professeurs du secondaire et des universités a fortement augmenté. L'État-providence, distributeur de solidarité, s'est fortement accru avec l'assurance chômage, l'assurance maladie ou les minima sociaux. C'est ce qui explique que les prélèvements obligatoires soient passés de 25 % du PIB en 1945 à 45 % aujourd'hui. La société, qui rechigne devant ce taux, demande encore plus de services publics. Cercle vicieux : la société demande à l'État d'intervenir dans tous les domaines privés ou publics (sécurité, enfance, alimentation, circulation, pollution,...) ; en réponse ce dernier légifère, se bureaucratise et on lui reproche son inflation réglementaire et sa lourdeur administrative.

Un autre rapport entre la société et les institutions

AUPARAVANT, l'État classique était chargé de gérer une société de masse, avec ses différences «justes» formant des hiérarchies sociales stables, il gérait des questions générales. La plupart des institutions avaient pour objectif de former des individus qui deviendraient de bons citoyens. L'école se devait de socialiser les enfants et les professeurs exigeaient l'obéissance. L'hôpital soignait les malades qui s'en remettaient aux médecins sans discuter, avec tout le respect dû à leur position. L'ANPE enregistrait les chômeurs sans prendre en charge leur histoire.

AUJOURD'HUI, les individus ont acquis une autonomie qui leur permet d'interpeller les institutions sur les services qu'elles rendent, et ils entendent faire respecter leurs droits et leurs projets de vie. L'affermissement de la démocratie et de l'individualisme a remis en cause le fonctionnement des institutions, pas encore prêtes à répondre à cette nouvelle attente qui vise une égalité plus individualisée, plus correctrice, plus à même de donner à chacun des chances. Des mesures ont été prises pour aider le citoyen à faire entendre son avis sans recourir à la voie judiciaire : recours au médiateur (1973), accès aux documents administratifs (1978), motivation des décisions administratives (1979), droit à une procédure contradictoire (1983) ou droit à l'information administrative (2001).

BUDGETS DES PRINCIPAUX MINISTÈRES

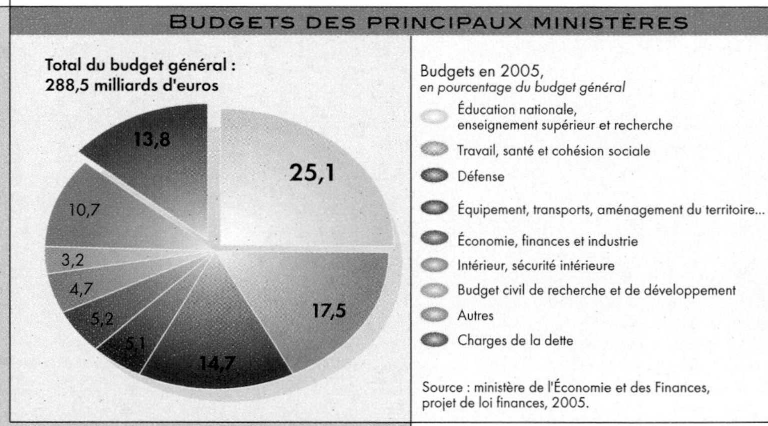

Source : ministère de l'Économie et des Finances, projet de loi finances, 2005.

À L'INTÉRIEUR DES BUDGETS

Les budgets éducation et défense sont dominés par les dépenses salariales ; les budgets travail et cohésion sociale, par les exonérations de cotisations et autres aides à l'emploi. La dette publique augmente de 14 % le budget général.

> « Les fonctions et les pouvoirs de l'État s'effacent derrière l'avancement de la construction européenne, d'un côté, et le renforcement de la décentralisation, de l'autre. L'État devient un échelon dans un système à plusieurs niveaux. »

L'État producteur de services

L'usager du service public est devenu un véritable client, soit parce que certains services ont été privatisés, soit parce que l'État a étendu son secteur d'intervention vers l'économique et le social. Face à une demande croissante, les administrations engorgées ont peine à répondre. Gestion déficiente du budget et lenteur administrative ont conduit l'État à entreprendre une nouvelle gestion budgétaire de ses services qui se rapproche du modèle managérial de l'entreprise fournissant des services. Ainsi, la LOLF (Loi organique relative aux lois de finances) vise à améliorer la gestion des finances des ministères en l'ordonnant autour de missions, d'objectifs et d'évaluation des résultats, tout en laissant à chaque administration une liberté accrue sur l'emploi des crédits. Cette réforme, qui entre en application dès 2006, doit renforcer le contrôle du Parlement sur les finances publiques. Fait remarquable, cette loi a été approuvée par l'ensemble des parlementaires, tous partis confondus.

ÉVOLUTION DES DÉPENSES DU BUDGET

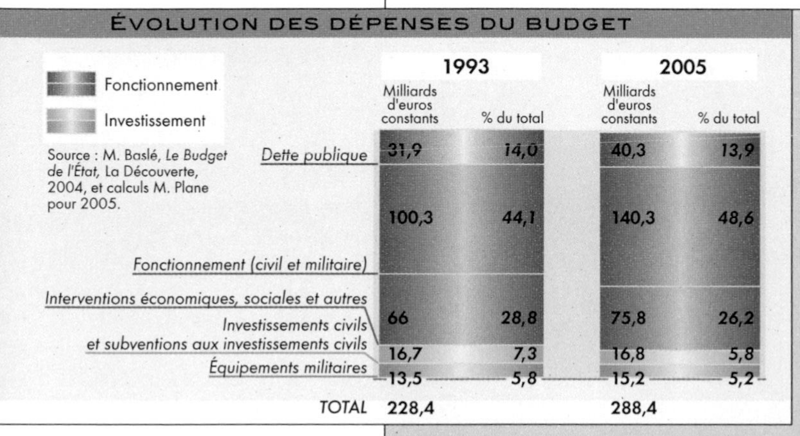

Source : M. Baslé, *Le Budget de l'État*, La Découverte, 2004, et calculs M. Plane pour 2005.

L'État assureur et distributeur de solidarité

La société reconnaît un devoir accru de solidarité : celui des actifs envers les jeunes (par l'éducation) et les gens âgés (par les retraites) ; celui des biens portants envers les malades (l'assurance maladie) ; et celui des favorisés envers les défavorisés (les minima sociaux et indemnités de chômage). Les prestations de protection sociale, toutes réunies, représentent 480,4 milliards d'euros en 2004, soit 30 % du PIB, niveau encore jamais atteint. Elles sont tirées vers le haut en premier lieu par les prestations vieillesse (43 % des prestations), qui sont appelées à augmenter avec l'arrivée à la retraite des générations du *baby boom*, et les prestations santé (35 %), dont les dépenses maladie représentent 90 %. Les prestations réservées aux familles représentent 9,5 % des dépenses et celles venant au secours de la pauvreté, dont le RMI, 1,6 %, une goutte d'eau dans l'océan de la redistribution. Avec la loi de décentralisation Acte II, ces dernières prestations sont principalement à la charge des collectivités territoriales.

La grande majorité de ces prestations est financée par les cotisations liées à l'emploi. Ces cotisations augmentent à un rythme supérieur à celui de la masse salariale, en particulier les cotisations liées au chômage (versées à l'Unedic). L'autre recette importante provient des impôts et taxes, dont la CSG, qui participe à hauteur de 70 % de cette recette. Le reste est financé par diverses cotisations publiques.

AUGMENTATION DES PRESTATIONS
Redistribution, assurance et solidarité : ces prestations représentent 30 % du PIB, un niveau encore jamais atteint.

ÉVOLUTION ET STRUCTURE DES PRESTATIONS DE PROTECTION SOCIALE PAR RISQUE

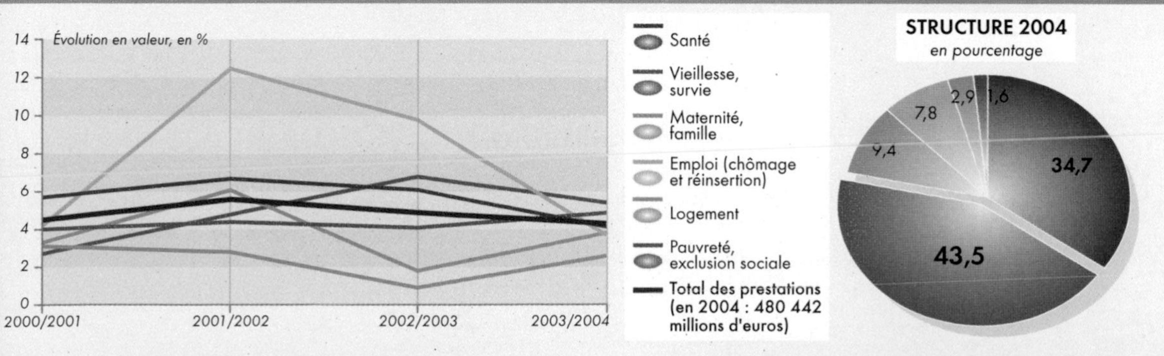

Source : Insee, *Portrait social 2005-2006*.

Religions et cultes

La « fille aînée de l'Église », comme on a nommé la France pendant des siècles, fait triste mine. Depuis les années soixante, tous les indicateurs de vitalité du catholicisme sont en baisse, le nombre de vocations sacerdotales diminue, les fidèles pratiquants réguliers deviennent moins nombreux, l'influence de l'Église dans la vie politique et sociale s'estompe. À tel point que l'on parle aujourd'hui de « déchristianisation » de la société, qui se traduit par le refus des valeurs judéo-chrétiennes et la méconnaissance du socle culturel chrétien, dont l'école publique songe à enseigner elle-même les rudiments. Parallèlement à ce déclin, on observe un intérêt croissant des jeunes pour une religion « à la carte », une effervescence de communautés nouvelles parmi lesquelles le mouvement charismatique, un repeuplement des pèlerinages, du scoutisme et des rassemblements, une bonne posture des médias catholiques, signes d'une forme nouvelle de dévotion où l'épanouissement personnel et l'humanisme font prime sur le dogme.

QUELLE EST VOTRE RELIGION ?

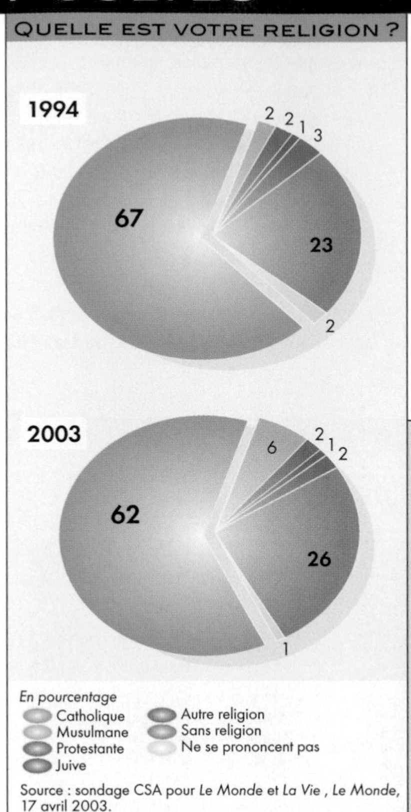

Source : sondage CSA pour *Le Monde* et *La Vie* , *Le Monde*, 17 avril 2003.

LA RELIGION DES FRANÇAIS

On note une baisse de l'appartenance à la religion catholique et une hausse de l'appartenance à la religion musulmane.

Le paysage religieux

La France est un pays laïc, de tradition et de culture catholiques. Jusqu'au milieu des années 1960, l'Église catholique se prétendait en charge de tous les Français, sauf de quelques protestants et communautés juives. Dans chaque diocèse, l'évêque était le chef spirituel et se devait de conduire sa population au royaume de Dieu. Les Français se conformaient aux rites de passage et saisonniers : baptême, première communion, mariage, enterrement, fêtes de Noël, de Pâques, Ascension, Assomption et Toussaint.

Le déclin de la pratique religieuse. Depuis trente ans, la pratique religieuse régulière décline continuellement. En 2003, 62 % des habitants se déclarent catholiques, 6 % musulmans, 2 % protestants et 1 % juifs, tandis que 26 % se déclarent sans religion. Si deux Français sur trois se disent catholiques, seulement 12,8 % sont des pratiquants réguliers (allant à la messe au moins une fois par mois, 7,5 % y vont chaque semaine). En se disant catholiques, la plupart affichent par-là une identité relevant de l'histoire familiale, d'une culture ou d'une éducation reçue pendant l'enfance, mais pas forcément une croyance. Parmi les catholiques pratiquants, les femmes sont plus nombreuses que les hommes, les retraités plus que les jeunes et les non-diplômés plus que les diplômés (excepté les diplômés de haut niveau qui ont une pratique plus intense, tout comme les habitants de l'agglomération parisienne).

La rupture avec l'Église, située dans les années 1965-1970, va de pair avec la vague contestataire contre les institutions, la révolte contre l'autorité induisant le développement de l'individualisme, de la permissivité. Elle correspond aussi à la condamnation de la contraception par l'Église et, par la suite, aux nouvelles lois sur l'avortement. La baisse de la pratique religieuse est une tendance commune à tous les pays européens, protestants comme catholiques. Les croyances s'effritent dans une fraction de la jeunesse, si bien que les générations qui arrivent seront en partie « déchristianisées » au sens propre : beaucoup de jeunes ne sauront plus ce que représente la croix.

LE PROFIL DES CATHOLIQUES

FRÉQUENTATION DE LA MESSE

Sur 100 catholiques

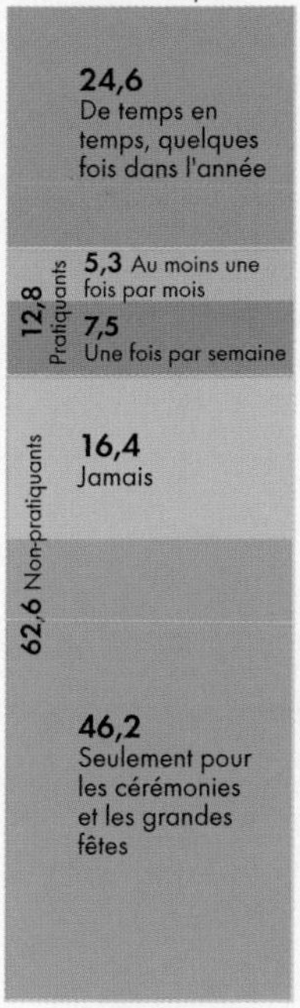

	24,6	De temps en temps, quelques fois dans l'année
12,8 Pratiquants	5,3	Au moins une fois par mois
	7,5	Une fois par semaine
62,6 Non-pratiquants	16,4	Jamais
	46,2	Seulement pour les cérémonies et les grandes fêtes

FRANÇAIS CATHOLIQUES SELON LES ÂGES

En % composition

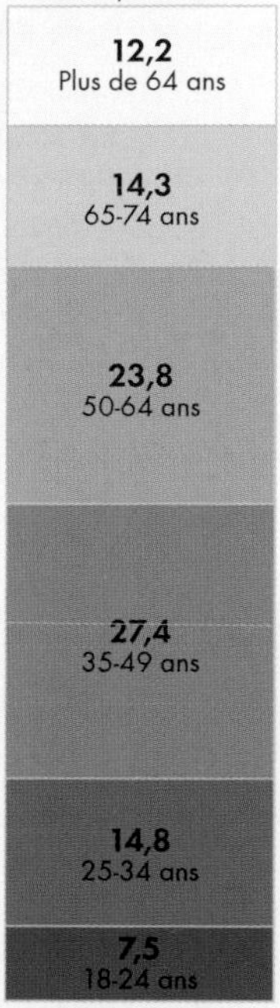

Âge	%
Plus de 64 ans	12,2
65-74 ans	14,3
50-64 ans	23,8
35-49 ans	27,4
25-34 ans	14,8
18-24 ans	7,5

CATHOLIQUES PRATIQUANTS SELON LA TAILLE DE L'AGGLOMÉRATION

En % pénétration

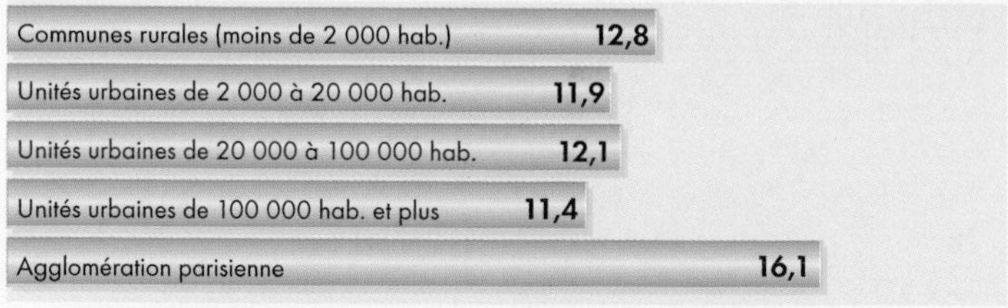

Communes rurales (moins de 2 000 hab.)	12,8
Unités urbaines de 2 000 à 20 000 hab.	11,9
Unités urbaines de 20 000 à 100 000 hab.	12,1
Unités urbaines de 100 000 hab. et plus	11,4
Agglomération parisienne	16,1

CATHOLIQUES PRATIQUANTS SELON LE NIVEAU DE DIPLÔME

En % pénétration

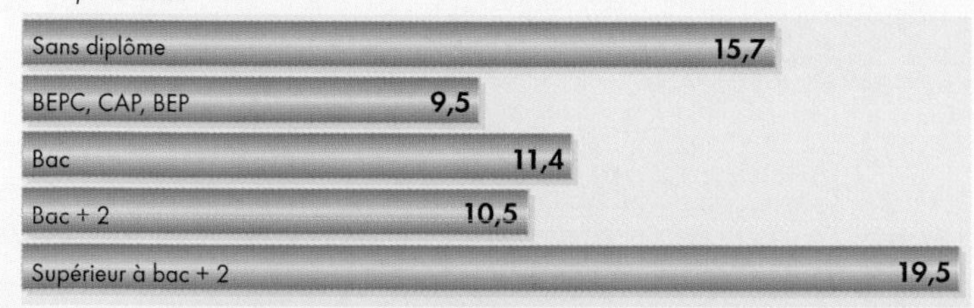

CATHOLIQUES PRATIQUANTS SELON LE SEXE

En % pénétration. Base « catholiques »

Femmes	14,4
Hommes	10,4

Source : sondage CSA pour *La Croix*, « Les Français et la religion », *La Croix*, n° 0401664, décembre 2004.

LA PRATIQUE RELIGIEUSE EN 2001

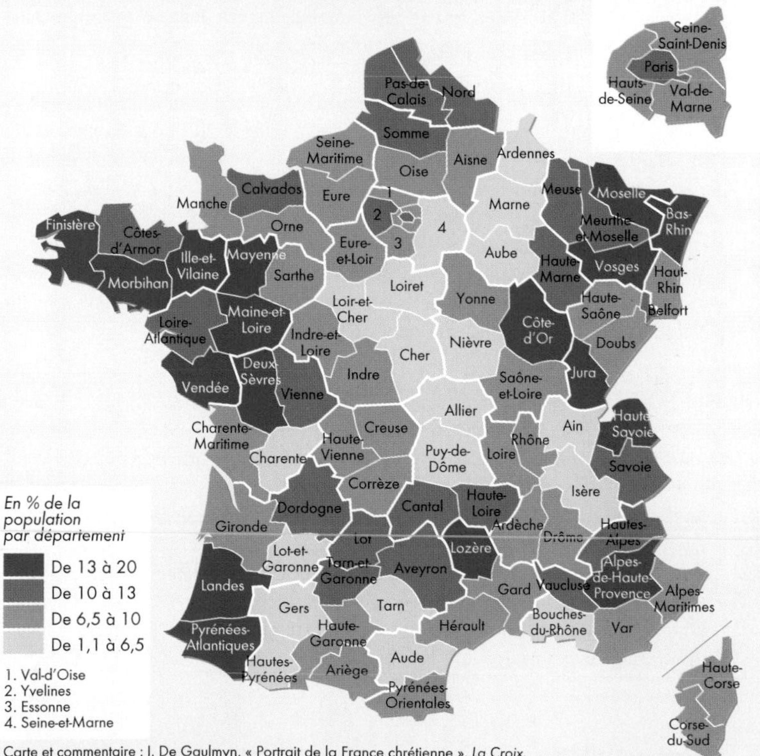

En % de la population par département

- De 13 à 20
- De 10 à 13
- De 6,5 à 10
- De 1,1 à 6,5

1. Val-d'Oise
2. Yvelines
3. Essonne
4. Seine-et-Marne

Carte et commentaire : I. De Gaulmyn, « Portrait de la France chrétienne », *La Croix*, lundi 24 décembre 2001, d'après un sondage CSA auprès de 2 500 personnes réalisé entre 2000 et 2001.

LA PRATIQUE RELIGIEUSE OCCASIONNELLE

Elle aurait tendance à augmenter (59 % des Français), avec une persistance des noyaux durs de l'Ouest et de l'Est. La pratique se maintient à Paris mais s'affaisse dans les grandes villes de province. En zone rurale, les pratiques sont plus occasionnelles, les célébrations se faisant plus rares. L'athéisme reste fort dans les départements traditionnellement ancrés à gauche.

« ***La perte d'influence de l'Église a des conséquences au-delà de la seule pratique religieuse, qui ne regarde que les individus eux-mêmes. Elle a conduit à une inculture religieuse, à un manque de familiarité avec l'histoire biblique, socle de notre civilisation.*** »

Où intervient l'Église catholique ?

Les Français n'éprouvent pas un désintérêt total à l'égard de la religion, mais ils ne veulent plus du magistère de l'Église. Ils acceptent qu'elle intervienne sur les problèmes du tiers monde, de la discrimination, des droits de l'homme, des questions socio-économiques... Le devoir d'« aimer son prochain comme soi-même » est remplacé au profit d'une aide envers l'humanité tout entière.

En revanche, l'intervention de l'Église est condamnée quand elle touche la sphère privée, car la religion est devenue une affaire personnelle, au même titre que l'appartenance politique. Et maintenant qu'elle n'impose plus, on remarque chez les jeunes un intérêt croissant envers la religion, qu'ils expriment à travers des croyances disparates, empruntées aux diverses traditions religieuses ; c'est une religion « à la carte », personnalisée, mais qui a besoin de la communauté pour confirmer ses croyances et valider ses convictions. Comme le souligne l'ethnologue Pascal Dibie, la religion devient surtout un marquage identitaire, à la manière de ces jeunes parents qui demandent le baptême de leurs enfants pour, disent-ils, « les faire appartenir au clan des chrétiens ». Par ailleurs, le recul des croyances parallèles (prédictions, envoûtements, etc.) s'explique par une montée de la croyance en la science. On observe que les plus traditionalistes et les plus athées sont les moins réceptifs aux croyances parallèles.

ÉVOLUTION DES CULTES

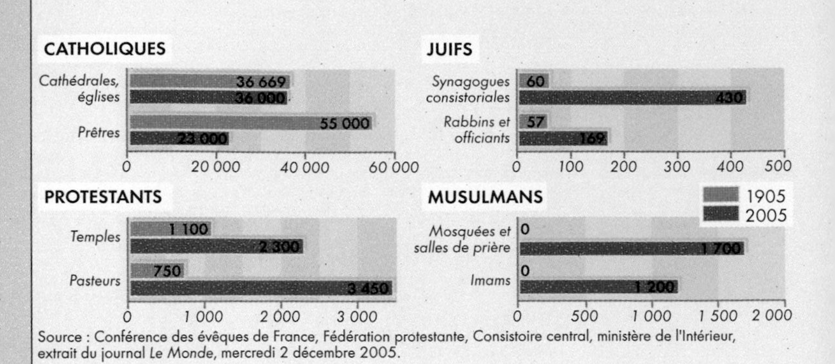

Source : Conférence des évêques de France, Fédération protestante, Consistoire central, ministère de l'Intérieur, extrait du journal *Le Monde*, mercredi 2 décembre 2005.

Les vocations

La diminution des effectifs du clergé ne va pas dans le sens d'une résurrection du catholicisme en France. Alors que le nombre de prêtres s'effondre, le nombre de pasteurs augmente, grâce à l'arrivée en nombre des femmes. Les paroisses catholiques manquent cruellement de prêtres : ils sont aujourd'hui moins de 23 500, majoritairement âgés de plus de 60 ans, et les ordinations ne dépassent guère la centaine par an. Sur le territoire, l'Église s'est restructurée en « communautés de base » composées de laïcs, en paroisses nouvelles regroupant plusieurs communautés, en secteurs fédérant plusieurs paroisses, tenant plus compte de la population que de l'espace.

Les ordres religieux sont aussi sur le déclin. Si monastères et couvents abritent encore 42 600 religieuses et 9 400 moines, ils perdent environ 4 % d'entre eux chaque année, et la moyenne d'âge est de 74 ans pour les femmes et 70 ans pour les hommes. Ces pertes concernent principalement les institutions créées au XIXe siècle, à vocation éducative, caritative ou hospitalière. Jésuites et dominicains, de leur côté, recrutent entre cinq et dix novices par an.

Les « communautés nouvelles » issues du renouveau charismatique connaissent un succès indéniable : la congrégation Saint-Jean a recruté plus de 300 religieux depuis sa création en 1975, âgés de 35 ans en moyenne, et les moines et moniales de Jérusalem (150 personnes) attirent environ quinze jeunes chaque année. Elles ont rassemblé près de 150 000 fidèles en 2004. Ce succès, comme celui des pèlerinages ou des Journées mondiales de la jeunesse, est avéré mais ne représente pas un phénomène de masse ; les jeunes participants ne sont pas représentatifs de leur catégorie d'âge. Ils adhèrent à une nouvelle forme de religion festive entraînant fusion collective et forte communication émotionnelle.

ÉGLISE ET PROBLÈMES DE SOCIÉTÉ

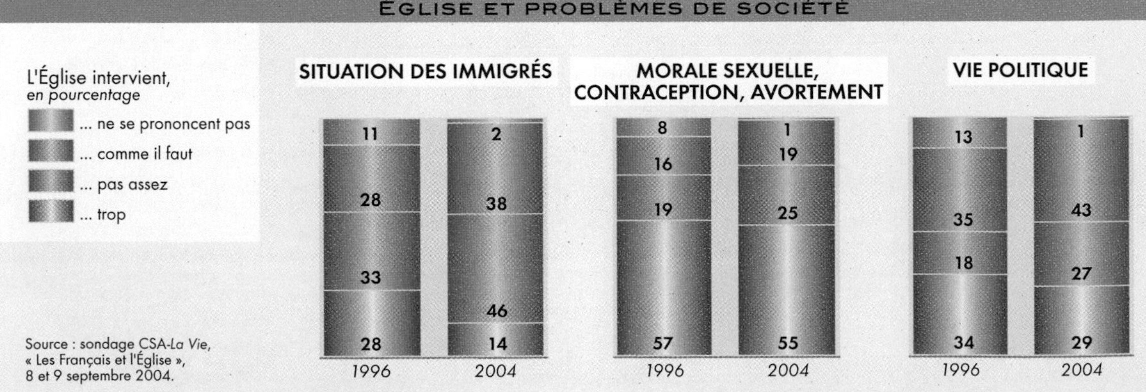

Source : sondage CSA-*La Vie*, « Les Français et l'Église », 8 et 9 septembre 2004.

Vers un pluralisme religieux

Le pluralisme religieux de la France s'affirme : protestantisme, judaïsme et islam sont de plus en plus exprimés et reconnus. Par le nombre, l'islam est devenu la deuxième religion de France.

LES PROTESTANTS, encore plus que les catholiques, sont attachés à la liberté personnelle dans leurs choix religieux et acceptent d'autant mieux le principe séculier.

CHEZ LES MUSULMANS, la distinction est moins nette entre religion, vie privée et vie publique. Pour eux, la foi concerne tous les domaines de la vie. Ils ne voient pas de difficulté à vivre sur le territoire français, avec les lois de la République, et pratiquer leur religion. La majorité des musulmans de France (63 %) se disent pratiquants. Ils sont d'accord avec l'idée d'une modernisation de leur religion, surtout les femmes qui y verraient plus de droits et de liberté. Seulement 10 à 15 % d'entre eux fréquenteraient la mosquée. Comme les jeunes Français de souche, les jeunes musulmans pratiquent de moins en moins ; ils s'inventent leur propre islam, qui peut être éloigné de l'islam traditionnel. Par ailleurs, les lieux de culte musulmans sont rares et souvent modestes : on ne compte qu'une dizaine de grandes mosquées. Les élus sont réticents à autoriser la construction d'une mosquée dans leur localité, mesure qui ne serait pas très populaire. Mais les musulmans représentent 6 % de la population et donc, « au nom du principe constitutionnel de liberté d'opinion et de pratique religieuse », les autorités sont de plus en plus amenées à composer avec les institutions représentatives de l'islam.

LE JUDAÏSME. Un peu plus de 1 % des Français s'identifient à la religion juive (environ 800 000 personnes). La moitié sont venus d'Europe centrale, les Ashkénazes, l'autre d'Afrique du Nord (surtout d'Algérie après l'indépendance), les Sépharades. Grâce à ces derniers, la religion juive est active en France. Le nombre de synagogues augmente (une centaine à Paris aujourd'hui, contre une trentaine en 1980), la plupart appartenant au Consistoire, qui rassemble la majorité de la communauté juive française. L'enseignement du judaïsme est vivant (il accueille environ 16 000 élèves), auquel s'ajoutent les nombreuses associations et organisations cultuelles. Les juifs sont aussi divisés entre laïcs et religieux et, parmi ces derniers, existent des « intégristes » ou « orthodoxes », où figurent ceux qui ne tolèrent pas les mariages mixtes avec un(e) non-juif(ve).

DES CROYANCES ÉLOIGNÉES DE LEUR SOURCE

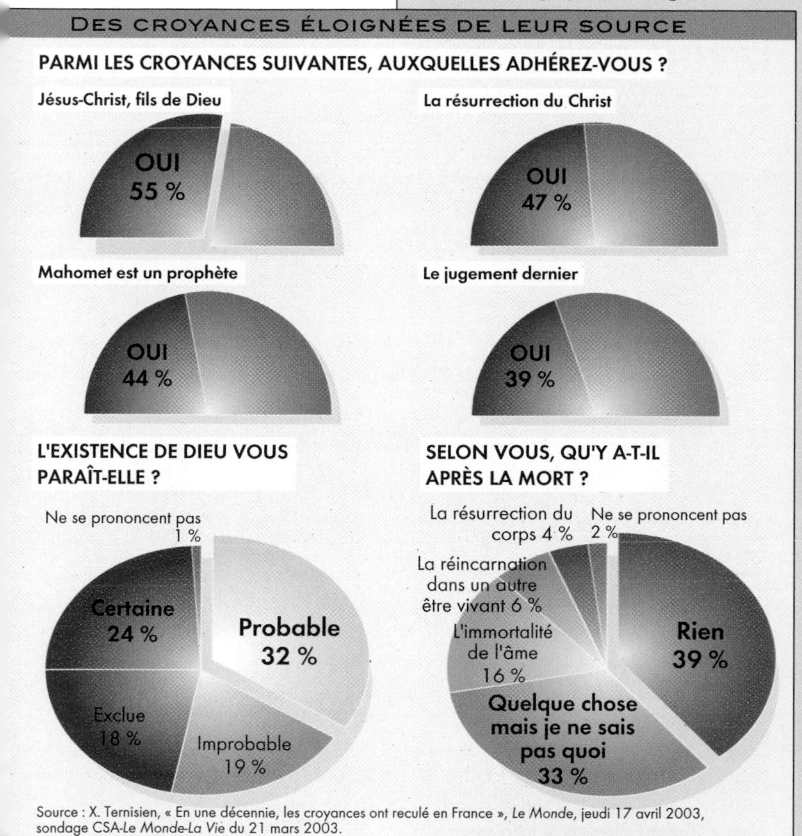

Source : X. Ternisien, « En une décennie, les croyances ont reculé en France », *Le Monde*, jeudi 17 avril 2003, sondage CSA-*Le Monde*-*La Vie* du 21 mars 2003.

QUEL RÔLE POUR L'ÉGLISE CATHOLIQUE ?
L'Église est sollicitée pour les problèmes de société tandis que son intervention dans la sphère privée est refusée.

« ***On voit actuellement une génération totalement areligieuse s'inventer son propre islam ou son propre christianisme. La religion devient un marquage identitaire.**** »

UNE ARMÉE POSTNATIONALE

La professionnalisation des armées est liée à l'image d'une armée plus moderne, plus compétente, plus efficace, toujours mobilisée, avec des militaires mieux formés. Les nouvelles missions des militaires – maintien de l'ordre, protection des faibles, défense terrestre sur des opérations extérieures, missions chevaleresques pourrait-on dire – rapprochent la fonction militaire d'une tendance forte et en croissance de fraternité humanitaire sous toutes ses formes.

L'armée se professionnalise : vers une armée de métier

Parallèlement au changement de ses missions et à sa modernisation technique, l'armée a été contrainte de s'adapter aux flots nouveaux des générations du *baby boom*, d'autant moins enclins à supporter la discipline militaire que la menace de guerre s'éloignait. La contestation qui suivit Mai 68 entraînait une première remise en cause du service militaire et de sa discipline jugée archaïque. En 1996, la décision est prise de supprimer le service militaire et l'opinion publique y est devenue majoritairement favorable. L'armée de métier se met en place sans accroc majeur.

UNE ARMÉE EN TRANSFORMATION. La professionnalisation des armées conduit à de fortes évolutions au sein du monde militaire, mais aussi dans les relations entre les militaires et la société civile.

Baisse des effectifs. Les armées de terre ont nettement plus diminué que la marine et l'armée de l'air. L'armée de terre, très connotée aux valeurs masculines – aptitude physique, action de groupe, aventure, courage – attire pourtant moins les candidats que les autres armées. Les femmes représentent aujourd'hui 12 % des effectifs et accèdent progressivement au grade d'officier. Elles peuvent s'engager dans tous les corps, excepté les sous-mariniers pour cause d'exiguïté.

L'augmentation des officiers. La proportion d'officiers et de sous-officiers a augmenté sensiblement (50 % pour l'armée de terre), non seulement à cause de la réduction des effectifs, mais surtout à cause de la modernisation technologique du métier.

Élévation de l'âge moyen. Ces évolutions conduisent à une élévation de l'âge moyen de la population militaire, à un plus grand nombre de militaires mariés avec enfants à charge. La plupart, après quelques années de métier, n'habitent plus la caserne. Ainsi, la vie des militaires se rapproche-t-elle de celle des civils, mis à part une mobilité géographique forte mais en décroissance.

Augmentation des dépenses de fonctionnement. Il résulte de ces transformations une augmentation substantielle des dépenses de fonctionnement du ministère de la Défense, qui écrasent les frais d'entretien et de matériels et dépassent depuis 1993 les dépenses d'équipement et de recherche et développement. D'où le dilemme entre sacrifier le recrutement et privilégier la technologie, ou l'inverse si le budget total n'augmente pas.

UNE ARMÉE PROFESSIONNELLE MOINS NOMBREUSE ET PLUS QUALIFIÉE

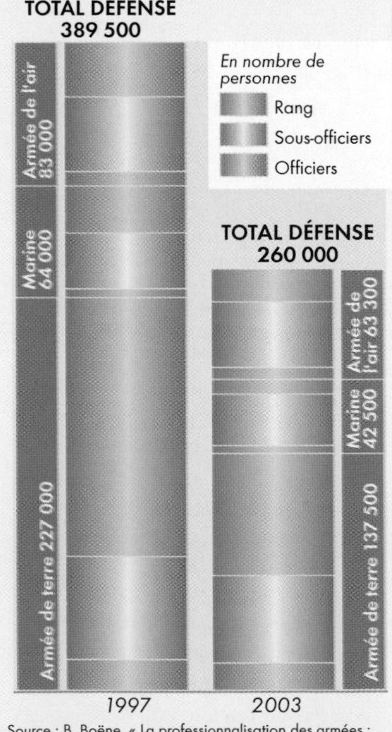

Source : B. Boëne, « La professionnalisation des armées : contexte et raisons, impact jonctionnel et sociopolitique », *Revue française de sociologie*, n° 44-4, 2003.

Le sentiment d'exercer un métier à part persiste

Si les modes de vie des militaires se rapprochent considérablement de ceux des civils, en revanche la nature du métier les dispose toujours à faire partie d'un monde à part. Déjà, au sein des différentes armées, des distinctions d'identité sont nettes entre l'armée de l'air et, dans une moindre mesure, la marine, qui se réclament plus de la technique que du militaire, et entre officiers et militaires du rang, où l'autorité caractérise toujours le style de commandement alors qu'elle tend à disparaître dans la société environnante. Par ailleurs, les nouvelles missions des armées entraînent pour les militaires une suractivité qui raccourcit le temps passé chez eux. Ces missions les obligent à une mise en pratique fréquente du principe de disponibilité, qui renforce le sentiment d'exercer un métier à part.

> ***« En moins de dix ans, les armées ont vécu avec aisance une mutation dont l'effet le plus inattendu a été d'ouvrir ce corps, par vocation le plus nationaliste, à la collaboration internationale. »***

LES DÉPENSES DE FONCTIONNEMENT ÉCRASENT LES DÉPENSES D'INVESTISSEMENT

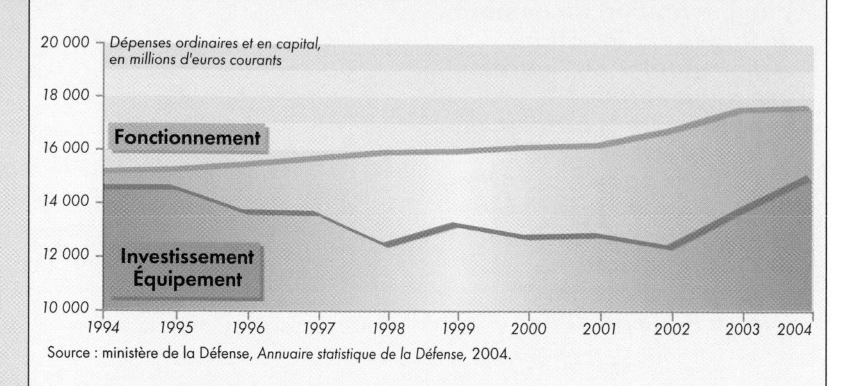

Source : ministère de la Défense, *Annuaire statistique de la Défense*, 2004.

De l'esprit de défense au maintien de la paix

DES MISSIONS POUR LA PAIX. Ces nouvelles missions dites « en faveur de la paix », « d'interposition », d'assistance humanitaire ou de service public redonnent aux militaires une légitimité et un prestige qu'ils n'avaient pas connus depuis longtemps et les inclinent à cultiver leur identité. Pourtant, ces missions sont de plus en plus éloignées de la guerre classique (le choc ou le feu). En cas de conflit, elles utilisent des frappes à distance. Le souci est de minimiser les pertes amies et ennemies alors que la puissance de feu n'a jamais été aussi grande. Les pertes civiles sont souvent plus importantes que les pertes militaires, ce qui remet en question la dimension héroïque de l'identité militaire. Les missions qui consistent, avec l'aide d'autres contingents internationaux, au rétablissement de la paix et à la reconstruction d'un pays détruit font appel aux valeurs universalistes, à la maîtrise de la complexité, en particulier avec les médias, elles valorisent l'image nationale et exacerbent le patriotisme.

LE REGARD DES CIVILS. Les résultats des sondages montrent que la perception du militaire a changé : pour l'opinion, il est devenu un professionnel, un technicien avant d'être un combattant. La crainte d'une attaque militaire classique a fait place à la crainte d'une action terroriste. Les nouvelles missions (Vigipirate pour la sécurité, humanitaires, intervention dans le cadre de l'ONU ou respect du droit international) accueillent plus de 80 % d'avis favorables. Les missions les plus légitimes sont celles les moins liées à l'usage de la force. Pour ceux qui s'engagent, l'armée répond à une vocation, mais aussi à un complément de formation professionnelle, une deuxième chance pour celui qui a échoué dans un premier emploi. On reconnaît aux militaires leur loyauté envers l'État et la République, et leur capacité à s'adapter à la vie moderne. En revanche, on leur reproche de peu se mêler aux civils. Une grande majorité approuve la création d'une force européenne d'action rapide. Le passage à l'armée de métier a amélioré l'image des armées françaises.

L'IMAGE DES ARMÉES

DANS L'ENSEMBLE, QUELLE OPINION AVEZ-VOUS DES ARMÉES FRANÇAISES ?

En pourcentage (100, 80, 60, 40, 20, 0)

Bonne — Mauvaise — Ne se prononcent pas

1991 1992 1993 1994 1995 1996 1997 1998 1999 2000 2001

Source : ministère de la Défense, *Dix Ans de sondages*, « Les Français et la Défense », *Analyses et références*, nov. 2002.

LA SYMPATHIE DES FRANÇAIS

La suppression du service militaire et la professionnalisation des armées n'ont pas entamé la sympathie des Français à leur égard, au contraire.

Une justice encombrée

L'augmentation du nombre de litiges et l'inflation réglementaire ont entraîné une augmentation des professions juridiques et leur spécialisation. Les efforts pour rapprocher l'institution du justiciable et diminuer l'encombrement des affaires dans les tribunaux ont conduit à la multiplication des instances de conciliation.

Spécialisation des avocats

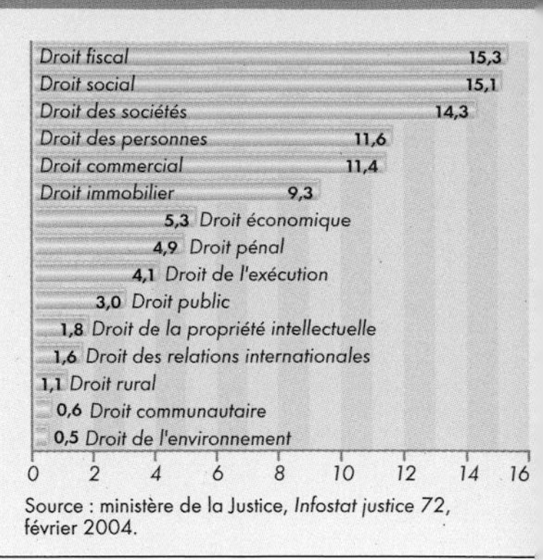

Source : ministère de la Justice, *Infostat justice 72*, février 2004.

Une société judiciarisée

Une mauvaise réputation. 70 % des Français jugent mal cette institution, qu'ils trouvent trop lente, trop coûteuse et... injuste. La catastrophique et récente affaire d'Outreau (2005) – qui a remis en cause le principe du doute en incarcérant de nombreux innocents plutôt que de laisser en liberté quelques présupposés accusés – n'a pas aidé à restaurer le crédit de l'institution. La lenteur du règlement des contentieux est à rapprocher du nombre d'affaires en augmentation exponentielle.

Durée moyenne de l'instruction en 2003

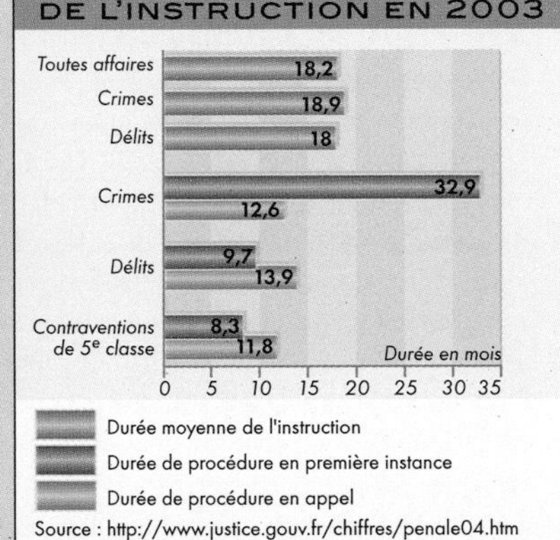

Source : http://www.justice.gouv.fr/chiffres/penale04.htm

LE CONSEIL AUX ENTREPRISES

Aujourd'hui, le conseil aux entreprises est parmi les spécialisations les plus fréquentes des avocats.

De nombreux recours aux tribunaux. Le recours aux tribunaux administratifs, civils, commerciaux, aux instances précontentieuses et aux conseils des Prud'hommes a considérablement augmenté depuis une trentaine d'années. La justice est entrée dans la vie des Français ; elle hérite de toutes les questions de la vie quotidienne que les institutions ne savent plus traiter : celles de la famille, de l'école, du quartier, etc. Le juge doit trancher de tout au nom du droit : de sujets historiques comme l'affaire Papon (1997), de santé comme l'affaire du sang contaminé (1991), de travail avec les plans sociaux, de religion avec l'affaire du voile, de loi nationale avec la convention européenne des droits de l'homme, etc. Parallèlement à l'augmentation du nombre de litiges, on assiste à une inflation législative, à une spécialisation du droit et des juristes.

Les réformes. Pour désengorger les tribunaux, des maisons de justice ont été créées pour traiter les affaires pénales au niveau local, réforme qui rapproche la justice française du Common Law anglais. Le recours à l'arbitrage s'est répandu à la périphérie du judiciaire, entraînant une augmentation des médiateurs et conciliateurs, en particulier pour les conflits sociaux. La récente réforme du « plaider coupable », consistant à minorer la peine de l'accusé qui reconnaît sa culpabilité dans une première audition, est une des mesures qui permet d'accélérer les procédures. Elle se rapproche de la pratique américaine.

Les Français ne supportent pas l'erreur en matière de justice et ses lacunes sont devenues intolérables. Une autre réforme est en cours qui vise à limiter ce risque d'erreur par la cosaisine des juges d'instruction dans les affaires graves où le juge travaillera de façon collégiale, avec d'autres magistrats. Enfin, beaucoup de Français réclament une plus grande autonomie du parquet face à l'autorité du garde des Sceaux.

Nombre de décisions rendues

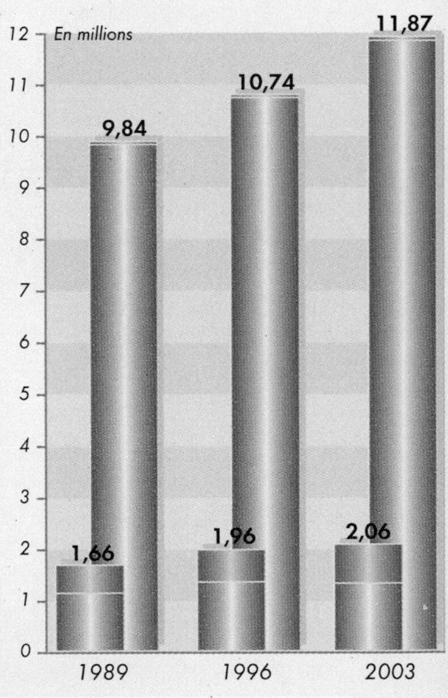

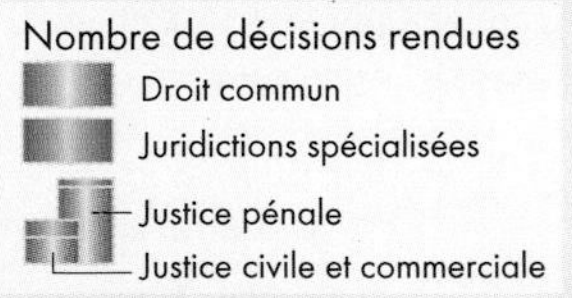

Source : ministère de la Justice, *Les Chiffres clés de la justice*, 2003.

Privés de liberté

En France, environ 63 000 personnes occupent les 48 600 places de prison dont dispose l'administration pénitentiaire. Environ un tiers de ces personnes sont en incarcération préventive, avant jugement. En vingt ans, la durée moyenne de détention a presque doublé. Les peines ont été alourdies et la durée de détention s'est allongée. Presque la moitié des détenus exécutent une peine de plus de cinq ans. Les femmes sont en minorité parmi les détenus, environ 4 %. Elles sont le plus souvent accusées de toxicomanie ou de complicité de crime de sang. Environ un quart de la population carcérale est d'origine étrangère. Beaucoup d'entre eux ne maîtrisent pas la langue française, sont indigents et dépendent du bon vouloir des codétenus, moyennant compensations de toutes sortes.

LES AUXILIAIRES DE JUSTICE

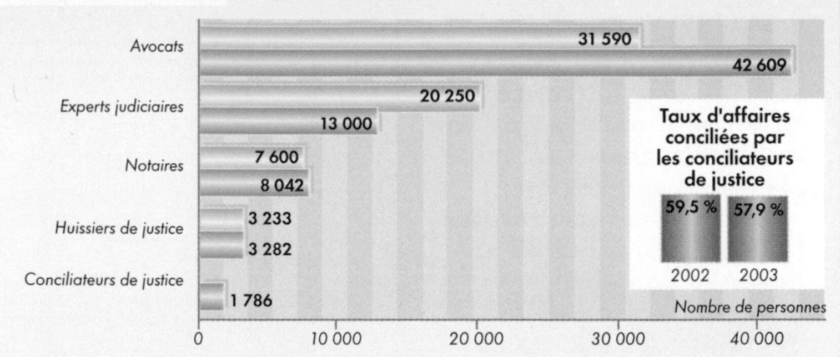

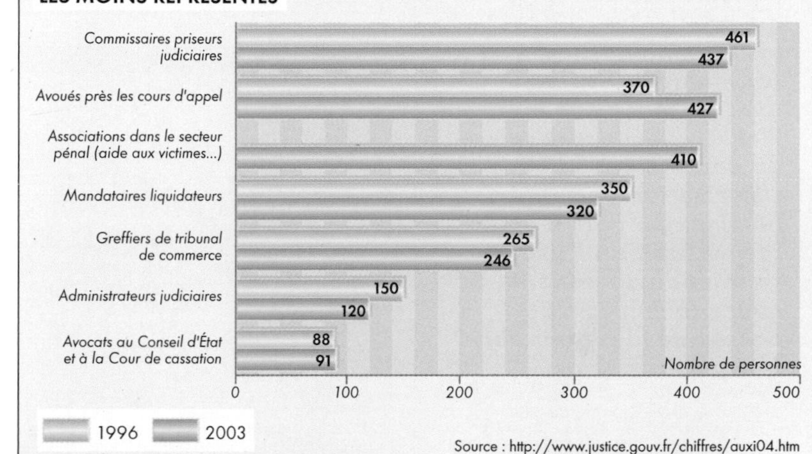

Source : http://www.justice.gouv.fr/chiffres/auxi04.htm

LE SYSTÈME JUDICIAIRE FRANÇAIS

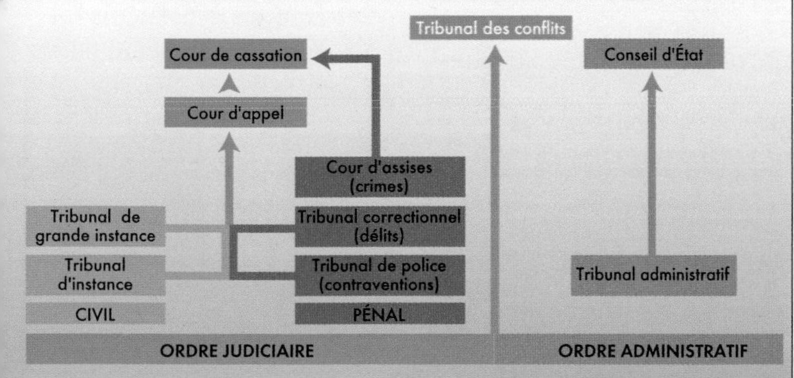

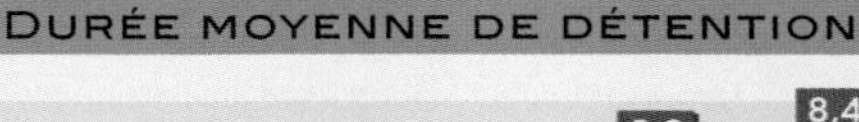

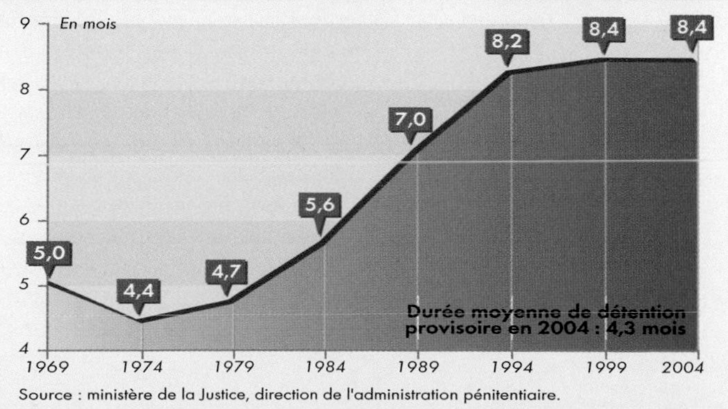

Source : ministère de la Justice, direction de l'administration pénitentiaire.

L'ALLONGEMENT DE LA DÉTENTION

Des peines qui s'alourdissent et une population carcérale en augmentation posent le problème des conditions de vie dans les prisons, dont le nombre est devenu insuffisant.

LA SANTÉ MALADE DE SES COÛTS

Si l'on jugeait un pays à l'espérance de vie de ses citoyens, la France serait en première position tant son système de santé est performant dans sa capacité à faire reculer la mortalité. La santé est devenue une obsession, autant en raison de la demande des éventuels patients que de l'offre qui atteint des coûts insurmontables.
Les maladies évoluent avec les modes de vie – sida, obésité, allergies ou dépression.
L'État entreprend de diminuer l'offre et de responsabiliser l'usager. La relation du patient avec son médecin est passée de la soumission à la participation.

LA CONSOMMATION MÉDICALE

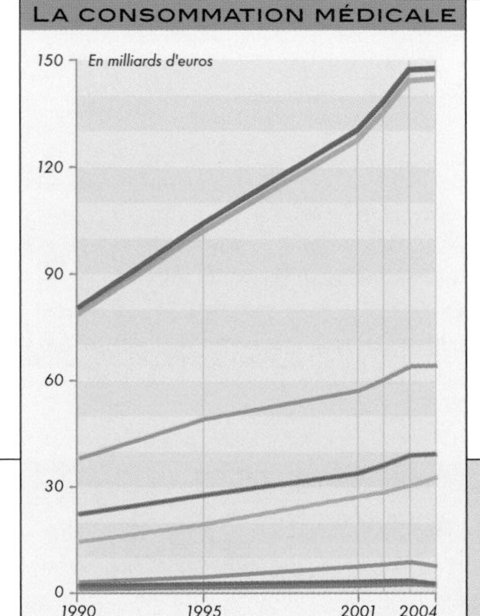

Source : Insee, *Portrait social 2005-2006*.

LA PART CROISSANTE DES DÉPENSES DE SANTÉ

Les dépenses médicales représentent 10 % du PIB. Médicaments et soins ont doublé en treize ans.

Les Français dépendants des soins et des médicaments

Les Français dépensent de plus en plus pour leur santé. La part de la santé dans le budget des ménages est passée de 8 % dans les années 1970 à 13 % aujourd'hui, et le montant des soins remboursables s'élève à plus de 2 500 euros par personne et par an. Le premier poste de dépenses concerne les maladies de l'appareil circulatoire et le second le traitement des affections psychiques (les Français sont les champions de la consommation d'antidépresseurs). En contrepartie, les Français vivent en meilleure santé et plus longtemps.

La Sécurité sociale se retrouve de manière récurrente en déficit, car la hausse des cotisations, inévitable du fait de la hausse de la part des dépenses de santé dans le revenu total de la nation, suit avec retard celle des dépenses. En outre, la gestion de l'assurance maladie et du système de santé présente un certain nombre de défauts que la dernière réforme, décidée en 2003, tente de corriger. Les Français sont devenus « dépendants » des soins et prendre des médicaments ou demander des examens est désormais un acte banalisé. Les médecins sont libres de prescrire à volonté. La course à la médecine de pointe et la prise en charge des arrêts de travail de longue durée peuvent parfois donner lieu à des abus qui, pour être réduits, exigent un véritable changement de mentalité.

LES CAUSES MÉDICALES DE DÉCÈS, PAR SEXE ET PAR ÂGE, EN 2001

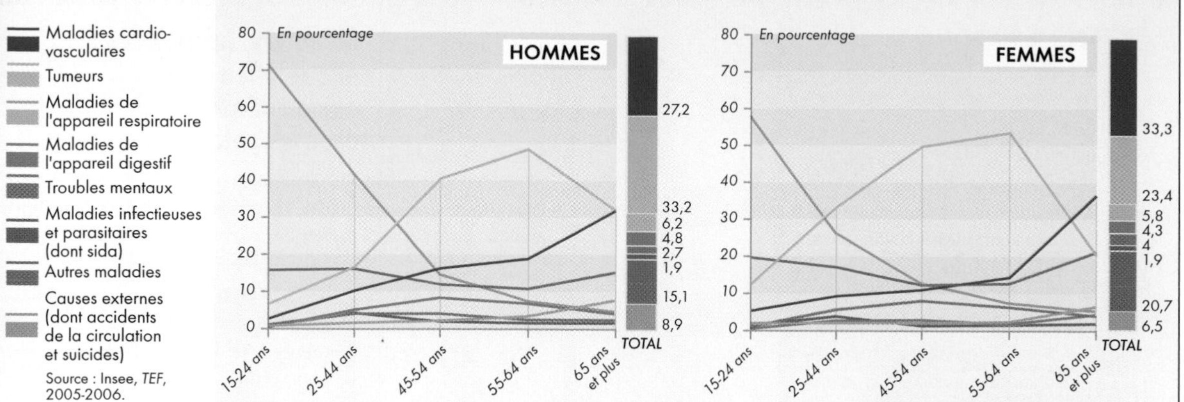

Source : Insee, *TEF*, 2005-2006.

Les Français et leur santé

À CHAQUE ÂGE SES PROBLÈMES DE SANTÉ. Les grandes causes de décès (alcool, accidents de la route, maladies cardiovasculaires) sont en diminution. C'est ce qui explique l'allongement de l'espérance de vie. L'état de santé varie beaucoup avec l'âge. La mortalité infantile a diminué de moitié depuis 1970. Grâce aux vaccins, les moins de 15 ans sont à l'abri des maladies les plus graves. En revanche, ils sont de plus en plus souvent atteints de surpoids (14 % des garçons et 18 % des filles de 7-9 ans), ce qui augmente à terme le risque de maladie cardiovasculaire. À 20 ans (âge de la taille définitive), depuis une trentaine d'années, les garçons ont grandi en moyenne de 4,5 cm et les filles de 3 cm. Les 15-44 ans sont en bonne santé, mais cette tranche d'âge est la plus menacée par le suicide. Les 45-74 ans voient apparaître des maladies graves, cancer et maladies cardiovasculaires, qui sont de moins en moins mortelles mais entraînent des soins chroniques. Après 75 ans surviennent les maladies du vieillissement, parmi lesquelles dominent celles liées à la dégénérescence du cerveau (démence, Alzheimer). Le taux de suicide des personnes âgées atteint des records européens, surtout chez les hommes, qui « réussissent » leur tentative plus que les femmes. Il suscite moins d'émoi que le suicide des jeunes, pourtant il est aussi l'expression d'un désarroi, d'un abandon ou d'un sentiment d'inutilité.

LA « PILULE DU BONHEUR ». De plus en plus de Français, en particulier les femmes et les personnes de plus de 60 ans, recourent à la « pilule du bonheur » pour essayer d'enrayer les troubles du sommeil, les déprimes, l'anxiété. Chaque année, les ventes de psychotropes augmentent et les Français sont les plus gros consommateurs en Europe. Alors que la consommation d'antibiotiques a diminué grâce à des campagnes d'information, celles-ci s'avèrent plus difficiles pour les antidépresseurs. En attendant, les industries pharmaceutiques tentent d'élargir le marché et d'atteindre les enfants et les adolescents.

UN TRISTE RECORD
La France détient le record de la consommation d'antidépresseurs, solution moderne aux difficultés de la vie, dont s'empare l'industrie pharmaceutique.

LA CONSOMMATION D'ANTIDÉPRESSEURS

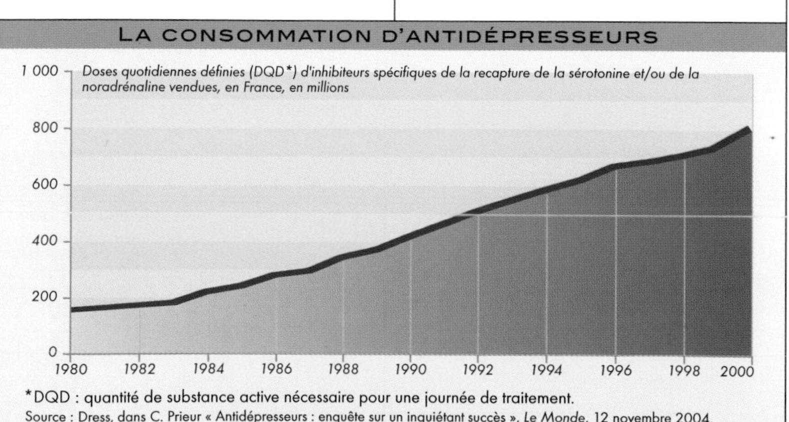

*DQD : quantité de substance active nécessaire pour une journée de traitement.
Source : Dress, dans C. Prieur « Antidépresseurs : enquête sur un inquiétant succès », *Le Monde*, 12 novembre 2004.

La santé a un prix

En matière de médecine, libéralisme (soins à volonté) et socialisation (financement via la Sécurité sociale) ont entraîné une dilution des responsabilités : celui qui prescrit n'est pas celui qui consomme, qui n'est pas celui qui paie. Depuis une trentaine d'années, le coût des soins a beaucoup augmenté et le volume de médicaments consommé a été multiplié par trois. Ce qui, en l'absence de hausse programmée des cotisations, a engendré un important déficit de l'assurance maladie : 14 milliards d'euros en 2004.

La réforme de l'assurance maladie de 2004 comporte deux volets, financier et non financier. Le volet financier, qui couvre la moitié du déficit, prévoit une hausse de l'impôt (essentiellement CSG et taxe sur le tabac) et la participation des ménages au financement direct des soins par le prélèvement d'un euro non remboursable sur chaque consultation et par la hausse du forfait hospitalier. Le volet non financier comporte des mesures qui visent à limiter le recours aux soins aux seuls cas indispensables et à réduire autant que possible le coût des soins. L'accès au spécialiste passe ainsi obligatoirement, pour bénéficier du meilleur remboursement, par le médecin traitant, afin de limiter les visites de spécialistes. La promotion des médicaments génériques est amplifiée. L'informatisation du dossier médical personnel devrait rendre possible sa consultation par n'importe quel médecin et éviter les examens redondants. La réforme comporte aussi un volet institutionnel avec la création des nouvelles instances pour coordonner les différentes caisses d'assurance maladies, les professionnels et les organismes complémentaires. Elles devraient veiller à limiter les excès concernant les prescriptions, les remboursements ou les arrêts de travail. Reste que, d'après les sondages, 87 % des personnes interrogées n'ont « jamais l'impression de consommer trop de médicaments ». La surconsommation, admise par tous, est toujours le fait des autres !

Médecins, infirmières : une relation plus démocratique avec les patients

Si les maladies aiguës ont reculé, les maladies chroniques ont augmenté, en particulier parce qu'elles ne sont plus systématiquement mortelles (cancer, diabète, hémophilie, etc.). Ces maladies conduisent à une relation plus fréquente avec le médecin et une participation du patient au traitement, lequel finit par acquérir une compétence qui entame celle du médecin. La relation entre les patients et les médecins, caractérisée par la soumission et le paternalisme, est devenue de plus en plus interactive. Autonomie et consentement du patient sont maintenant des principes reconnus par la loi de 2002, qui protège les droits du malade et lui permet une information complète à travers l'accès à son dossier médical. Pour cette même raison, le travail de l'infirmier a lui aussi considérablement évolué. Le travail d'éducation et d'information du patient et de son entourage s'est renforcé.

Parallèlement, le passage aux 35 heures, dans une période de pénurie de personnel infirmier, a conjoncturellement compliqué l'organisation du travail dans les hôpitaux. Le retour à la normale devrait toutefois intervenir assez vite avec l'arrivée sur le marché du travail des promotions plus nombreuses d'infirmières formées depuis le début des années 2000.

DES INÉGALITÉS DEVANT L'ESPÉRANCE DE VIE

ESPÉRANCE DE VIE À 35 ANS

En années

Catégories socio professionnelles	Hommes	Femmes
Cadres, professions libérales	44,5	49,5
Agriculteurs exploitants	43	47,5
Professions intermédiaires	42	49
Artisans-commerçants	41,5	48,5
Employés	40	47,5
Ouvriers	38	46

PROBABILITÉ DE DÉCÉDER ENTRE 35 ET 65 ANS

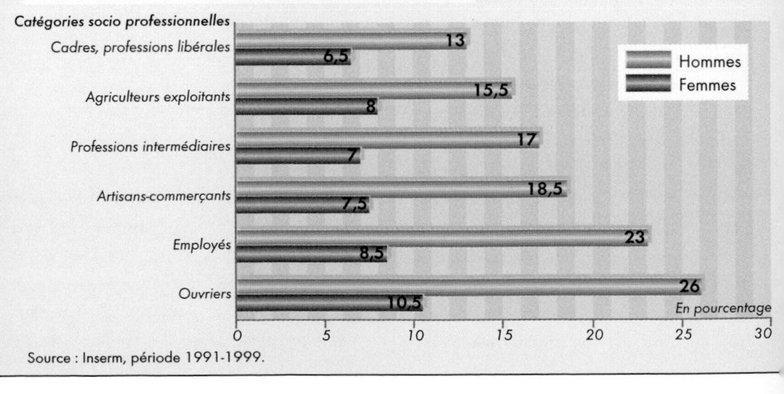

Source : Inserm, période 1991-1999.

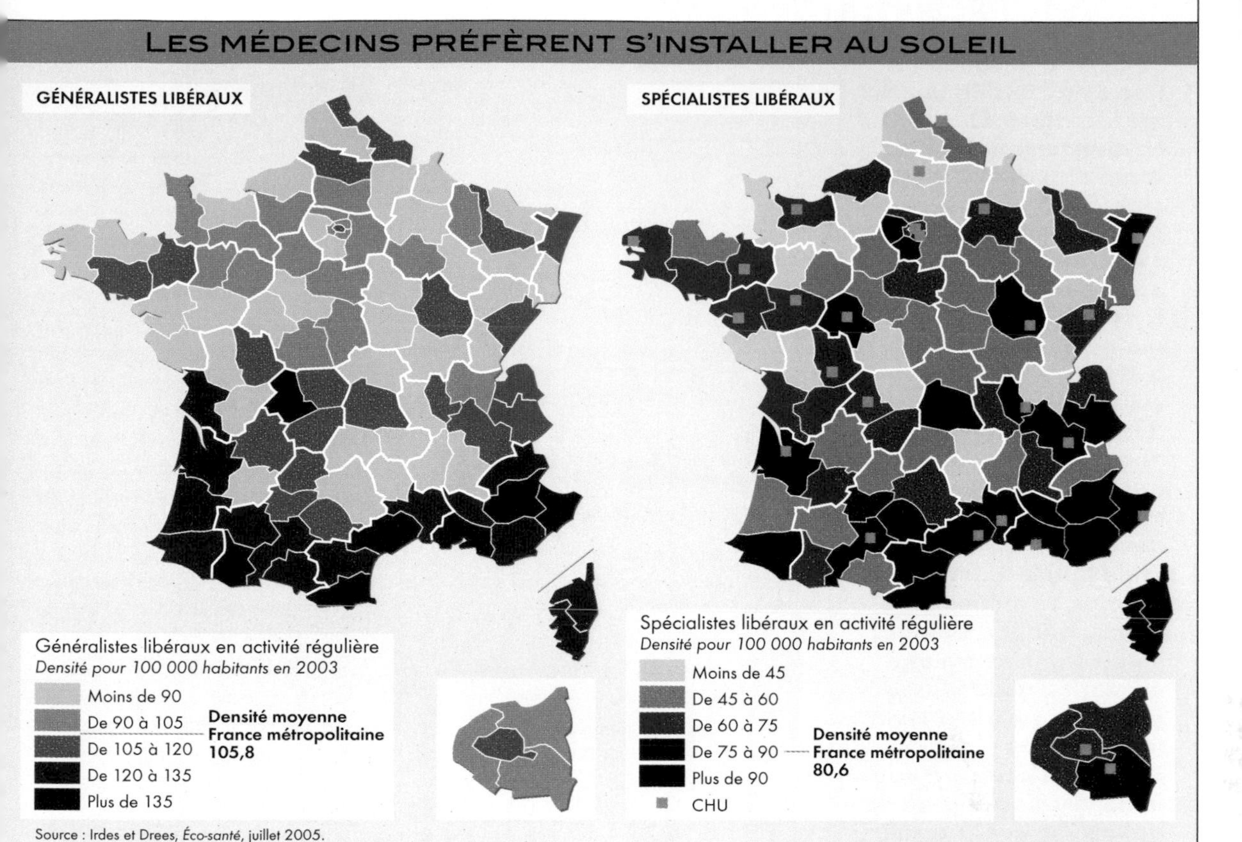

Source : Irdes et Drees, *Éco-santé*, juillet 2005.

Des disparités face à la santé

Accès différent à la médecine. Malgré une meilleure prise en charge des soins avec la couverture maladie universelle (CMU), mise en place en 2000, des disparités et des spécificités sociales persistent en matière d'accès aux soins. Ainsi, toutes les catégories sociales ont recours aux généralistes, mais les catégories sociales aisées, ayant une couverture complémentaire satisfaisante, consultent deux fois plus les spécialistes que les agriculteurs ou les ouvriers non qualifiés. De même, ce sont les ménages à revenus élevés qui consomment le plus de médicaments. Par contre, les catégories sociales moins favorisées pratiquent moins la prévention et recourent plus à l'hôpital. Le risque de décès entre 35 et 65 ans est chez les hommes de 13 % pour les cadres et professions libérales, contre 26 % pour les ouvriers ; chez les femmes, il est respectivement de 6,5 % et 10,5 %.

Disparités régionales. Au plan régional et local, les disparités sont très importantes. La France compte un peu moins de 100 médecins généralistes pour 100 000 habitants, mais leur répartition est très inégale : il y en a 67,5 en Seine-Saint-Denis et 136,8 dans les Hautes-Alpes. Le nombre de médecins par habitant devrait diminuer à l'avenir, du fait des départs à la retraite et des moindres effectifs des nouvelles promotions. Aujourd'hui bien dotées, certaines régions vont voir leur densité médicale reculer fortement (Languedoc-Roussillon, Île-de-France, Midi-Pyrénées, Paca), reculer modérément (Alsace, Bretagne, Poitou-Charentes, Dom) ou s'améliorer en raison de la faible augmentation de la population (Auvergne, Champagne-Ardennes, Limousin). Mais cette prévision ne tient pas compte de la volonté de mobilité des médecins qui préfèrent de loin l'Île-de-France et la région Paca. Elle dépend aussi beaucoup des décisions qui pourraient être prises en matière de *numerus clausus* (le nombre d'étudiants en médecine est limité et résulte d'une décision du gouvernement) et de liberté d'installation des médecins sur le territoire.

L'ÉCOLE DE MASSE

La démocratisation de l'accès à l'enseignement est incontestable. Le niveau scolaire n'a cessé d'augmenter et s'est stabilisé à un haut niveau depuis le milieu des années 1990. Malgré ce bilan positif, on assiste à une crise du système scolaire qui ne parvient pas à élever le niveau pour ceux qui étaient exclus d'une éducation poussée ni à donner une formation qualifiante adaptée aux besoins de la société devenue urbaine, tertiaire et de haute technologie. De plus, le métier d'enseignant a changé, il doit transmettre une éducation qui dépasse le simple savoir et lever les obstacles à l'égalité des chances. L'école est souvent le déversoir des problèmes qui traversent la société.

Ambitions éducatives

L'explosion scolaire s'est produite dans les années 1960 ; elle est liée au boom démographique et à l'exigence d'une hausse du niveau de qualification. Elle a conduit à la création du collègue unique par la réforme Haby de 1975, censé offrir le même enseignement à tous les enfants et éviter une sélection trop précoce vers l'enseignement professionnel. En 1989, une loi d'orientation pose le principe de la généralisation de l'enseignement secondaire et fixe l'objectif de 80 % de la classe d'âge au niveau du baccalauréat. Le nombre de bacheliers passe de 30 % d'une classe d'âge en 1985 à 62 % en 1995 et stagne autour de ce pourcentage depuis. Cette hausse touche surtout les bacs technologiques et professionnels (un bac sur six) ; elle conduit à une entrée en masse des étudiants à l'université, qui s'abstient de toute sélection et dont l'enseignement est quasi gratuit (financé par l'État).

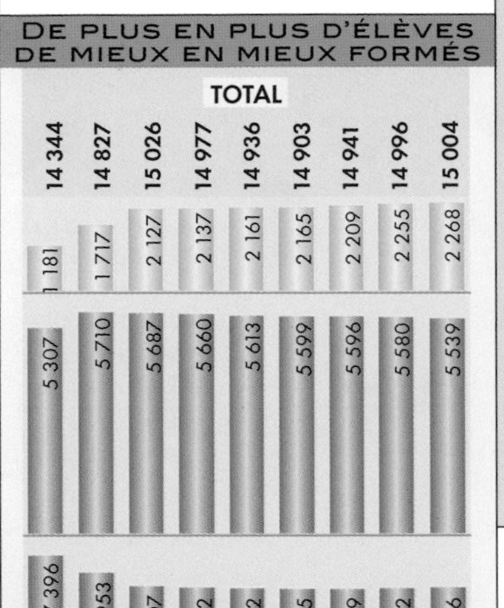

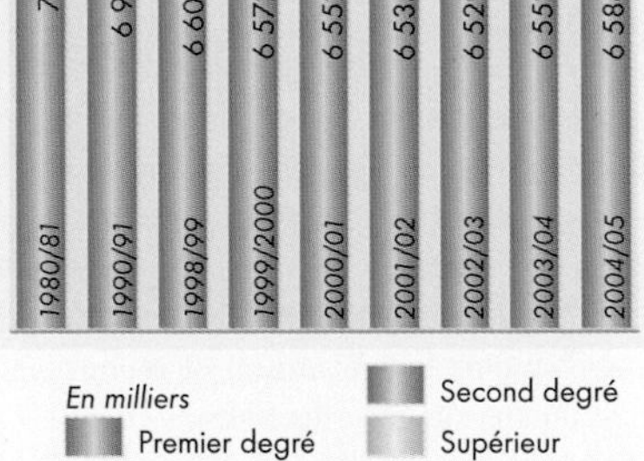

Source : DEP (direction de l'évaluation et de la prospective), *Repères et référence statistiques sur les enseignements, la formation et la recherche 2005*, ministère de l'Éducation nationale, 2005.

La maternelle : une réussite française

La scolarisation en maternelle n'est pas obligatoire mais tous les parents la désirent. Plus de 99 % des enfants de plus de 3 ans la fréquentent et on a pu observer un effet favorable sur la scolarité ultérieure des enfants. En revanche, nombreux sont les parents qui désirent y laisser leurs enfants dès leur deuxième année : les uns courent après la réussite scolaire dès cet âge, les autres veulent résoudre des problèmes de garde. Mais ce principe est controversé : les effets sur la réussite ultérieure sont en général faibles, sauf pour les familles de milieux défavorisés pour qui la maternelle précoce est un instrument efficace d'insertion. Peu de pays peuvent se vanter de cette institution qui permet à la fois à tous les enfants d'être socialisés tôt et aux femmes de limiter l'effet de la maternité sur leur carrière professionnelle.

Le primaire confronté au « noyau dur » des jeunes en difficulté

L'enseignement dans le primaire est de plus en plus conçu comme une préparation au secondaire. À tous les niveaux du primaire, entre 10 et 15 % des élèves sont en plus ou moins grande difficulté face à l'écrit, et la moitié d'entre eux sont en très grande difficulté. Celle-ci peut conduire à quitter la formation initiale sans qualification et aboutir à l'illettrisme. Malgré les réformes pédagogiques successives, la limitation du redoublement, la mise en place de dispositifs d'aide individuelle et l'instauration des zones d'éducation prioritaires (ZEP), cette proportion d'élèves n'a pas diminué.

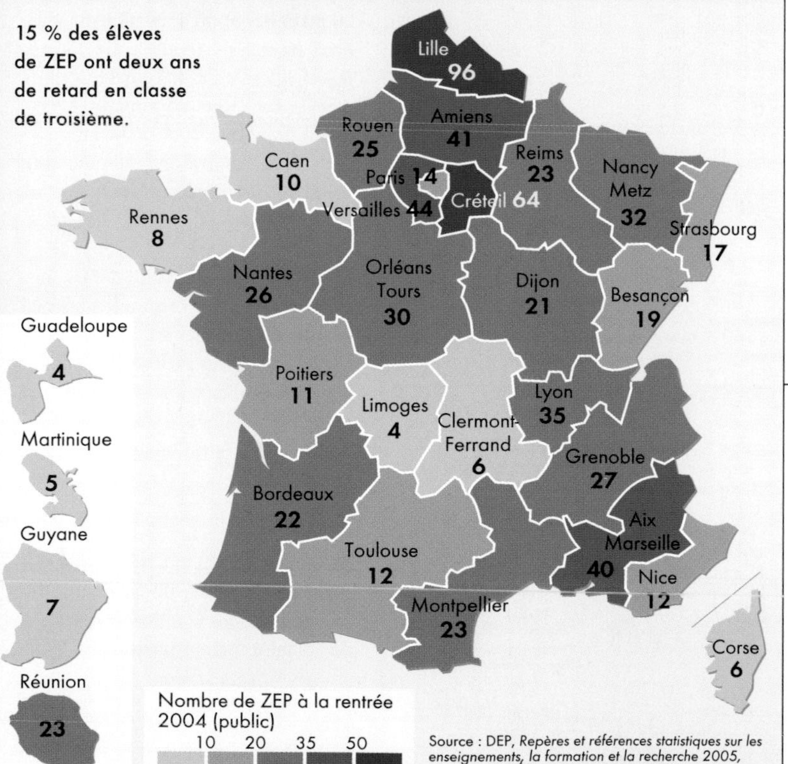

Un collège unique, mais avec des disparités

Le collège unique a été mis en place pour réduire les inégalités en donnant à tous un minimum de culture commune. Les filières ont été supprimées : la classe de sixième est une sorte de préparation à l'enseignement secondaire, la cinquième et la quatrième forment le cycle central et la troisième joue le rôle de cycle d'orientation. 97 % des élèves atteignent cette dernière classe, qu'elle soit générale (85 % des élèves), d'insertion, technologique ou relevant de l'enseignement adapté (SEGPA).

Le collège unique n'a pas supprimé les disparités entre établissements. Leur « qualité » dépend ainsi :

– du plus ou moins grand nombre d'options disponibles en troisième ;

– de la localisation en zone rurale, urbaine ou zone sensible, qui détermine leur composition sociale ;

– des stratégies des parents qui parviennent à contourner la carte scolaire, à commencer par les parents enseignants, dont la moitié des enfants ne fréquentent pas leur établissement de rattachement ;

– du recours plus ou moins important à l'enseignement privé qui sert de refuge aux enfants des cadres et des indépendants, qui pensent y trouver un meilleur encadrement.

La ségrégation sociale étant forte sur certains territoires, les établissements situés dans ces secteurs concentrent les élèves en difficulté ; ce qui enclenche un cercle vicieux dans lequel les parents des milieux favorisés choisissent leur lieu d'habitation en fonction de la notoriété des établissements.

L'ORIENTATION DES ÉLÈVES APRÈS LA TROISIÈME

Part des orientations vers un second cycle général ou technologique en fin de troisième (2001-2002), *en pourcentage*

- Moins de 54,9
- De 55 à 57,5
- De 57,6 à 60 — **Moyenne : 58,5**
- De 60,1 à 62,6
- 62,7 et plus

Les écarts entre régions s'expliquent à la fois par les différences de contexte socio-économique et une offre de formation inégale.

Source : MEN, DEP, *Note d'information 04-17*, juin 2004.

La moitié des lycéens choisissent déjà une orientation

La grande majorité des élèves issus du collège vont au lycée d'enseignement général et technologique. Les autres suivent un enseignement court dans un lycée professionnel préparant au CAP, au BEP ou à une formation d'apprentis. Ces filières sont souvent perçues comme des voies de relégation ou des signes d'échec scolaire. D'autres peuvent aussi préparer au bac professionnel, mis en place pour favoriser l'objectif des 80 % d'une classe d'âge au niveau bac. Les filières générales ont la meilleure cote, mais elles accueillent à peine plus de la moitié des élèves. L'autre moitié prépare des bacs techniques ou professionnels, qui assurent une meilleure intégration dans le monde du travail. L'origine sociale influence fortement le choix de l'orientation. En 1995, 94 % des parents cadres et seulement 56 % de parents ouvriers ont demandé à orienter leur enfant vers la seconde générale à la sortie de la troisième. Il faut ajouter à ce clivage la disparité d'orientation selon les académies : certaines font une large place aux lycées privés, à l'enseignement agricole et à l'apprentissage, tandis que d'autres privilégient les lycées professionnels. Enfin, les filles ne se pressent pas dans les filières scientifiques ; elles y sont deux fois moins nombreuses que les garçons.

ÉTUDIANTS INSCRITS DANS L'ENSEIGNEMENT SUPÉRIEUR

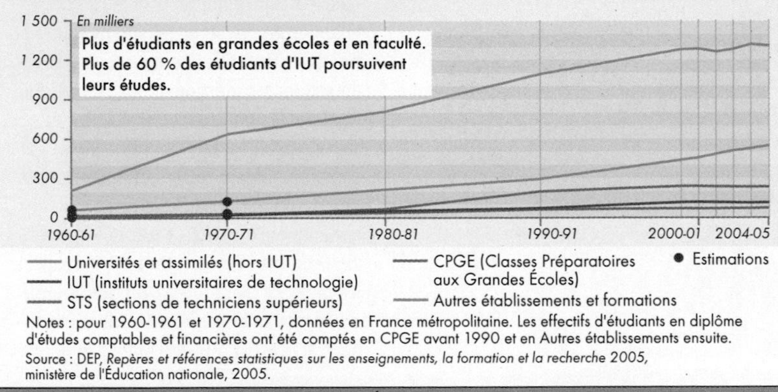

Notes : pour 1960-1961 et 1970-1971, données en France métropolitaine. Les effectifs d'étudiants en diplôme d'études comptables et financières ont été comptés en CPGE avant 1990 et en Autres établissements ensuite.

Source : DEP, *Repères et références statistiques sur les enseignements, la formation et la recherche 2005*, ministère de l'Éducation nationale, 2005.

PERSONNELS DE L'ÉDUCATION NATIONALE

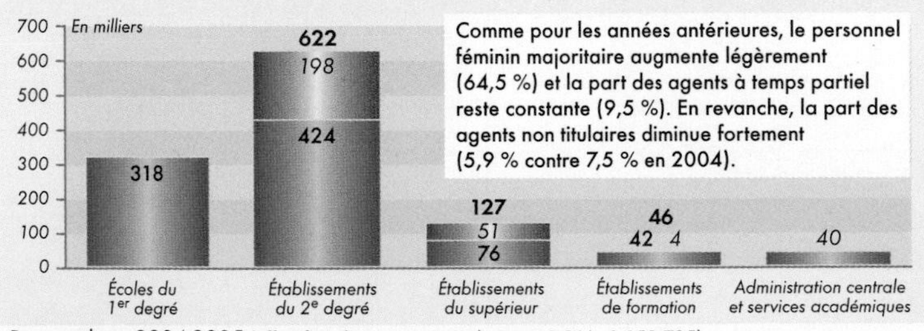

Personnels en 2004-2005 (effectif total France métropolitaine et DOM : 1 153 705)

- Enseignants (effectif total : 860 198)
- Personnel administratif, technique, d'éducation, d'encadrement et de surveillance (effectif total : 293 507)

Source : ministère de l'Éducation nationale, Enseignement supérieur et Recherche, direction de l'évaluation et de la prospective, *Repères et références statistiques sur les enseignements, la formation et la recherche*, édition 2005.

Des enseignants confrontés à l'émancipation des élèves

LES ÉLÈVES AUJOURD'HUI. La généralisation de la scolarisation dans le secondaire s'accompagne d'une baisse de l'autorité. Les élèves se plient moins facilement à une règle venue d'en haut. Leur connaissance du monde ne repose plus uniquement sur l'école mais résulte aussi d'une plus grande proximité avec les adultes et des images véhiculées par les médias. Le prestige qui honorait la profession de maître s'est évanoui. L'écart se réduit entre le professeur, le parent et l'élève. Comme dans la société environnante, l'autorité a fait place à la négociation et ceux qui voudraient revenir aux « bonnes vieilles méthodes » se feraient chahuter.

LES DIFFICULTÉS DES ENSEIGNANTS. Les enseignants, pour la grande majorité des femmes, ressentent des difficultés à assurer leur métier. En premier est citée l'adaptation nécessaire au niveau des élèves, leur hétérogénéité, leur niveau insuffisant (surtout en ZEP, où de plus le manque de respect est souvent cité) et leur nombre quand la classe dépasse 25 élèves. Au fil du temps naît un sentiment d'usure, dû au comportement des élèves et à la désespérance de les faire tous progresser.

Trois grandes catégories d'enseignement supérieur

Classes préparatoires. Une minorité d'élèves (environ 9 %) sont acceptés dans les classes de préparation aux grandes écoles, où la sélection est de plus en plus sévère, les grandes écoles réservant une place plus grande aux diplômés d'autres filières. Ce sont surtout les bacheliers scientifiques qui sont admis. 60 % des bachelières S, qui ont 18 ans ou moins, se dirigent vers la médecine ou les professions sociales et d'enseignement, soit deux fois plus que les garçons de même profil, qui préfèrent les métiers d'ingénieur. Si garçons et filles placent en tête de leur motivation le contenu des études, les garçons placent les débouchés en deuxième position, tandis que les filles mettent en avant le projet professionnel.

IUT et STS. Les IUT ou les sections de techniciens supérieurs (STS) conduisent directement, après deux ans d'études, au marché du travail. Environ 9 % des bacheliers s'inscrivent en IUT et les bacheliers généraux sont plus nombreux que les bacheliers technologiques ; ce sont en majorité des garçons. Entre les IUT, les STS et autres formations professionnelles, les bacheliers vont plus s'orienter vers des filières sélectives que vers l'université. Plus de 60 % des étudiants d'IUT poursuivent leurs études après avoir obtenu le diplôme.

Université. L'inscription en université, seule filière non sélective, a chuté ces dernières années. La diminution des inscriptions touche toutes les spécialités, en particulier les sciences, tandis que les filières sport et santé sont en croissance. Le choix de l'université dépend de la série du baccalauréat. Les élèves de série littéraire la privilégient, en particulier les filles. Paradoxalement, beaucoup de bacheliers technologiques s'inscrivent en université, faute d'avoir trouvé une place dans les formations de leur choix. Récemment, le cursus universitaire a été modifié pour adopter le modèle licence-master-doctorat commun à toute l'Europe pour favoriser les échanges.

DISPARITÉ DE L'ORIENTATION SUIVANT LE MILIEU SOCIAL

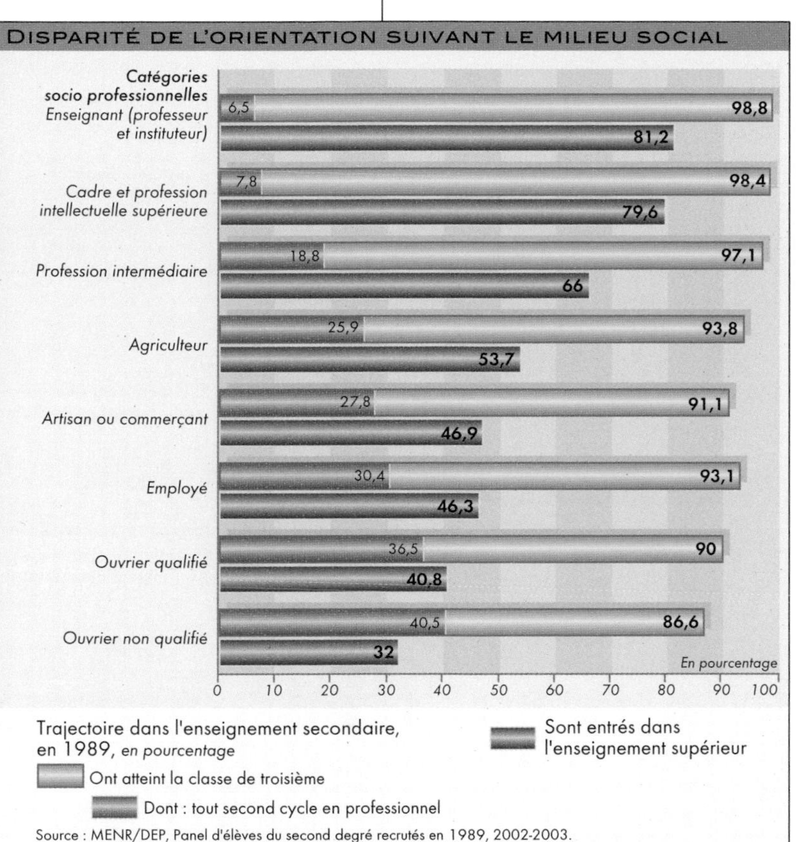

Source : MENR/DEP, Panel d'élèves du second degré recrutés en 1989, 2002-2003.

Un débat ininterrompu sur l'école

Pour corriger les dysfonctionnements, des débats passionnels suivis de réformes envoient périodiquement élèves et enseignants dans la rue. Les questions de fond se résument à trouver les moyens de lutter contre l'échec scolaire (10 % d'une classe d'âge sortant du système sans formation) ; lutter contre les inégalités devant la réussite dont la première, l'apprentissage de la logique verbale, est déjà visible en maternelle ; les écarts séparant les enfants des ouvriers de ceux des cadres se maintenant tout au long de la formation avec une orientation en fin de troisième qui les renforce ; enfin, à travers le choix des établissements, dont certains attirent les bons élèves et où enseignent des professeurs expérimentés, tandis que d'autres agrègent les élèves en difficulté et les jeunes enseignants.

Par ailleurs, nombre de filières ne correspondent plus aux besoins de la société, tandis que d'autres sont en sous-effectifs. La réforme Fillon prévoyait une aide spécialisée pour le primaire et proposait, pour le secondaire, une offre supplémentaire de filières professionnelles dès la troisième, ce qui est contesté par les adeptes du socle commun qui voient dans la sélection précoce une forme d'inégalité.

Le succès des IUT et des STS montre pourtant que la multiplication des filières à visée professionnelle et le souci de formation débouchant sur des emplois peuvent constituer une évolution positive.

Parallèlement à la désaffection des églises et à la montée des « sans-religion », un agnosticisme politique s'est développé en France depuis les années 1980. Cette évolution s'est traduite par la baisse drastique des adhérents aux centrales syndicales et la montée de l'abstention aux consultations électorales. Le militantisme s'est diversifié et reconverti dans les associations. Ce nouveau militantisme n'a pas la prétention de substituer un pouvoir central à un autre. Il entend plutôt défendre ou soutenir un groupe minoritaire, revendiquer des droits ou promouvoir un objet précis.

Le syndicat en chute continue

Les indicateurs qui traduisent la crise syndicale ne manquent pas : 1 salarié sur 4 était adhérent d'un syndicat en 1970, contre à peine 1 sur 12 aujourd'hui. La participation lors des élections professionnelles décline, la confiance dans le syndicalisme recule, les jours de grève diminuent très fortement, etc. La France est aujourd'hui le pays qui compte le plus faible taux de syndiqués en Europe, et au-delà, puisque le taux de syndicalisation des États-Unis est supérieur au taux français. Cette évolution résulte des transformations de la société, mais le syndicalisme paye aussi le prix d'une stratégie fondée sur la reconnaissance institutionnelle plutôt que sur l'adhésion de masse. Le syndicalisme traditionnel, celui des groupes militants qui obtenaient des « avantages » pour tous en négociant directement avec le chef du personnel, a disparu. Il laisse place à un syndicat gestionnaire, composé de « cadres syndicaux » qui comptent sur leur audience dans les institutions paritaires pour remplir le rôle d'interlocuteurs sociaux que leur accorde l'État. La désindustrialisation et la montée du tertiaire ne sont pas les seules causes de la désyndicalisation. Les jeunes se montrent plus méfiants et sont en minorité parmi les adhérents. Les femmes sont sous-représentées. Le militantisme syndical est faible dans le secteur privé (60 % des syndiqués appartiennent à la fonction publique) et les chômeurs n'ont pas leur place dans les fédérations. La disparition des syndicats de métier a conduit à l'explosion d'actions catégorielles et à l'émergence des « coordinations ».

LES CAUSES DE LA MÉFIANCE. La concurrence syndicale pour l'obtention des places dans les différentes institutions paritaires a contribué à augmenter la méfiance des salariés. Enfin, la « balkanisation » du paysage syndical français contribue énormément à cette défiance : autour des deux confédérations historiques constitutives du mouvement ouvrier (CGT et FO) et celles qui représentent la tradition du catholicisme social (CFTC et CFDT), gravitent une constellation d'organisations issues de ruptures des grandes tendances historiques ou représentatives de catégories particulières (CGC, UNSA, Groupe des dix-solidaires et les syndicats Sud, et la FSU). Malgré l'étendue des problèmes sociaux, dont les plus récents ne sont pas les moindres (problème des retraites, de l'assurance maladie, de la décentralisation), on ne voit poindre aucune reprise de la syndicalisation. De même, la construction de l'Europe, qui change les données économiques et sociales, ne s'accompagne pas encore d'une action syndicale européenne significative.

LES TAUX DE SYNDICALISATION DEPUIS CINQUANTE ANS

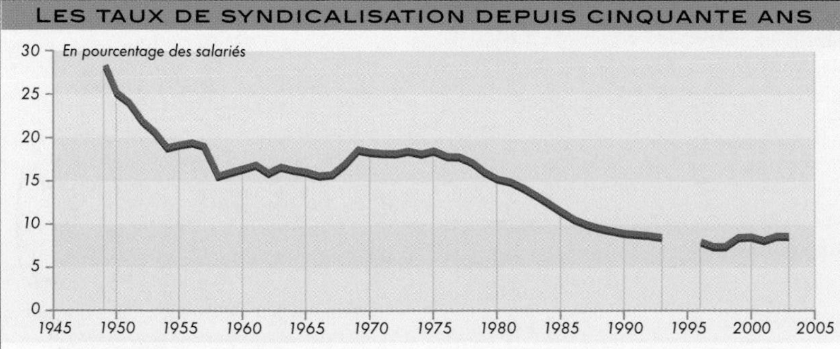

De 1949 à 1993 inclus, estimation à partir du nombre de cotisations syndicales (en déduisant les 20 % de cotisations correspondant aux salariés en retraite) ; de 1996 à 2003 inclus, estimation à partir des enquêtes permanentes sur les conditions de vie des ménages de l'Insee.
Source : Dares, *Premières Synthèses*, n° 44.2, octobre 2004.

TAUX EN BAISSE

Il y a deux fois moins de syndiqués qu'il y a vingt ans, malgré la hausse de la population salariée. Les emplois précaires, plus fréquents pour les employés et les ouvriers, sont un obstacle à l'adhésion syndicale.
Les cadres sont souvent plus syndiqués que les ouvriers. Ce sont les cadres de la fonction publique (enseignement, santé) qui expliquent la différence.

PANNE

Audience électorale des confédérations syndicales

Jusqu'en 1983, les élections nationales désignant les administrateurs des caisses de sécurité sociale donnaient une image fiable de la représentativité de chaque confédération. Désormais, seules les élections prud'homales peuvent jouer ce rôle, mais les fonctionnaires en sont exclus. Ces élections sont caractérisées d'abord par la montée de l'abstention. Cette abstention varie en fonction des secteurs (le tertiaire est très touché) et des régions. Les anciennes régions industrielles (Nord, Picardie) sont celles qui perdent le plus d'électeurs. Les jeunes, les étrangers et les employés sous contrat précaire ont tendance à s'abstenir. Toutes les confédérations perdent des voix. Malgré son déclin, la CGT reste en tête.

Les résultats des autres élections montrent que dans les comités d'entreprise, la CFDT et la CGT restent dominants. Les non-syndiqués sont présents dans les entreprises de petite taille où les confédérations ne sont pas représentées. Aux élections dans la fonction publique (commissions administratives paritaires), on observe que si les fonctionnaires d'État se mobilisent davantage que les autres salariés, une partie de ses cadres (catégorie A) tend à devenir plus abstentionniste. Plus globalement, ce sont les syndicats dits catégoriels (FEN, FSU, UNSA), où les enseignants représentant 39 % des inscrits, qui dominent cette consultation.

NIVEAU ET CONTENU DE LA NÉGOCIATION COLLECTIVE EN FRANCE

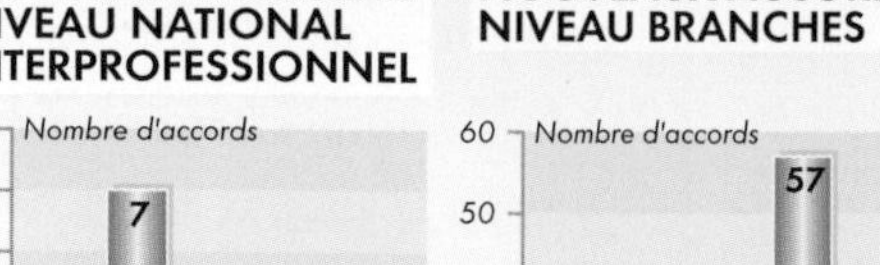

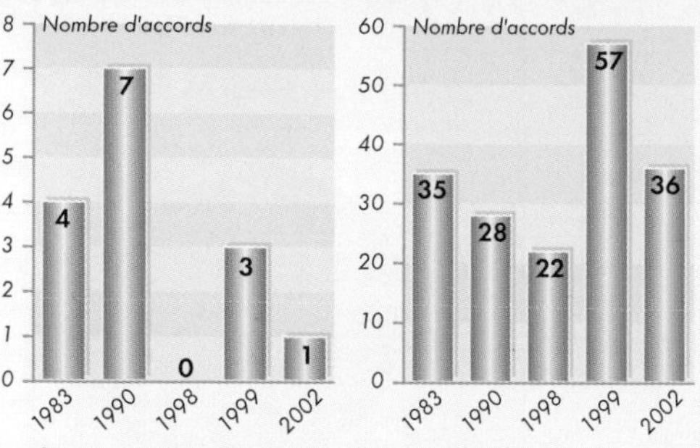

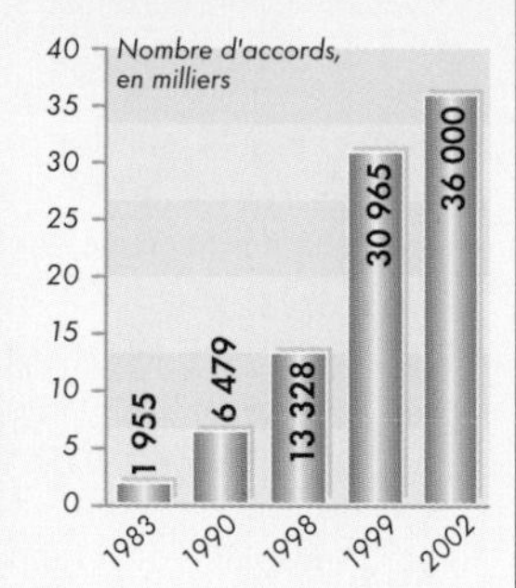

THÈMES DES ACCORDS D'ENTREPRISE

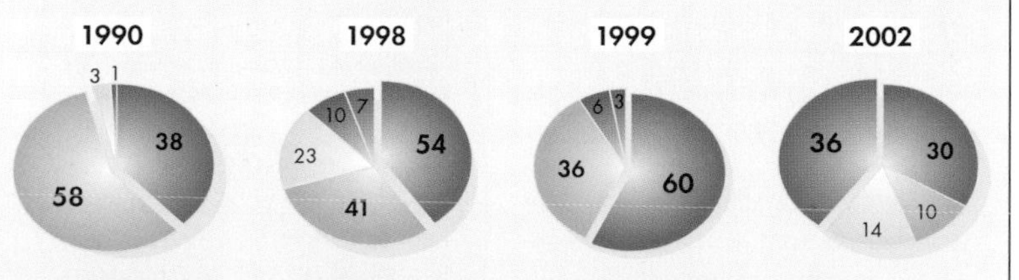

En pourcentage

Temps de travail — Salaires — Emploi* — Droit syndical — Investissement et épargne-prévoyance

* En 2002 : emploi, classification, droit syndical, conditions de travail, droit d'expression et formation professionnelle.

Note : pour l'année 2002, la Dares souligne que, sur les 36 000 accords d'entreprise déposés auprès de l'administration du travail, seuls 28 058 étaient « analysables » et que, « en raison d'une rupture dans les données statistiques, la comparaison avec les années précédentes est impossible ». Elle indique également que la proportion des accords sur les salaires, l'intéressement et la participation est sous-estimée.

Source : D. Andolfatto (dir.), *Les Syndicats en France*, Paris, La Documentation française, 2004.

L'ABSTENTION AUX ÉLECTIONS PRUD'HOMALES

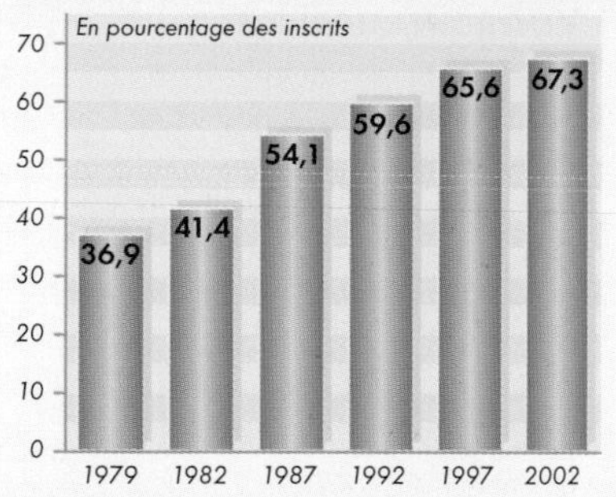

Source : Banque de données socio politiques (BDSP-IEP de Grenoble) et ministère du Travail.

LES NÉGOCIATIONS

En France, les partenaires sociaux ont peine à organiser la négociation collective. C'est l'administration qui indique les règles, d'où l'importance du droit du travail et des grèves spontanées. Seuls les accords d'entreprises ont augmenté (loi relative aux libertés des travailleurs dans l'entreprise de 1982, dite loi Auroux ; loi des 35 heures en 2000). Ils peuvent être négociés avec les élus du personnel en l'absence de représentant syndical.

L'ABSTENTION AUX ÉLECTIONS DES COMMISSIONS ADMINISTRATIVES PARITAIRES DE LA FONCTION PUBLIQUE

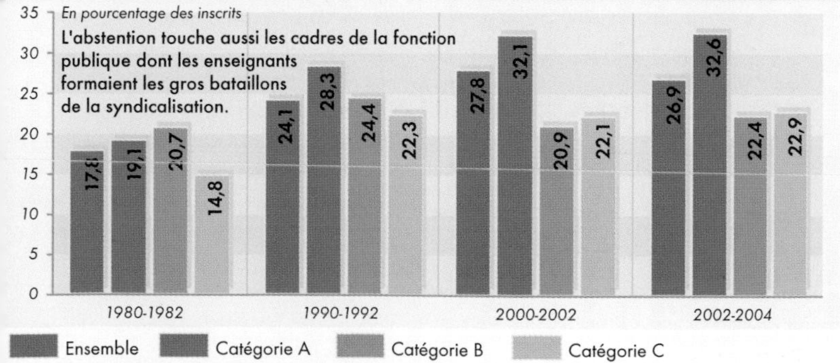

Source : Direction générale de l'administration et de la fonction publique.

« *Plongeant ses racines dans le mouvement ouvrier du XIXe siècle, le modèle social français repose sur une culture d'affrontement, au détriment d'une cogestion à l'allemande ou du règlement des difficultés en amont à la mode scandinave.* »

Un nouveau militantisme

Parallèlement à la désyndicalisation amorcée dès les années 1970, sont apparus les « nouveaux mouvements sociaux » centrés sur l'amélioration du cadre de vie et l'affirmation de soi : lutte contre le racisme, pour la libération de la femme, refus du nucléaire, développement alternatif, etc. Les nouveaux militants n'appartiennent pas à une structure pyramidale. Les structures locales sont autonomes, la coordination se développe de façon horizontale, en réseaux, et depuis peu grâce à Internet. Ils appliquent la démocratie directe : ils n'ont pas de véritables représentants et l'instance de contestation est principalement la rue.

Domaines d'intervention. Les premiers mouvements sont nés de la décomposition des syndicats, telles les coordinations d'infirmières et de cheminots. Ils interviennent au niveau national mais aussi international, comme Attac, Greenpeace et différentes ONG. Ils défendent les « sans-travail », les « sans-logis », les « sans-papiers », mais militent aussi pour la protection de la planète. Ils essayent de livrer une vision « altermondialiste », opposée à celle discutée dans les sommets ou forum mondiaux, tel Davos en 2000 ou le G8 en 2003. Anticapitalistes, tiers-mondistes, antiproductivistes, ils forment un monde bariolé, en quête d'une utopie, auxquels les syndicats traditionnels sont sensibles, comme Sud pour l'altermondialisme, ou la Confédération paysanne pour une alternative au productivisme agricole, mais sans réussir à les contrôler.

LES ACTIONS MENÉES PAR LES MILITANTS

DIRIEZ-VOUS DES ACTIONS MENÉES PAR LES MILITANTS (COMME JOSÉ BOVÉ) OU DES ORGANISATIONS (COMME LE MOUVEMENT SYNDICAL ATTAC) CONTRE LA FORME ACTUELLE DE LA MONDIALISATION... ?

... qu'elles permettent de créer du débat

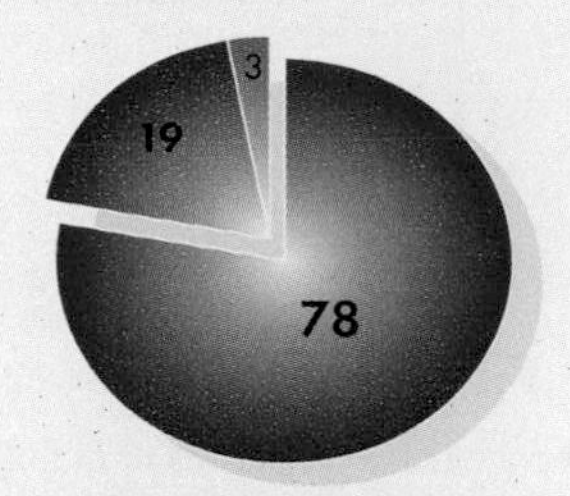

... qu'elles arrivent à influencer les positions des pouvoirs publics en France

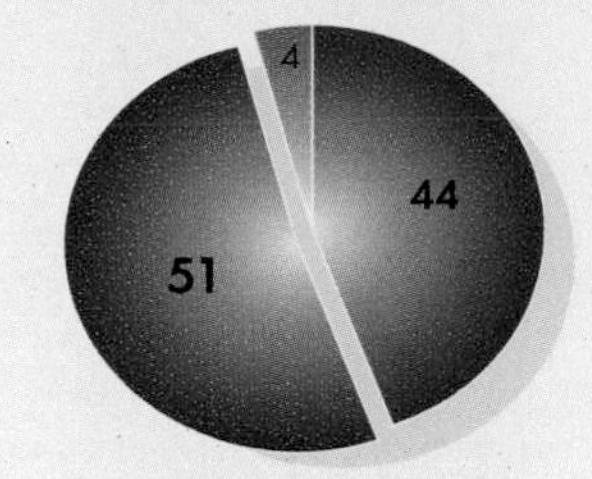

... qu'elles vous ont fait personnellement évoluer dans vos perceptions des conséquences de la mondialisation

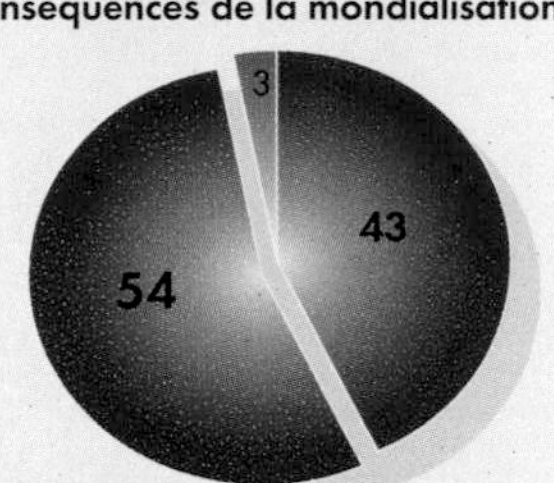

... qu'elles arrivent à influencer les positions des instances internationales

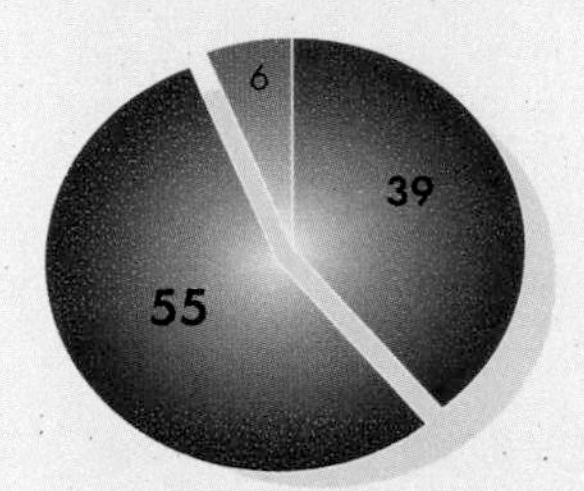

Ensemble des Français, *en pourcentage*
Oui / Non / Ne se prononcent pas

Source : sondage CSA/Politis, 24-25 septembre 2002.

LES NOUVEAUX SYNDICATS, COORDINATIONS, ETC.
Face à l'inquiétude qu'inspire la mondialisation, les Français sont mitigés sur le pouvoir réel des nouveaux mouvements sociaux.

La gouvernance d'entreprise en Europe

Le comité d'entreprise. La participation des salariés à la gestion des entreprises, qui s'exprime par la consultation des délégués syndicaux ou du comité d'entreprise (CE), porte sur deux domaines : les affaires sociales (rémunérations, conditions de travail) et les décisions économiques et financières. En matière d'horaires, les CE français, espagnol et belge sont tout au plus consultés, tandis que les CE néerlandais et allemand ont un véritable pouvoir de codécision. De même, en matière de licenciements, les CE allemand et néerlandais sont consultés et peuvent s'y opposer – tout entrepreneur qui omettrait ce passage par le CE verrait sa décision annulée –, tandis que les CE français, belge ou espagnol sont seulement informés, sauf pour les licenciements économiques.

Le conseil d'administration. Mais les grandes différences entre pays européens résident dans la participation ou non des salariés aux conseils d'administration (CA) ou de surveillance des entreprises. Allemagne, Suède et Pays Bas se détachent. Le CE néerlandais peut contester une nomination d'administrateur dans les entreprises de plus de 100 salariés. Selon la taille de l'entreprise, les syndicats suédois et allemands désignent des représentants dans les organes de décision (pouvant former la moitié du CA dans les entreprises de plus de 2 000 salariés en Allemagne). La loi française prévoit deux représentants du CE (pour les entreprises qui ont au moins 50 salariés), dont les voix sont uniquement consultatives.

> « *Avec la hausse du chômage, le nombre de conflits localisés est en baisse dans les entreprises privées. L'augmentation des plans sociaux font de la «défense de l'emploi», le thème majeur des conflits.* »

DÉSENCHANTEMENT DE LA POLITIQUE

Les Français ne remettent pas en cause les fonctions majeures de la politique. Ils reconnaissent qu'elle est indispensable pour maintenir la cohésion sociale, pour initier les courants d'idées, pour donner une orientation au pays, pour répartir les richesses. Ils aspirent fortement à ce que ce soit les politiques qui élaborent les règles de l'économie et non l'inverse. Ils réclament le primat du politique sur l'économique. Mais, depuis 1995, l'intérêt des Français pour la politique s'érode. Ce désintérêt se traduit par une abstention importante lors des consultations électorales, par l'incapacité des électeurs à se repérer parmi des partis politiques dont les idéologies tendent à s'effacer devant la contrainte d'une économie mondialisée.

Une mise à distance du politique...

Sur le fond, la politique comme d'autres institutions, n'a pas su accompagner la mutation des valeurs qui traversent la société, valeurs non plus centrées sur la norme sociale, mais sur le bénéfice individuel, avec en parallèle un accroissement de la demande de régulation, d'autorité et d'équité. Les Français sont désormais quasiment tous favorables à l'économie de marché, au libre-échange et à la concurrence, mais ils pensent que le devoir du politique est de réguler l'économie en général, les pratiques des entreprises ou le progrès scientifique. Or ils remarquent que, si le pouvoir répond à ses demandes en matière de sécurité et de justice, il est impuissant en matière d'économie.

DISTINCTION FLOUE ENTRE LA DROITE ET LA GAUCHE. Depuis l'alternance de 1981, les notions de droite et de gauche se sont brouillées face à l'incapacité des acteurs politiques de l'un et l'autre camp à résoudre les problèmes du chômage, des inégalités ou de la précarité. Ce sentiment favorise l'indécision, la montée des votes blancs ou nuls, l'abstention ou la percée des extrêmes qui construisent leur popularité sur l'impuissance des partis de gouvernement.

LA CONFIANCE DES FRANÇAIS ENVERS LES ÉLUS. L'impuissance politique, ajoutée aux « affaires », en particulier celles liées au financement des partis, a tué la confiance des Français envers les fonctions électives. Mais, paradoxalement, si les Français pensent que beaucoup d'élus sont corrompus, ils sont en revanche très tolérants à l'égard de leur maire ou de leur député, surtout si celui-ci fait évoluer leur localité dans le bon sens.

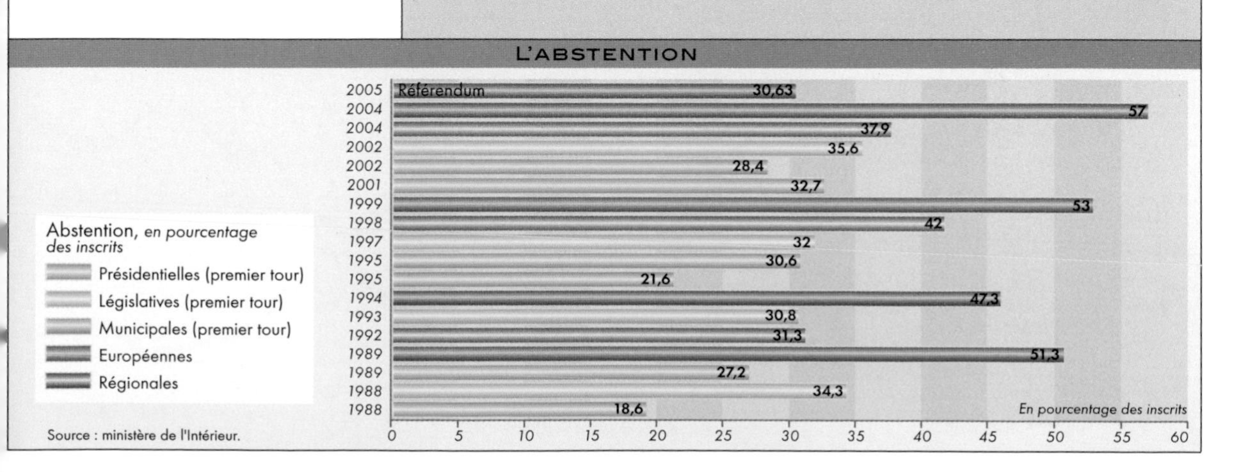

Désenchantement de la politique

Le rapport gauche/droite

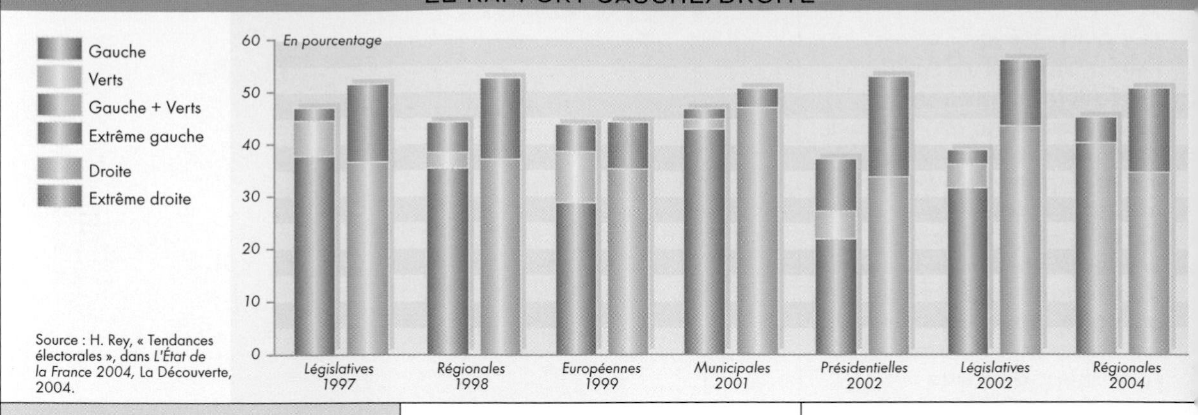

Source : H. Rey, « Tendances électorales », dans *L'État de la France 2004*, La Découverte, 2004.

... qui débouche sur la mise en cause de la démocratie représentative...

En France plus qu'ailleurs en Europe, la tendance à l'abstention touche tous les scrutins. Depuis une quinzaine d'années, la légitimité des élections dans les pays démocratiques est confrontée à la montée de l'abstentionnisme (57 % aux européennes de 2004). Nombre d'individus, bien qu'ils soient encore très politisés, préfèrent faire la grève des urnes quand ils ne recourent pas au vote protestataire. L'abstention diffère selon la nature de l'élection, les présidentielles remportant la palme de la participation.

Le profil des abstentionnistes. Parmi les abstentionnistes, on peut distinguer deux catégories : d'un côté, les « hors jeu politique », caractérisés par un comportement de protestation passif, un rejet de l'évolution de la société, une filiation apolitique. Ils se recrutent plus souvent parmi les ouvriers, les employés ou les faiblement diplômés. De l'autre côté, les « dans le jeu politique » pour qui l'abstention est une sanction de la classe politique. Ils refusent de voter, car rien ne les séduit dans l'offre politique. Ils sont des « intermittents » du vote qui se déplacent lorsque le jeu en vaut la chandelle. Ils se recrutent parmi les jeunes, les cadres et les diplômés du supérieur, et leur nombre est en progression ces dernières années. Leur participation politique peut prendre une forme plus directe comme les mobilisations de rue.

UN CLIVAGE QUI DISPARAÎT

L'importance des extrêmes et de l'abstention met en péril le clivage droite/gauche, qui assurait jusque-là, la cohésion de la vie politique française.

OÙ EST LE CENTRE ?

Les électeurs ne reconnaissent plus les positions idéologiques des partis centraux.

... ou le vote en faveur d'un parti extrême

L'autre manière de contester l'action politique est de voter pour les extrêmes. Les scores des partis extrémistes, de droite comme de gauche, depuis 2002 ont confirmé cette tendance. Selon les politologues, le succès du FN ne vient pas de ce que les Français sont devenus plus racistes ou plus simplistes, il résulte du fait que c'est le seul parti dont le discours permet de rêver à une action politique différente, à un moment où le pays fait l'expérience douloureuse de la mondialisation. Cette promesse de réelle intervention du politique est exprimée dans un langage clair et compréhensible par ceux qui ne se repèrent plus dans le langage de la gauche, de plus en plus orienté vers les diplômés du supérieur. Les partisans du FN sont pour un tiers des ouvriers ; les deux tiers ont un niveau d'instruction inférieur au bac.

L'évolution des notions de droite et de gauche

Avec laquelle de ces opinions êtes-vous le plus d'accord ?

- Les notions de droite et de gauche sont dépassées : ce n'est plus comme cela qu'on peut juger les prises de position des partis et des hommes politiques
- Les notions de droite et de gauche sont toujours valables pour comprendre les prises de position des partis et des hommes politiques

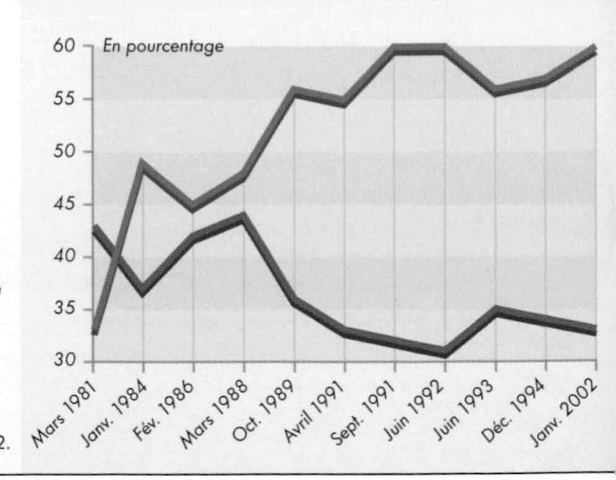

Source : enquête TNS Sofres, « L'évolution du clivage gauche-droite en France depuis dix ans », Fondation Jean Jaurès et *Le Nouvel Observateur*, 23-24 janvier 2002.

Le positionnement des électeurs face à l'offre politique

Les électeurs ont de plus en plus de difficulté à se positionner face à l'offre politique. Ils ont du mal à repérer les différences entre les deux grands partis de gouvernement, tant leurs programmes se sont recentrés et ont perdu la dimension idéologique qui les différenciait. Paradoxalement, certaines attitudes idéologiques propres à la droite ont progressé, tandis que le positionnement des individus sur l'axe droite-gauche est favorable à la gauche. Depuis le milieu des années 1990, les clivages sociaux entre vote à droite et vote à gauche sont brouillés.

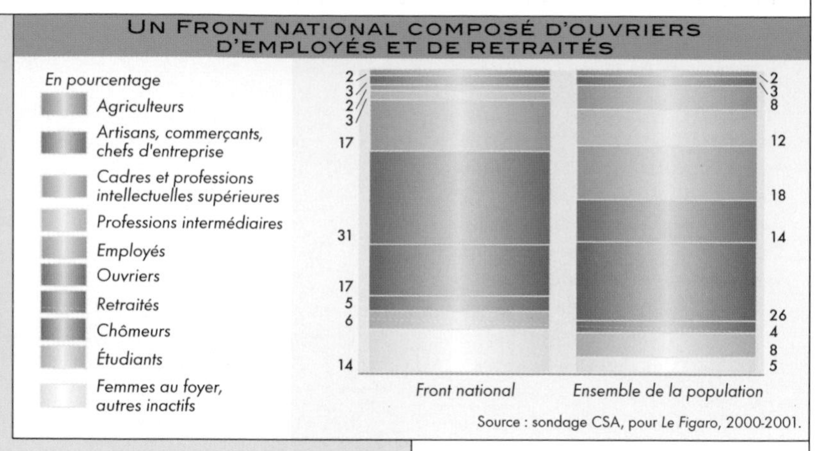

Source : sondage CSA, pour *Le Figaro*, 2000-2001.

LES RÉALIGNEMENTS DE CHACUNE DES CATÉGORIES SOCIALES peut se mesurer sur les vingt dernières années. On observe le basculement à droite et à l'extrême droite des milieux ouvriers et des employés, comme celui des artisans et commerçants qui ne voient plus dans la gauche la défense de leurs intérêts. Dans le même temps, les cadres et les professions intermédiaires sont plus nombreux à se positionner à gauche. Cette évolution recouvre en partie le clivage public-privé : ce sont principalement les cadres du public et les enseignants qui se positionnent à gauche, tandis que les ouvriers et employés du public ne sont pas beaucoup plus partisans de la gauche que ceux du privé.

UN VOTE CONTRASTÉ

Les résultats précis du référendum montrent que le oui à la Constitution européenne est majoritaire dans les grandes villes, où résident les catégories sociales les plus favorisées. Plus on s'écarte du centre-ville pour atteindre les zones rurales, plus le non est majoritaire. Comme pour le traité de Maastricht, la variable religieuse garde son importance en Alsace et en Bretagne.

Source : ministère de l'Intérieur.

Consensus et sujets qui divisent

LA SPHÈRE ÉCONOMIQUE est le premier domaine où gauche et droite se différencient. Les gens de gauche sont favorables à une intervention et à un contrôle de l'État dans les activités des entreprises pour faire face aux difficultés économiques, tandis que les gens de droite réclament plus de liberté pour les chefs d'entreprise.

EN MATIÈRE DE MODES DE VIE, de tolérance vis-à-vis des mœurs, d'autorité à l'école ou dans les espaces publics, les sympathisants de droite comme de gauche se rejoignent ; ils sont devenus à la fois plus tolérants et moins laxistes sur des sujets qui autrefois divisaient profondément la droite et la gauche.

LA QUESTION DE L'EUROPE n'a pas de corrélation avec la position à droite ou à gauche, chaque parti ayant son lot de pro-européens et d'anti-européens.

SUR LES SUJETS DE L'IMMIGRATION ET DE LA PEINE DE MORT, le clivage reste fort entre la gauche et la droite, les partisans de la gauche sont plus en faveur de l'intégration et contre la peine de mort, tandis que ceux de droite se rapprochent mais hésitent encore fortement entre intégration et départ pour les immigrés ou sur le rétablissement de la peine de mort.

À PROPOS DE LA POLITIQUE, le consensus des partisans de droite et de gauche est paradoxal : ils reprochent aux hommes politiques de ne pas suffisamment se différencier, de ne pas leur fournir des repères, de ne pas conduire un vrai débat de société avec des propositions d'actions et des priorités auxquelles ils pourraient adhérer. C'est bien le clivage droite-gauche, la polarisation autour de deux partis de gouvernement opposés qui a assuré jusque-là la cohésion de la vie politique française.

L'ACTION DIRECTE AVANT L'ADHÉSION AU SYNDICAT (2003)

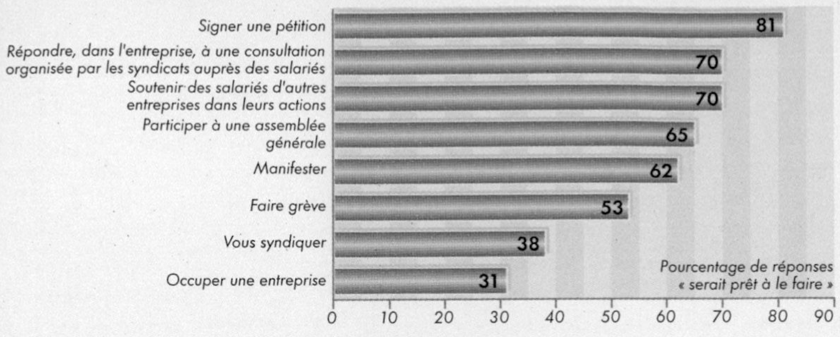

Source : sondage CSA pour la CGT, « Le baromètre d'image des syndicats et de la CGT auprès des Français », 2003.

Le succès de la démocratie directe

Comme on leur a appris à l'école, grâce aux méthodes pédagogiques non directives, les Français n'hésitent pas à exprimer leurs désapprobations concernant la chose publique à travers des pétitions, qui ont pris de l'ampleur grâce à Internet (68 % des Français ont signé une pétition en 2000 contre 53 % en 1990), ou des manifestations (40 % des Français ont participé à une manifestation en 2000 contre 33 % en 1990), relayées quotidiennement par les médias. Autre moyen d'expression : l'action collective en justice pour régler un conflit qui relevait auparavant du politique.

LA VIE ASSOCIATIVE. Le fait le plus marquant de la participation des Français à la vie civique est leur engagement bénévole dans les associations – associations humanitaires, ONG, associations de défense de l'environnement ou contre le racisme, etc. Presque un Français sur deux déclare adhérer à une association et 36 % appartiennent à une association de défense ayant un objet précis. La défense de l'environnement emporte un vif succès à la suite des sommets mondiaux sur le développement durable. Depuis les années 1990, les femmes se sont investies dans les associations, puis les seniors. Les adhérents se sentent utiles à la société, ils veulent prendre les choses en main et n'attendent plus tout de l'État, comme le montrent les dons financiers privés orientés en premier vers les personnes en difficulté. Le Français n'adhère plus à une association pour militer en faveur d'idées générales. Il est devenu pragmatique et s'engage autour d'un projet précis, plus « social ». Mais il a aussi tendance à « zapper » entre divers projets humanitaires. Effet d'âge, le bénévole « zappeur » est jeune (18-25 ans), tandis que le senior est plus fidèle à son association.

LA DÉMOCRATIE DIRECTE LOCALE. En matière de gestion locale, les Français donnent leur avis à travers les comités de quartier ou les conseils locaux de développement. Le rapport est direct entre les administrés et les élus locaux. Le comité de quartier sert bien souvent à traiter des problèmes d'intérêt général de la localité, le dialogue est direct et permet de prévenir ou dénoncer des dysfonctionnements. De même les conseils locaux de développement sont des organismes intercommunaux, dont la vocation est de rassembler les habitants afin de les sensibiliser et les faire participer à la protection de leur territoire. Nombreuses sont les communes qui ont instauré un dialogue sur Internet entre les habitants et le conseil municipal.

POUR UNE DÉMOCRATIE LOCALE PARTICIPATIVE

Êtes-vous favorable au budget participatif, c'est-à-dire à la possibilité pour les conseils de quartier de proposer au conseil municipal la répartition d'une partie des dépenses d'investissement de leurs communes au niveau de leur quartier ?

	% des internautes français
Très favorable	23
Plutôt favorable	60
(Total favorable)	83
Plutôt pas favorable	13
Pas du tout favorable	4

Source : sondage Opinionway pour le Forum mondial de la démocratie électronique, 2-9 septembre 2004.

CONTRASTE NORD-SUD
Les créateurs d'associations sont dans le Sud, où réside une part plus importante des plus de 55 ans, âge plus propice à l'action associative.

LA CRÉATION D'ASSOCIATIONS PAR DÉPARTEMENT

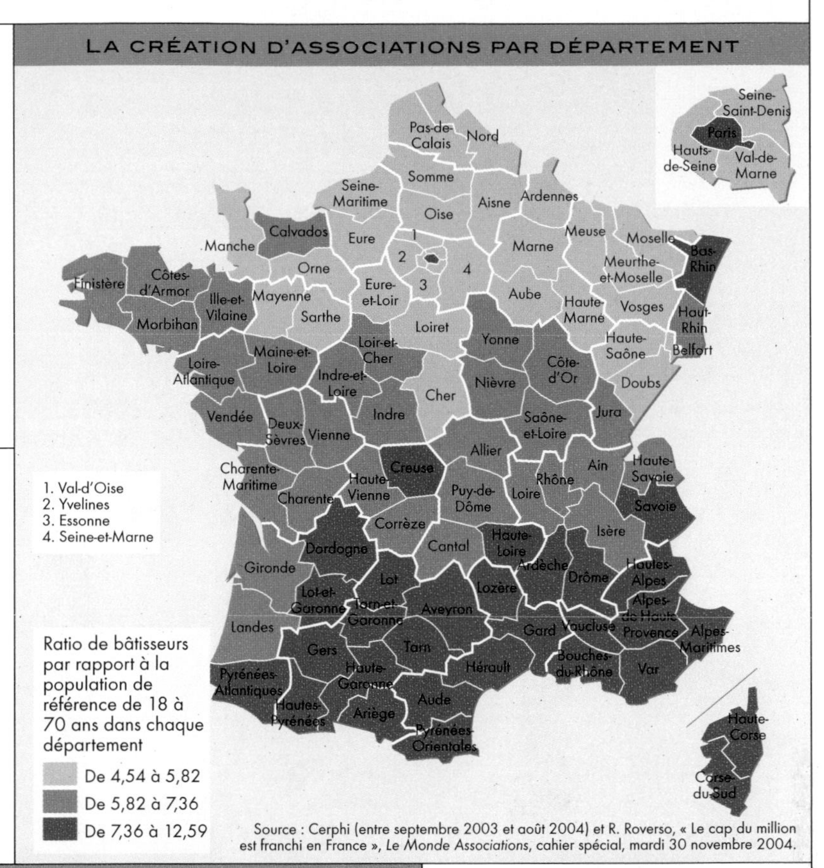

Source : Cerphi (entre septembre 2003 et août 2004) et R. Roverso, « Le cap du million est franchi en France », *Le Monde Associations*, cahier spécial, mardi 30 novembre 2004.

LE PROFIL DES BÉNÉVOLES

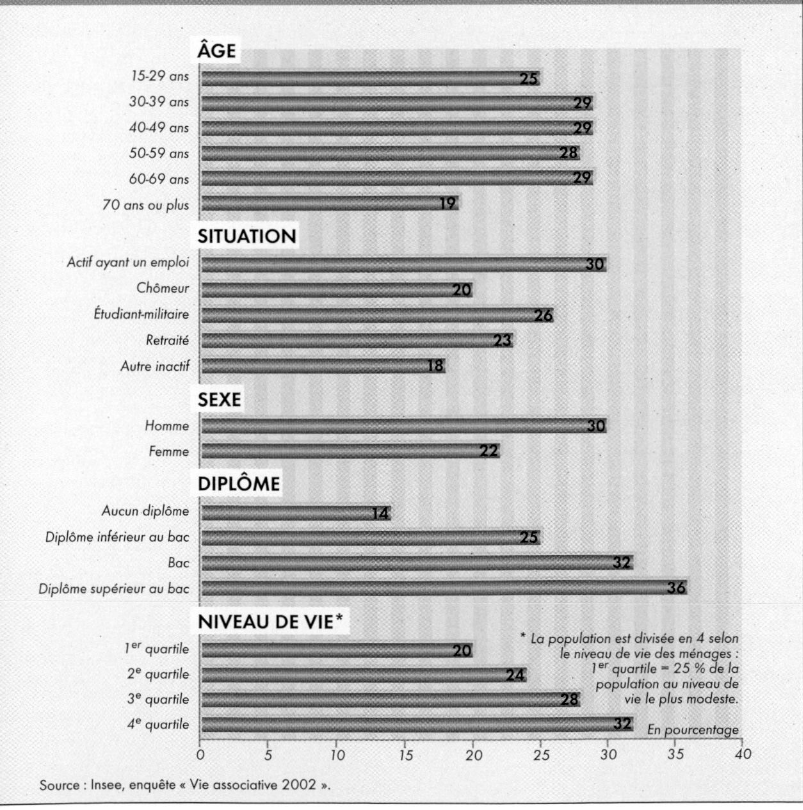

Source : Insee, enquête « Vie associative 2002 ».

> *Le recul de la participation électorale s'est accompagné d'un développement de l'expression des revendications par la manifestation ou la pétition, de l'implication et de la participation à travers les associations ou les comités de quartier.*

BEAUCOUP DE BÉNÉVOLES
12 millions de personnes ont eu une activité bénévole en 2002, dont 17 % hors association.

se concentre sur une période
de plus en plus courte, entre
25 et 55 ans. Les femmes
y participent quasiment autant
que les hommes ; mais, sur
la longue période, leur taux
d'inactivité diminue. La jeunesse
et le troisième âge sont devenus
des catégories à part entière
qui jouent un rôle prépondérant

dans la société : la première,
de plus en plus instruite
et libérée, innove tandis que
la seconde, de plus en plus
aisée, en bonne santé et libre
de son temps, transmet.
L'éclatement du marché du
travail, les difficultés d'insertion
ont fait apparaître de nouvelles
inégalités qui s'ajoutent à celles
du patrimoine, plus inégalement
distribué que les revenus. Les
immigrés, dont l'intégration se
poursuit, comptent parmi eux un
plus grand nombre de chômeurs
et de pauvres. Les phénomènes
d'exclusion peuvent aussi
conduire à des comportements
violents et délinquants.

LES PROFESSIONS DES FRANÇAIS

Le nombre d'agriculteurs et d'artisans est en diminution, tandis que celui des cadres et des professions intermédiaires est en nette progression. Les employés dépassent les ouvriers quantitativement. Parmi les agriculteurs et artisans, ce sont les moins favorisés économiquement qui ont tendance à disparaître. On assiste à une recomposition vers le haut de ce groupe social. Les cadres, dont la part a plus que doublé dans la population, voient leur groupe social se diluer progressivement dans une plus grande hétérogénéité, conduisant à un affaiblissement de la position cadre dans l'échelle sociale et une recomposition vers le bas.

Les emplois du futur

Au cours des vingt dernières années, on a assisté à un transfert massif des emplois industriels vers les emplois tertiaires sans qu'il y ait eu désindustrialisation puisque la part de l'industrie dans la valeur ajoutée est restée stable, autour de 20 %. La prospective en matière de professions montre qu'avec le départ en retraite massif des *baby-boomers*, le nombre d'emplois tertiaires à pourvoir va beaucoup augmenter, avec toujours plus de cadres mais aussi d'emplois peu qualifiés comme les aides-soignants, les aides à domicile, les gardes d'enfants, les agents d'entretien. La fonction publique va devoir aussi recruter, même si elle ne remplace pas tous les départs à la retraite. La concurrence dans le recrutement public et privé peut s'avérer plus aiguë. Les salariés vont devoir faire preuve de polyvalence en suivant tout au long de leur carrière des formations adaptées.

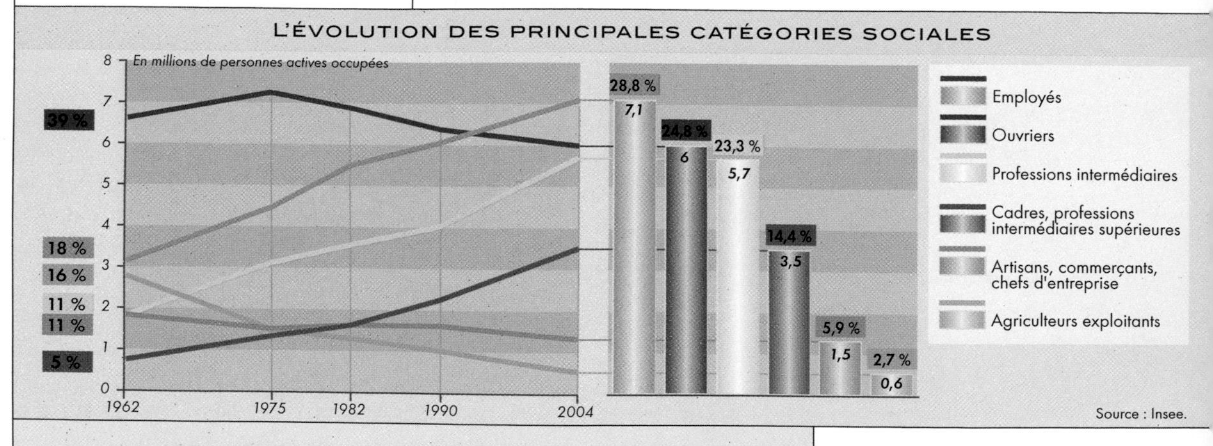

EN VINGT ANS LA QUALIFICATION S'EST ÉLEVÉE

Les cadres et les professions intermédiaires ont gagné presque 10 points.
Les employés sont maintenant plus nombreux que les ouvriers. Les emplois du tertiaire occupent près des trois quarts des actifs, contre 60 % vingt ans plus tôt.
Les emplois de cadres ont progressé dans toutes les familles professionnelles, à l'exception du bâtiment. Mais la croissance a été très vive pour les cadres des secteurs de l'informatique et de la recherche.
Parmi les professions intermédiaires, ce sont celles de l'action sociale, sportive et culturelle qui ont progressé le plus rapidement. Ces deux catégories sont de moins en moins chargées de l'encadrement. Le poids des ouvriers et employés par rapport à l'encadrement a fortement baissé.

MOBILITÉ PROFESSIONNELLE :
LA PART DES PROMOTIONS INTERNES ET EXTERNES

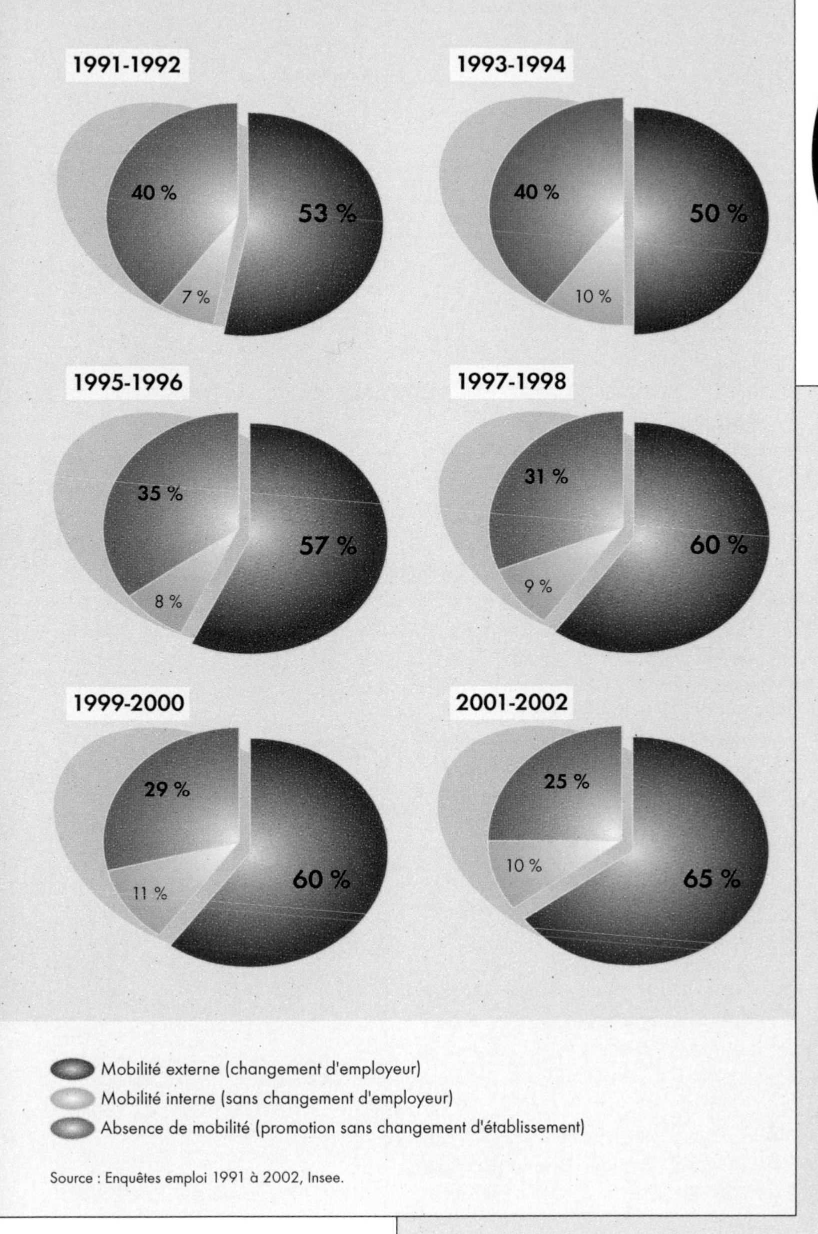

Source : Enquêtes emploi 1991 à 2002, Insee.

> *La France est devenue un pays de salariés (91 % de l'emploi). Toutes les catégories d'indépendants sont en régression. Ils sont de plus en plus nombreux à s'organiser en cabinets, en études ou en agences, où ils deviennent salariés d'une entreprise de services.*

Plusieurs métiers dans une carrière

Le modèle d'un métier à plein temps exercé dans la même entreprise durant toute une carrière tend à disparaître. Il a survécu jusqu'au début des années 1960, lorsque le nombre d'indépendants et d'agriculteurs était élevé. Depuis, le statut de salarié s'est développé, au point de représenter aujourd'hui la grande majorité de la population active occupée.

DES PARCOURS DIVERS. De nombreuses formes de contrats de travail ont été créées (CDI mais aussi CDD, contrats d'intérim, à temps partiel, conventions de stage ou d'apprentissage, contrats aidés, etc.), entraînant une diversification des trajectoires professionnelles. Autrefois handicapante dans un curriculum vitae, cette diversification est devenue un atout. Aujourd'hui, de nombreuses personnes passent du salariat au non-salariat, du privé au public ; elles connaissent des périodes de chômage, d'expatriation et changent d'entreprise ou d'emploi plus fréquemment.

DANS QUELS SECTEURS ? C'est dans le secteur de la construction que la mobilité est la plus grande et dans le tertiaire, notamment dans le service aux particuliers où la mobilité est deux fois supérieure à ce que l'on observe pour le reste de l'économie. En revanche, dans les activités financières et l'administration, l'expérience prévaut et 60 % des personnes ont dix ans ou plus d'ancienneté. On pourrait croire que cette instabilité des positions professionnelles a pour cause le chômage. Partiellement seulement car, dans d'autres pays à moindre chômage, la mobilité est aussi une réalité. Les individus ont une autre conception de leur vie professionnelle, ils aspirent à des expériences nouvelles. La variété des expériences à l'intérieur d'une entreprise ou à travers plusieurs entreprises est devenue une valeur positive.

LES PROMOTIONS PROFESSIONNELLES
En moyenne, entre mars 2000 et mars 2001 et entre mars 2001 et mars 2002, 65 % des promotions ont été obtenues à l'occasion d'une mobilité externe, 10 % à l'occasion d'une mobilité interne et 25 % sans qu'il y ait eu changement d'établissement ou d'employeur.

> « *Au travail, les Français ne rêvassent pas, ils peuvent se targuer d'une productivité horaire de travail très forte et sont dans le peloton de tête des salariés les plus efficaces pendant leurs heures de bureau ou d'usine, bien plus que les Japonais ou les Britanniques.* »

Bonheur et malheur du cadre

Avec la réduction du temps de travail, les cadres voient leur charge horaire de travail augmenter. Pourquoi ne manifestent-ils pas de résistance à cet alourdissement ? Les experts ont plusieurs explications à cette observation : tout d'abord, leur revenu augmente en proportion, moins en France qu'aux États-Unis, mais il augmente. Ensuite, cette surcharge de travail s'inscrit pour eux dans une trajectoire professionnelle ascendante, ce qui les motive quelque peu. Enfin, troisième explication, la nature du travail leur demande une implication positive et passionnelle, qui s'observe plus fréquemment chez les titulaires d'emplois qualifiés que chez les ouvriers ou employés. Le « bonheur au travail » se traduit par des initiatives personnelles, une reconnaissance de la hiérarchie, des activités collégiales, la possibilité de négocier individuellement ses conditions avec l'employeur, etc. Et ces experts d'en conclure que « lorsque le travail devient plus intéressant, l'attirance pour les loisirs décroît ».

MALAISE DES CADRES. Pourtant, la fonction d'encadrement comporte des contradictions qui ont conduit à parler du « malaise des cadres ». La carrière suppose la stratégie et donc l'individualisme. Par définition, le cadre est en rivalité avec son collègue. Pour progresser, il doit apprendre à bien évaluer une situation de rapports sociaux : les atouts, les ambitions et les faiblesses de chaque protagoniste, comparés aux siens. Servir les chefs, séduire les subordonnés et assurer ses intérêts propres sont des impératifs contradictoires. Contradictions qui se recoupent avec le souci de perfectionner ses connaissances, d'acquérir une notoriété dans sa spécialité et d'accomplir sa tâche quotidienne avec le seul souci de faire fonctionner au mieux son service.
Le chômage des cadres a doublé depuis 2000. Le lien s'est distendu entre cadres et direction. Les cadres subissent de plein fouet la mondialisation, ils se situent entre les clients, les actionnaires et la direction qui leur demande de travailler en réseau, dans des relations hiérarchiques floues.

MODIFICATION DU PROFIL DU CADRE. Secoué par les transformations productives, le cadre change de profil. Son pouvoir au sein de l'entreprise est de moins en moins fondé sur l'autorité et la hiérarchie, mais repose de plus en plus sur la connaissance, le savoir et la gestion du changement organisationnel. Les cadres de production doivent être réactifs aux nouvelles technologies et au marché, et les cadres administratifs et commerciaux doivent faire preuve de plus de compétences techniques et de traitement des marchés. Le cadre est devenu un « ingénieur des connaissances » et un « architecte des organisations ». Pour se maintenir sur le marché du travail, il doit donc occuper une partie de ses loisirs à s'informer et à se former. Ce changement de profil fait disparaître peu à peu la notion de cadre, qui est remplacée par celle de manager, de professionnel, d'expert.

LA DIVERGENCE DES COMPORTEMENTS

SITUATION DES DIPLÔMÉS SELON LA PROMOTION (au 1er trimestre de l'année suivant le diplôme)

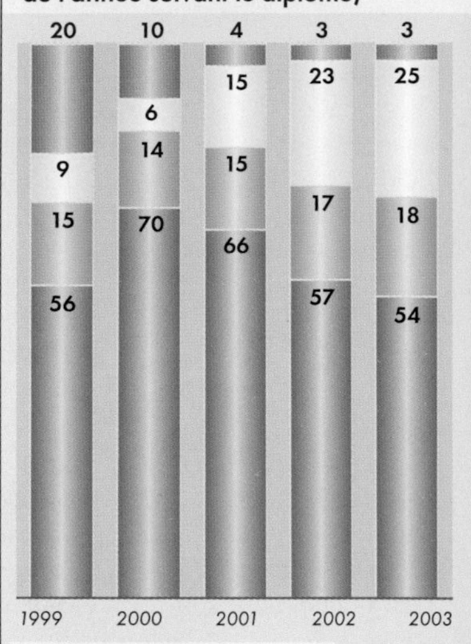

En pourcentage
- Activité professionnelle
- Recherche d'emploi
- Poursuite d'études
- Autres (service national...)

ÉLÉMENTS POUR FIDÉLISER ET ATTIRER DES JEUNES DIPLÔMÉS, SELON LES ENTREPRISES

1	L'ambiance de travail
2	L'autonomie accordée
3	L'intérêt des missions
4	Le fait que ce soit un CDI
5	Le salaire
6	Les perspectives d'évolution
7	L'équilibre vie privée, vie professionnelle
8	La notoriété de l'entreprise
9	Le secteur d'activité de l'entreprise
10	L'adéquation de la formation avec l'emploi
11	Le statut de cadre
12	La possibilité de formation

ÉLÉMENTS POUR ACCEPTER UN EMPLOI, SELON LES JEUNES DIPLÔMÉS

1	L'intérêt des missions
2	L'ambiance de travail
3	Les perspectives d'évolution
4	L'autonomie accordée
5	L'équilibre vie privée, vie professionnelle
6	Le salaire
7	Le fait que ce soit un CDI
8	La possibilité de formation
9	L'adéquation de la formation avec l'emploi
10	Le statut de cadre
11	Le secteur d'activité de l'entreprise
12	La notoriété de l'entreprise

Source : APEC et conférence des grandes écoles, dans N. Quéruel, « 2004 un meilleur cru pour les jeunes diplômés », *Le Monde*, 12 octobre 2004.

Vers une autre « condition ouvrière »

Le XXe siècle a été le siècle des ouvriers. Ils ont été les héros des grandes batailles industrielles et de la renaissance française d'après 1945. Ils formaient alors le groupe social le plus important de la population active (37 % en 1970), caractérisé par son unité «la condition ouvrière», dont les métallos et les mineurs étaient les figures emblématiques. Puis les grandes entreprises, où se côtoyaient des milliers d'ouvriers et où se forgeaient les bastions du syndicalisme et de la culture ouvrière, ont réduit drastiquement leurs effectifs en délocalisant ou en sous-traitant. Aujourd'hui, on compte 6 millions d'ouvriers qui représentent encore plus du quart de la population active. Le déplacement des emplois vers des métiers de service est visible : manutentionnaires des services d'exploitation des transports, ouvriers du tri, de l'emballage et de l'expédition sont en progression.

UNE PLUS GRANDE AUTONOMIE DANS LE TRAVAIL, MAIS DES GESTES RÉPÉTITIFS ET STANDARDISÉS. Les nouvelles technologies et les automates ont pris à leur charge les tâches usant le corps et dénuées de sens des anciens OS. De plus en plus d'ouvriers ont un travail rythmé par le déplacement automatique d'un produit ou la cadence automatique d'une machine. Les tâches liées à ces automatismes requièrent de la part de l'ouvrier une attention constante, une surveillance méticuleuse, une tension forte. L'engagement de l'ouvrier est plus contraignant et sa concentration plus intense. La chaîne de fabrication ne s'arrête quasiment jamais et l'ouvrier doit en suivre inlassablement la cadence. Il arrive souvent que ce dernier s'investisse dans son travail plus que ce qui lui est demandé, afin de s'accorder une réserve de temps qui lui évitera de « couler » en cas d'avarie. Une extrême souplesse lui est demandée afin de ne pas rompre la cadence et de faire face aux aléas, la hiérarchie lui laissant une plus grande autonomie pour adapter son poste de travail. On observe bien une évolution des marges de manœuvre de l'ouvrier, mais en même temps s'accroissent les exigences et les contrôles.

DES OUVRIERS PROCHES DES EXIGENCES DES CONSOMMATEURS. Les impératifs marchands s'ajoutent aux contraintes industrielles, puisque les consommateurs exigent plus de variété et plus de qualité. Les normes et les délais sont de plus en plus serrés. Mais, pour atteindre ses objectifs de temps et de qualité, la hiérarchie doit désormais prendre en compte l'avis de l'ouvrier, lui laisser la possibilité de s'investir, de prendre des initiatives et de participer aux décisions collectives, ce qu'il fait s'il espère obtenir une promotion. Ainsi, la gestion du personnel ouvrier devient de plus en plus individualisée et l'on voit apparaître un clivage entre les vieux ouvriers, encore enracinés dans une culture ouvrière collective, et les jeunes, qui investissent une part d'eux-mêmes dans l'entreprise et cherchent avant tout la sécurité de l'emploi, envisageant même une évolution professionnelle.

DES OUVRIÈRES PROCHES DES EMPLOYÉES. À l'ouvrier les travaux publics et le bâtiment, la métallurgie ou les métiers de réparateurs, à l'ouvrière le textile, la confection, le travail du cuir et le nettoyage. Les importantes destructions d'emplois non qualifiés dans le textile et la confection ont déversé nombre d'ouvrières dans le secteur du nettoyage et dans les emplois d'employées non qualifiées qui se sont largement développés. Là aussi, la frontière entre ouvrière et employée est ténue. L'activité ouvrière se résume de moins en moins à la fabrication proprement dite, tandis que de nombreuses employées sont de plus en plus soumises à une activité standardisée, comme c'est le cas pour une caissière de supermarché notamment. En général, l'ouvrière ne fait pas le même travail que l'ouvrier, elle est soumise à une discipline plus stricte, elle est cantonnée aux tâches les plus répétitives et elle est moins bien payée. Cette observation a pu être vérifiée au-delà des différences entre emplois qualifiés et non qualifiés. Qualifiée ou non, l'ouvrière connaît en moyenne des conditions de travail plus pénibles que les ouvriers et un salaire moindre.

LES OUVRIERS ET EMPLOYÉS ENTRE 1984 ET 2002

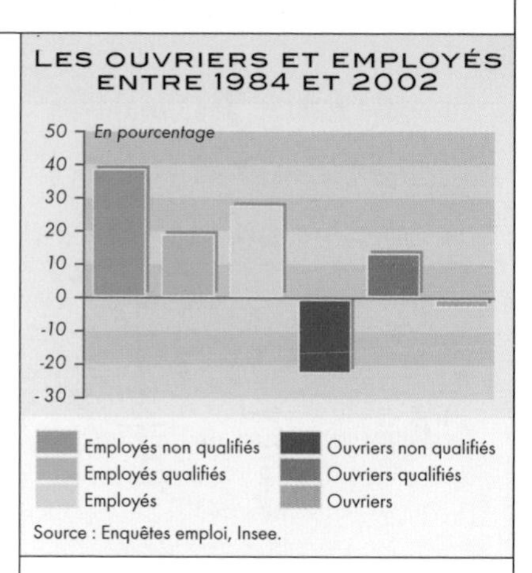

Source : Enquêtes emploi, Insee.

AUGMENTATION DES NON-QUALIFIÉS

Les employés sont nettement majoritaires parmi les non-qualifiés, tandis que la chute du nombre d'ouvriers est allée de pair avec une hausse de leur qualification. Les ouvriers non qualifiés, de type industriel, ont le plus diminué ; le nombre d'ouvriers qualifiés s'est maintenu. Moins d'emplois dans la production elle-même mais plus d'emplois en amont et en aval.

LA FÉMINISATION DES CATÉGORIES OUVRIÈRES

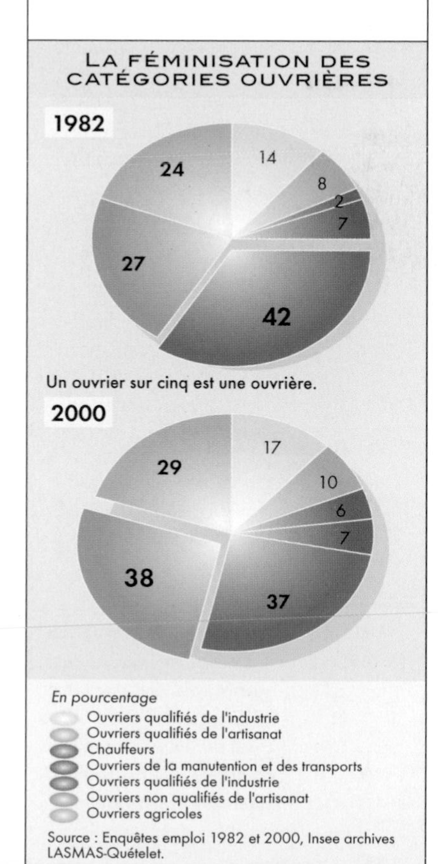

Source : Enquêtes emploi 1982 et 2000, Insee archives LASMAS-Quételet.

Le vaste monde des employés

UNE PROGRESSION IMPORTANTE. Le groupe des employés est le plus nombreux de toutes les professions. Dans les années 1990, il a dépassé celui des ouvriers pour représenter aujourd'hui 30 % de la population active. Deux raisons à cette progression spectaculaire : la tertiarisation de l'économie et l'accès des femmes à l'emploi salarié. Les employés administratifs d'entreprise comptent plus de 80 % de femmes. Dans cette catégorie, l'emploi partiel est élevé. Lorsque le temps partiel n'est pas contraint, il permet aux femmes de concilier travail et vie de famille.

UN GROUPE HÉTÉROGÈNE. Ce qui caractérise ce groupe social est son hétérogénéité : il représente l'ensemble des salariés qui ne sont ni ouvriers, ni cadres, ni membres des professions intermédiaires (techniciens, agents de maîtrise, instituteurs, infirmiers, etc.). À partir des années 1960, les agents de service de la fonction publique ont connu une forte croissance : l'expansion des écoles, des hôpitaux et des maisons de retraite a entraîné la création de nombreux postes d'agent de service. Puis les années 1980 ont connu le boom des employés des entreprises privées, en particulier les personnels des services : la restauration rapide, la garde d'enfants à domicile, la livraison des repas, les soins aux personnes âgées ont pris la forme de services rémunérés. Ces derniers figurent parmi les emplois les plus prolétarisés : faible niveau de salaire et horaires parfois très lourds. À l'inverse, les employés administratifs des entreprises représentent la fraction la plus intellectuelle du monde des employés, où plus de 40 % ont au moins le niveau baccalauréat.

> *« Un tiers des femmes travaillent à temps partiel. Pour 27 % d'entre elles, ce temps partiel est contraint. Il concerne surtout les emplois peu qualifiés : ouvrières, employées, personnels de vente ou de service. »*

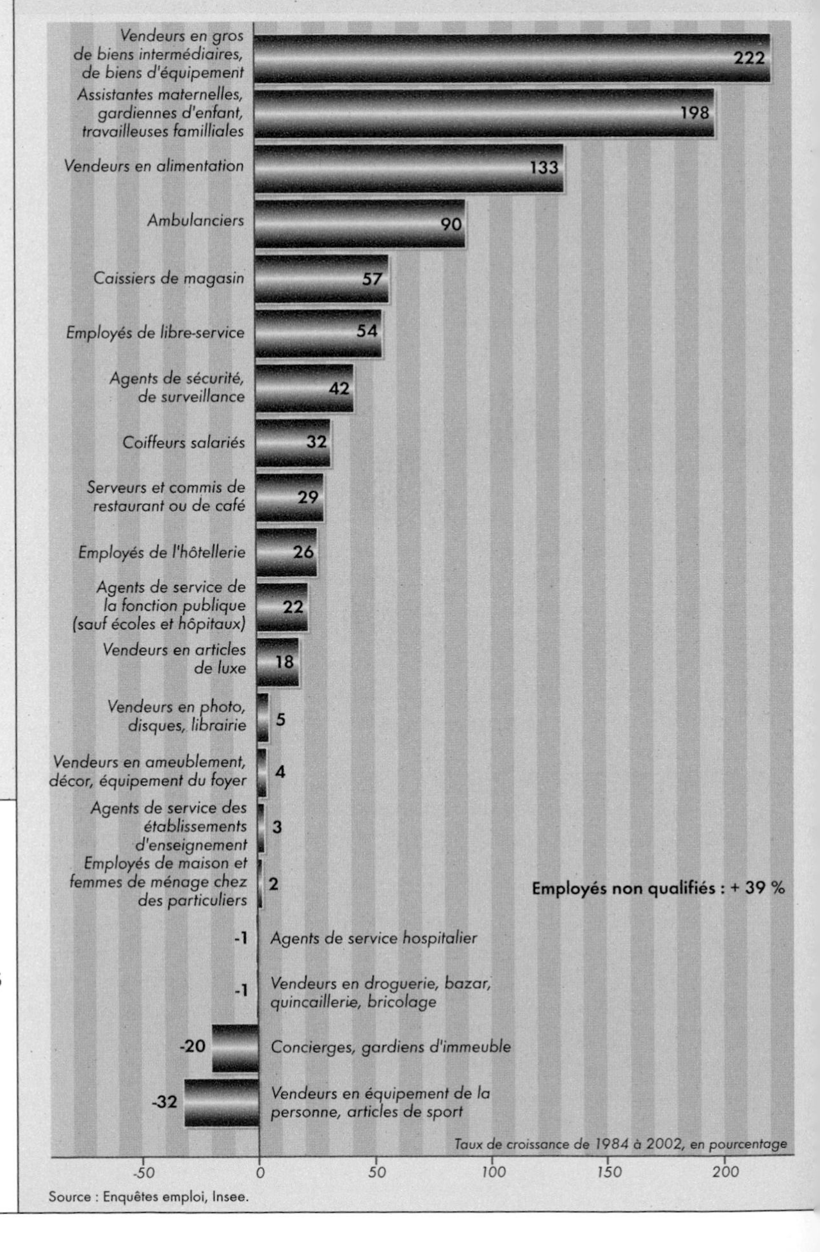

MÉTIERS DE SERVICES
La croissance des employés non qualifiés entre 1984 et 2002 est de 39 %. Parmi les employés, les assistantes familiales et les vendeurs forment les gros bataillons.

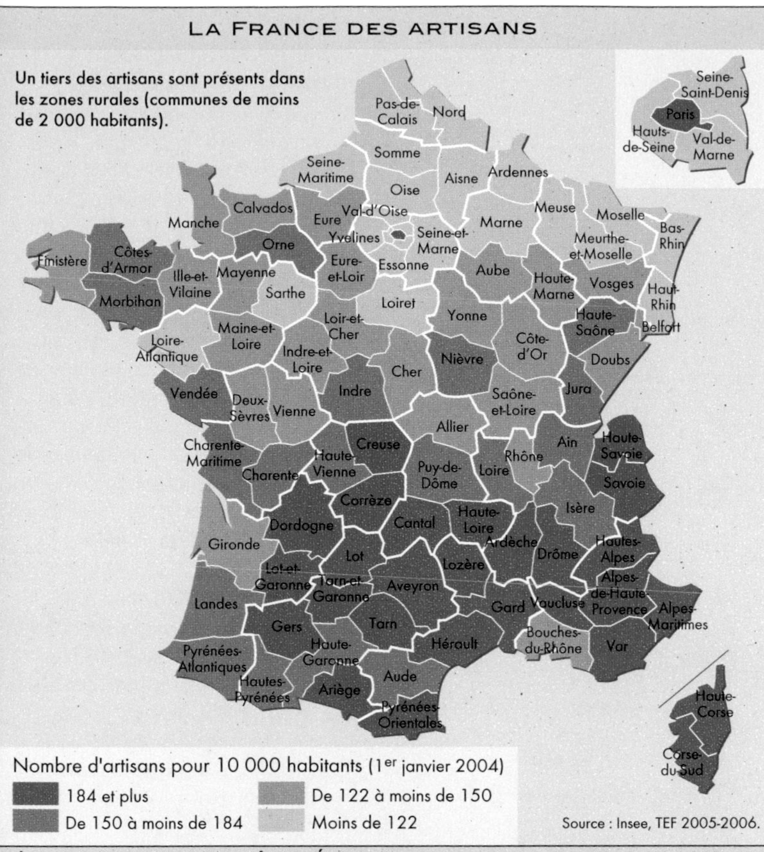

LA PROPORTION D'INDÉPENDANTS OU DE DIRIGEANTS SELON CHAQUE ORIGINE SOCIALE

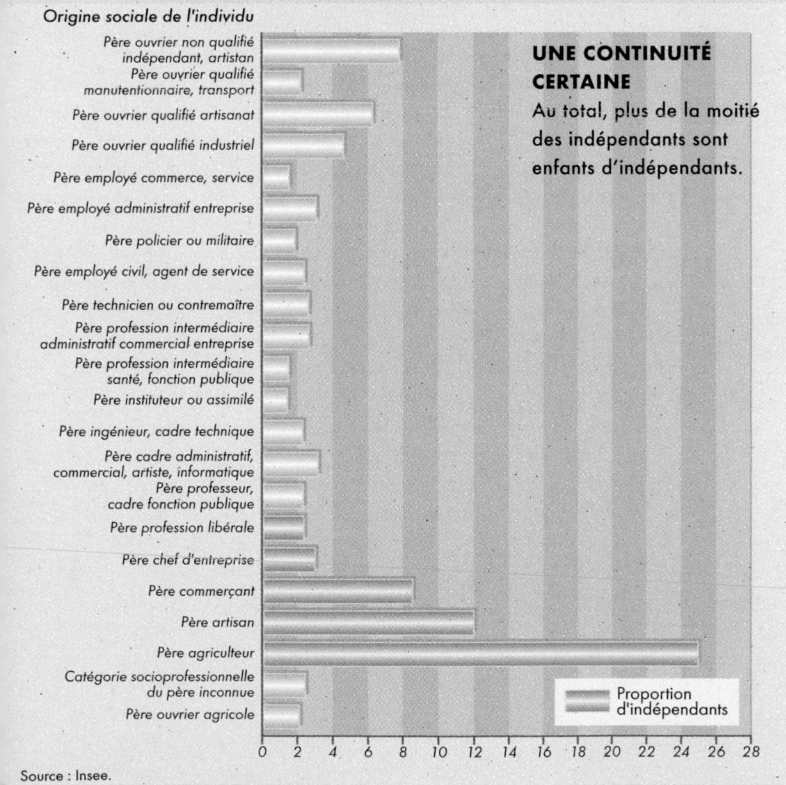

Source : Insee.

Les indépendants s'investissent

QUI SONT-ILS ? Les indépendants – agriculteurs, artisans, commerçants et professions libérales – sont au nombre de 2,3 millions et représentent presque 10 % des actifs. On compte 22 % de femmes parmi les indépendants contre 37 % chez les salariés. En dehors des agriculteurs, les indépendants s'installent à leur compte souvent après une première expérience professionnelle, mais ils prennent leur retraite plus tard que les salariés. L'hérédité sociale joue un grand rôle : la moitié d'entre eux avaient un père indépendant, 34 % un père employé ou ouvrier et 21 % un père salarié.

LEURS REVENUS. L'héritage d'un capital transmis au départ et la familiarité avec les affaires et la clientèle sont des atouts. L'apport d'un salaire extérieur par la conjointe constitue pour un indépendant un complément de revenu et une sécurité appréciable, sans commune mesure avec le revenu de l'indépendant dont la conjointe est sans emploi. Mais même lorsque cette dernière partage l'activité, le revenu global du couple n'atteint pas celui du couple percevant un salaire extérieur. Les agriculteurs et les commerçants disposent d'un capital professionnel nettement plus important que les artisans et les professions libérales.

LEUR TRAVAIL. Les indépendants déclarent travailler plus de 50 heures par semaine et fréquemment le samedi et le dimanche, les agriculteurs en tête bien qu'ils travaillent moins qu'il y a vingt ans. Dans l'agriculture, l'artisanat et le commerce, les indépendants étaient aidés par les aides familiaux non salariés, le plus souvent la femme qui prenait en charge la partie commerciale, la gestion ou le secrétariat. Aujourd'hui, la femme a souvent une activité salariée à l'extérieur et aide seulement à temps partiel son mari indépendant, qui recourt plus souvent à la sous-traitance pour assurer la gestion de son entreprise.

TEMPS PARTIEL ET DOUBLE ACTIVITÉ DANS L'AGRICULTURE EN 2000

EXPLOITANTS ET CO-EXPLOITANTS

26

55

6 Activité secondaire non agricole

13 Activité principale non agricole

ACTIFS FAMILIAUX NON EXPLOITANTS

20

43

37

Seulement la moitié des chefs d'exploitation agricole sont à temps plein.

Année 2000, *en pourcentage*
Temps complet
Temps partiel
Activité non agricole
Pas d'autre activité

Source : P. Daucé, « Agriculture et monde agricole », *Notes et études documentaires*, n° 5176, 2003.

Les agriculteurs face aux mutations de l'agriculture

En vingt ans, le nombre d'exploitations agricoles s'est réduit de moitié. Les petites et moyennes exploitations ont eu tendance à disparaître, tandis que les exploitations de 100 ha et plus ont plus que doublé. Les agriculteurs sont devenus des « entrepreneurs » à part entière. Afin de dissocier le patrimoine familial du capital de l'entreprise, un bon nombre d'agriculteurs se sont regroupés en GAEC (groupement agricole d'exploitation en commun) ou en EARL (exploitation agricole à responsabilité limitée), statuts juridiques permettant de se positionner comme une entreprise.

LES SALARIÉS AGRICOLES, autrefois touchés par l'exode agricole, reviennent sur les exploitations qui, en s'agrandissant et en se modernisant, ont besoin de techniciens ou de contremaîtres. Le salarié agricole qualifié d'aujourd'hui remplace l'enfant ou le conjoint, qui étaient les aides familiaux d'hier. On assiste à deux tendances opposées : le retour des salariés agricoles et l'abandon de l'activité agricole des femmes qui se dirigent vers une activité professionnelle en dehors de l'exploitation et améliore sensiblement, grâce à son salaire, le niveau de vie du ménage. Récemment, se sont constitués des groupements d'employeurs qui, à l'exemple des Cuma (coopérative d'utilisation de matériel agricole), prendront en commun les charges inhérentes à l'emploi de salariés « volants » à plein temps, embauchés selon la demande chez l'un ou l'autre des adhérents. De plus, ce salarié pourra avoir une compétence liée au type de production principal du groupement.

LES INÉGALITÉS DE REVENUS au sein de la profession sont grandes : 40 % des exploitations procurent un revenu par actif familial inférieur au Smic. En revanche, la part des hauts revenus a augmenté. La nature de la production et la taille de l'exploitation sont des facteurs déterminants. Le patrimoine des agriculteurs est sensiblement supérieur à celui de l'ensemble de la population, mais il correspond pour plus de la moitié au patrimoine professionnel. Face à la pression de la grande distribution, aux inquiétudes sur la qualité alimentaire et sur l'environnement, se développent la transformation et la vente directe « sous signe de qualité » de produits de la ferme. Beaucoup prévoient un avenir certain à ce mode de distribution, éventuellement sur Internet, car ce marché n'est soumis ni à la concurrence européenne (surtout celle des pays de l'Est), ni à la régulation des instances politiques. C'est la qualité garantie des produits qui maintiendra la compétitivité des agriculteurs français.

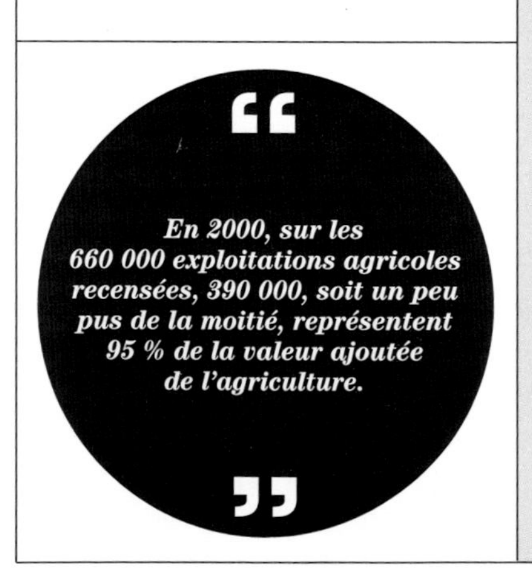

Les fonctionnaires entre départs et recrutements

En France, près d'un salarié sur cinq exerce son activité dans les trois fonctions publiques (État, collectivités locales, hôpitaux). Beaucoup s'en plaignent, mais la question est de savoir s'il faut plus ou moins de service public… L'État couvre 75 % des dépenses de santé et 94 % des dépenses d'enseignement. L'augmentation du nombre de fonctionnaires est allée de pair avec les évolutions légitimes de la société : meilleurs soins dans les hôpitaux, urbanisation, décentralisation, massification de l'enseignement secondaire et universitaire, professionnalisation des armées.

LES MÉTIERS DE LA FONCTION PUBLIQUE

Enseignants, personnels médicaux, techniciens dans les départements ou les communes, militaires, tels sont les gros bataillons de la fonction publique.

LES CHIFFRES. 1 172 000 personnes pour s'occuper de l'éducation des enfants et des étudiants, 895 000 pour s'occuper des malades, 1 700 000 pour les collectivités locales (un sur deux sont des emplois techniques, un quart d'administration et un dixième des emplois sociaux), 418 000 pour la défense, tels sont les gros bataillons de la fonction publique. Au total, 5,7 millions de personnes (y compris les non-titulaires et les emplois aidés) participent au service public. Dans les ministères, les trois quarts des agents ont le statut de fonctionnaire. Les enseignants forment la plus grande partie des cadres A de la fonction publique d'État. Les femmes sont majoritaires (dans l'enseignement et la fonction hospitalière), sauf dans la haute fonction publique et l'enseignement supérieur. Le temps partiel est très répandu.

DÉPARTS ET RECRUTEMENTS. Dans la fonction publique d'État, un agent sur quatre a plus de 50 ans, ce qui sous-entend que les départs à la retraite vont être nombreux. L'État a recruté quelque 50 000 fonctionnaires par an entre 2000 et 2004, mais le remplacement de seulement la moitié des départs à la retraite (quasi obligatoire dans les hôpitaux et après la mise en place de la « seconde » décentralisation) représentera au moins 40 000 recrutements par an dans le futur. Ces départs nombreux permettront sans doute de réduire les effectifs là où les progrès technologiques le permettent, c'est-à-dire ceux des employés et des agents d'exécution, qui représentent un tiers des emplois, proportion encore comparable à celle de 1980. Les candidats à la fonction publique ont de beaux jours devant eux.

LA RÉFORME. La réforme administrative va commencer par le budget ; à partir de 2006, chaque service public recevra une enveloppe budgétaire qu'il gérera lui-même, sauf en matière de gestion de l'emploi public statutaire qui restera sous contrôle du ministère du Budget.

EFFECTIFS DE LA FONCTION PUBLIQUE PAR STATUT

STATUT DES AGENTS SELON LA FONCTION PUBLIQUE EN 2002,
en pourcentage (Observatoire de l'emploi hors emplois aidés)

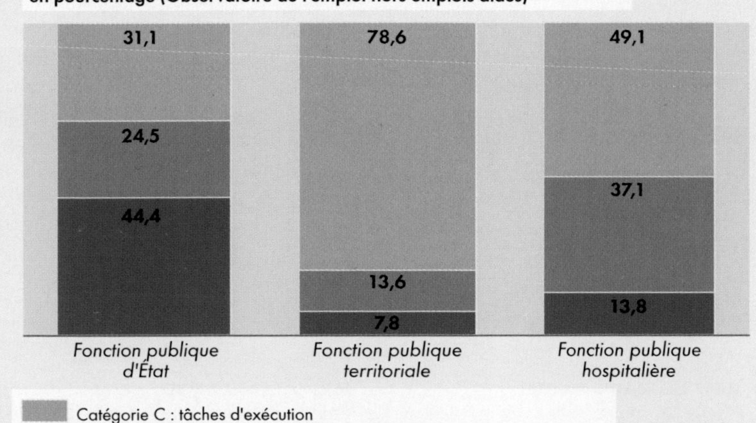

Catégorie C : tâches d'exécution
Catégorie B : chargés des fonctions d'application
Catégorie A : fonctions d'études générales, de conception et de direction

ÉVOLUTION DES EFFECTIFS,
en milliers (au 31 décembre y compris emplois aidés)

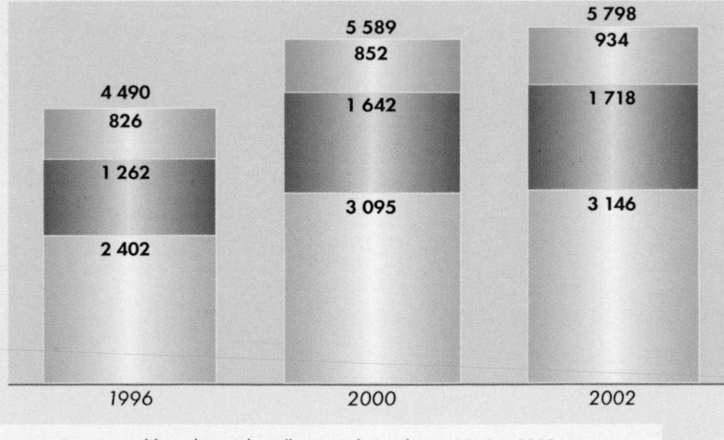

Fonction publique hospitalière (hors emplois aidés en 1998 et 2000 et y compris 34 200 emplois aidés en 2001)
Fonction publique territoriale
Fonction publique d'État

Source : Insee, *TEF*, 2005-2006.

LA CIVILISATION « JEUNESSE »

Ce sont les générations nées dans les années 1950 qui ont inventé « la jeunesse » en tant que catégorie d'âge. Alors que bon nombre de jeunes des générations précédentes commençaient à travailler dès l'âge de 14 ans, sans réelle transition entre l'enfance et l'usine ou la ferme. La génération du baby boom a été la première à bénéficier d'une scolarisation jusqu'à 16 ans, 18 ans, voire 22 ans. Dans leur militantisme juvénile, ils se sentaient solidaires et ainsi s'est instituée une « civilisation de la jeunesse », faite d'études, de travail, de sorties, d'expériences et d'apprentissages sentimentaux, sociaux ou professionnels, de vie plus ou moins facile.

LE TEMPS DES ÉTUDES S'ALLONGE

Âge moyen lors de la sortie du système scolaire

22, 20, 18, 16, 14, 12, 10, 8, 6, 4, 2, 0

1940: 15,5 — 1960: 17 — 1985: 19 — 2003: 21,5

Source : Insee, Bipe, Direction de l'évaluation et de la prospective.

DÉMARRAGE PROFESSIONNEL

Tous les jeunes sortant de formation connaissent une période d'instabilité et de chômage. Les plus diplômés vont trouver un emploi stable au bout de deux ou trois ans, tandis que les non-diplômés seront aidés par l'État, qui prendra en charge une partie du coût de leur emploi.

Les *baby-boomers*

Les jeunes de la génération du *baby boom* ont été à l'origine d'une véritable révolution des mœurs. En voulant s'affranchir de l'autorité parentale et de la morale chrétienne, ils ont légitimé le concubinage et les naissances hors mariage qui, aujourd'hui, sont des comportements courants dans l'ensemble de la société.

LA CULTURE JEUNE. Malgré la diversité des conditions de vie entre le jeune chômeur, fils de chômeur de banlieue, et le jeune étudiant, fils de cadre, qui « traîne sa thèse » grâce aux allocations, aux petits jobs et grâce au gîte et couvert des parents, la jeunesse, avec ses valeurs et ses mœurs communes, bâties autour d'une même culture jeune et de l'importance donnée aux liens amicaux, s'est institutionnalisée dans tous les milieux sociaux. Toutefois, les différences liées au niveau des revenus, au niveau des études ou au lieu de résidence restent très importantes.

QUE FONT LES JEUNES ?

TAUX D'ACTIVITÉ

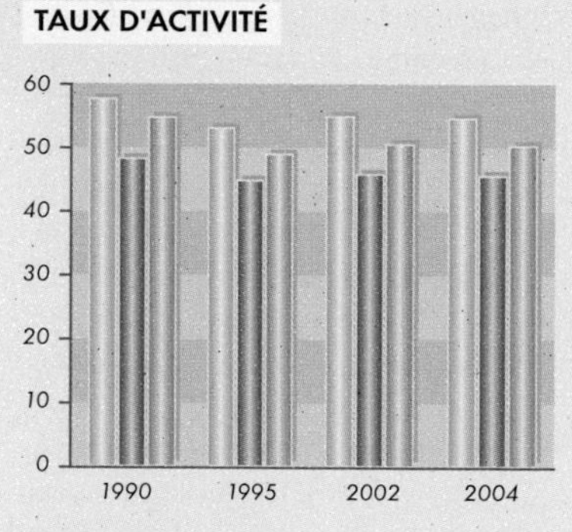

PART DU TEMPS PARTIEL

60, 50, 40, 30, 20, 10, 0

1990, 1995, 2002, 2004

PART DU CHÔMAGE

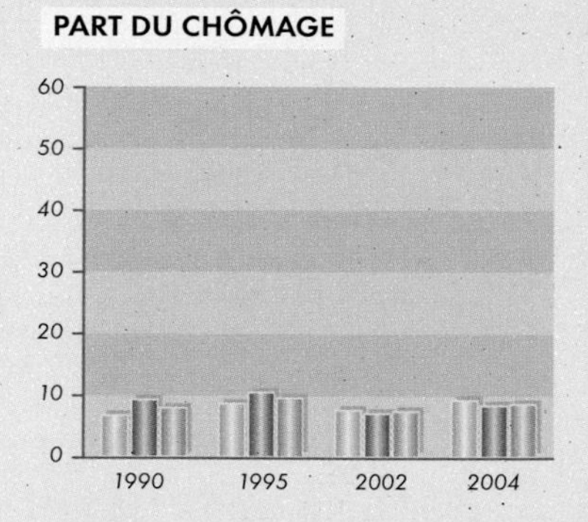

TAUX DE CHÔMAGE

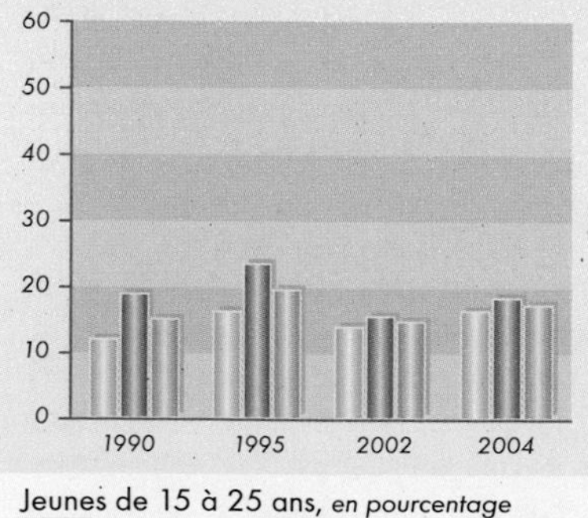

TAUX DE SCOLARITÉ

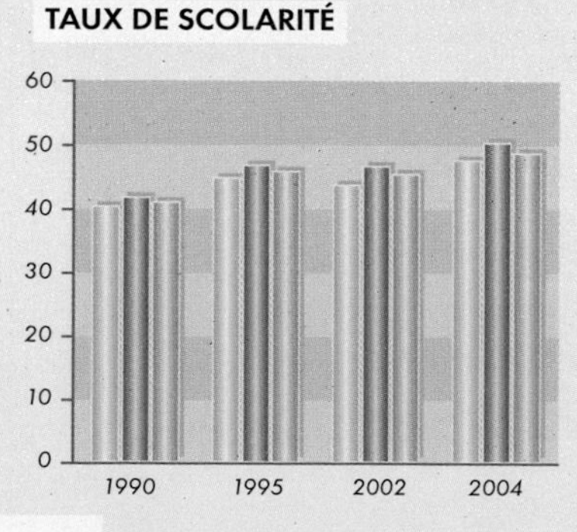

TAUX D'INACTIVITÉ NON SCOLAIRE

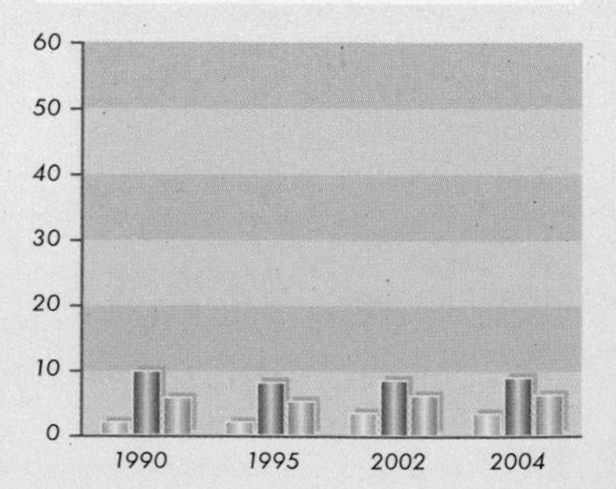

Jeunes de 15 à 25 ans, *en pourcentage*

Hommes — Femmes — Ensemble

Source : Insee, *TEF*, 2005-2006.

LES OPINIONS DES JEUNES

C'EST UNE BONNE CHOSE QU'ON ATTACHE DAVANTAGE D'IMPORTANCE À LA VIE DE FAMILLE

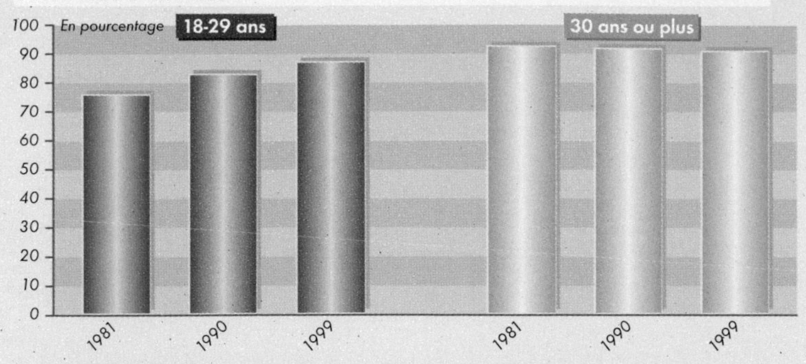

ÉVOLUTION DES OPINIONS DES JEUNES SUR LES VALEURS RELATIVES À LA SPHÈRE PRIVÉE

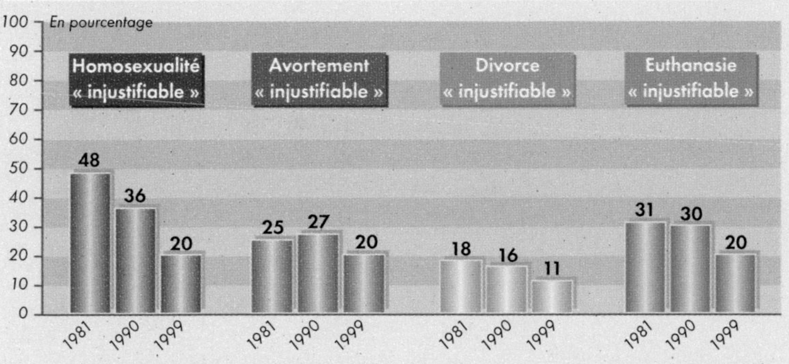

ÉVOLUTION DES OPINIONS DES JEUNES RELATIVES À LA FIDÉLITÉ CONJUGALE

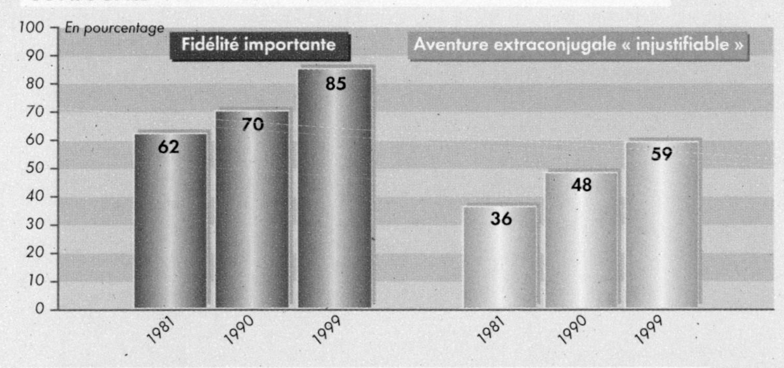

ÉVOLUTION DES OPINIONS DES JEUNES SUR LES VALEURS RELATIVES À LA SPHÈRE PUBLIQUE

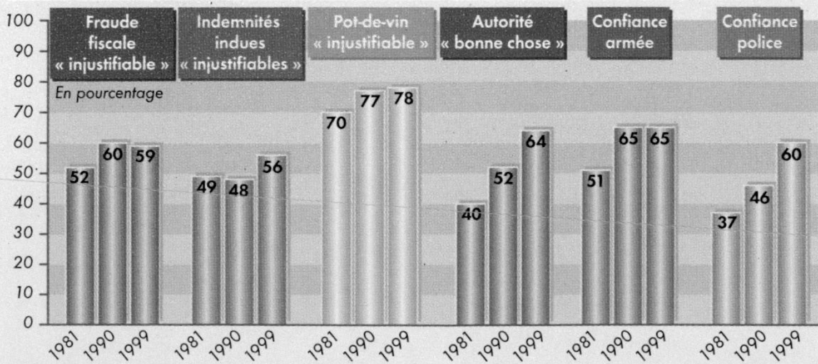

Importance de la liberté dans la sphère privée, contre attitude responsable dans la sphère publique.

Source : O. Galland et B. Rondet, *Les Valeurs des jeunes*, L'Harmattan, 2001.

L'évolution des valeurs et des mœurs

Qu'il s'agisse de religion, de libération sexuelle ou de permissivité, les différentes enquêtes montrent que les générations récentes, en matière de valeurs, semblent avoir atteint des paliers. Jusqu'à récemment, les générations nouvelles étaient souvent moins religieuses et plus permissives que les générations précédentes au même âge. Cette évolution semble marquer le pas. Dans le domaine de la croyance en Dieu, le niveau monte chez les jeunes alors qu'il continue à baisser parmi les générations antérieures. Chacun bricole pour soi ses convictions religieuses et éthiques sans plus prétendre les imposer aux autres.

On observe par exemple dans les enquêtes un attachement à la valeur « fidélité » au sein du couple, mais une plus grande tolérance vis-à-vis de l'homosexualité ou du suicide. Il ne s'agit donc aucunement dans ces nouvelles valeurs d'un retour des normes traditionnelles, mais plus certainement d'un jugement plus nuancé.

Ces jeunes générations distinguent, d'une part, la tolérance à l'égard des comportements d'autrui, la liberté reconnue à chacun de choisir sa manière vivre et, d'autre part, l'affirmation des valeurs qu'elles se sont choisies. Ainsi l'autorité n'est plus forcément rejetée, à condition toutefois que cette autorité soit justifiée et acceptée. En matière de couple, nous sommes passés d'une relation conjugale rendue indissoluble par le mariage à une relation de couple reposant sur une négociation continue dans le concubinage, négociation qui a pour principe de favoriser l'égalité homme-femme. La confiance réciproque devient le ciment de la relation. Si elle a disparu, aucun principe indissoluble ne retiendra les partenaires, qui se sépareront. Ainsi, pour la fidélité conjugale ou pour les relations d'amitié, ou le lien est fort et authentique, ou il n'a plus lieu d'être. La sincérité est devenue la valeur essentielle des liens sociaux.

Des études plus longues mais qui n'évitent pas la galère de la recherche d'emploi

Si on sortait de l'école en moyenne à 17 ans en 1960, aujourd'hui on en sort à 21 ans et demi. Et la tendance devrait se poursuivre. Comme il est de plus en plus difficile de trouver un emploi, les jeunes préfèrent prolonger leurs études. Ainsi, plus de la moitié des élèves d'IUT continuent à étudier un ou deux ans de plus. Par ailleurs, beaucoup d'écoles de commerce ou de gestion augmentent leur nombre d'années de scolarité en rendant obligatoire une année à l'étranger. Tout ceci a un coût que doit supporter l'étudiant, qui fait de plus en plus appel à l'emprunt.

La recherche d'emploi est difficile, même avec un diplôme élevé en poche, et le stage en entreprise est devenu le passeport pour l'emploi. Ne sont pas rares les jeunes qui ont enchaîné au moins quatre stages avant de trouver un emploi à peu près stable.

8,1 % de l'ensemble des 15-24 ans est au chômage en 2004. La moyenne européenne à 25 pays est à 8,2 et le taux de l'Allemagne à 5,5. Si on rapporte le chômage des 15-24 ans aux seuls actifs de la même tranche d'âge (ce qui exclut les jeunes qui sont en formation), alors le taux de chômage atteint 23 % en 2005. Ce taux reste bien supérieur à la moyenne européenne.

Croire sans appartenir

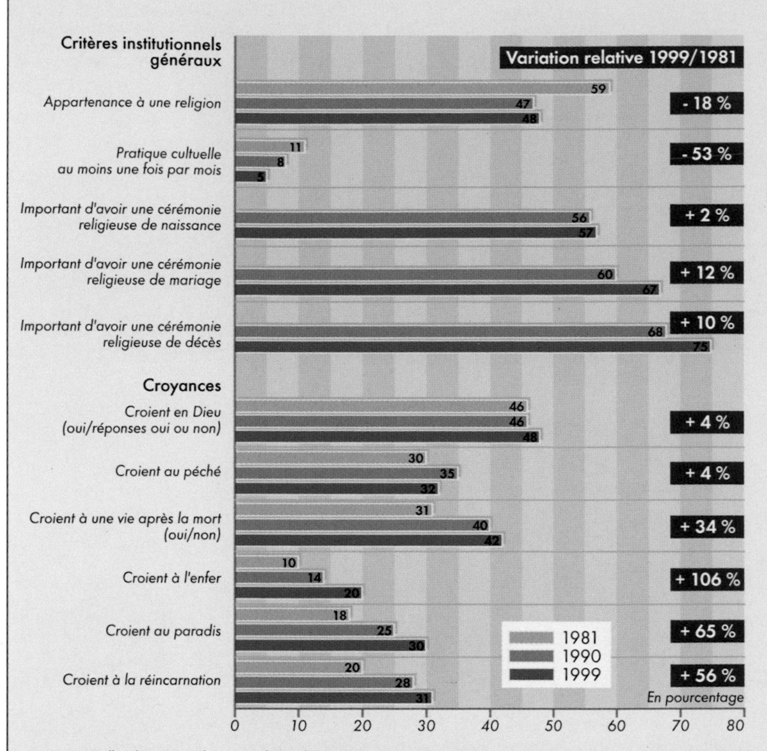

Source : O. Galland et B. Rondet, *Les Valeurs des jeunes*, L'Harmattan, 2001.

Diplôme le plus élevé obtenu selon l'âge et le sexe

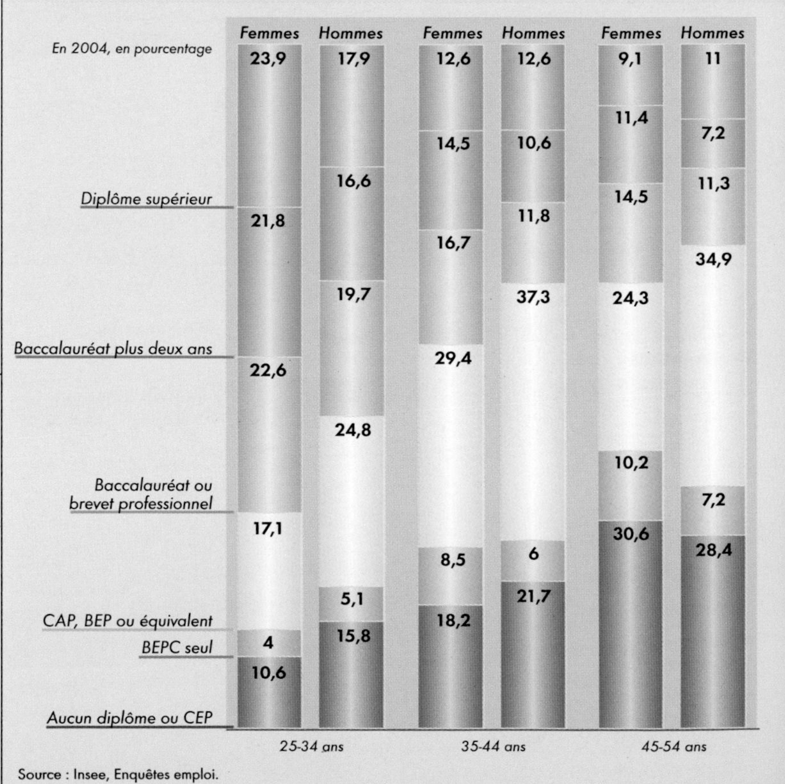

Source : Insee, Enquêtes emploi.

LE NIVEAU MONTE
Le niveau d'études est supérieur à celui des générations précédentes, surtout pour les filles.

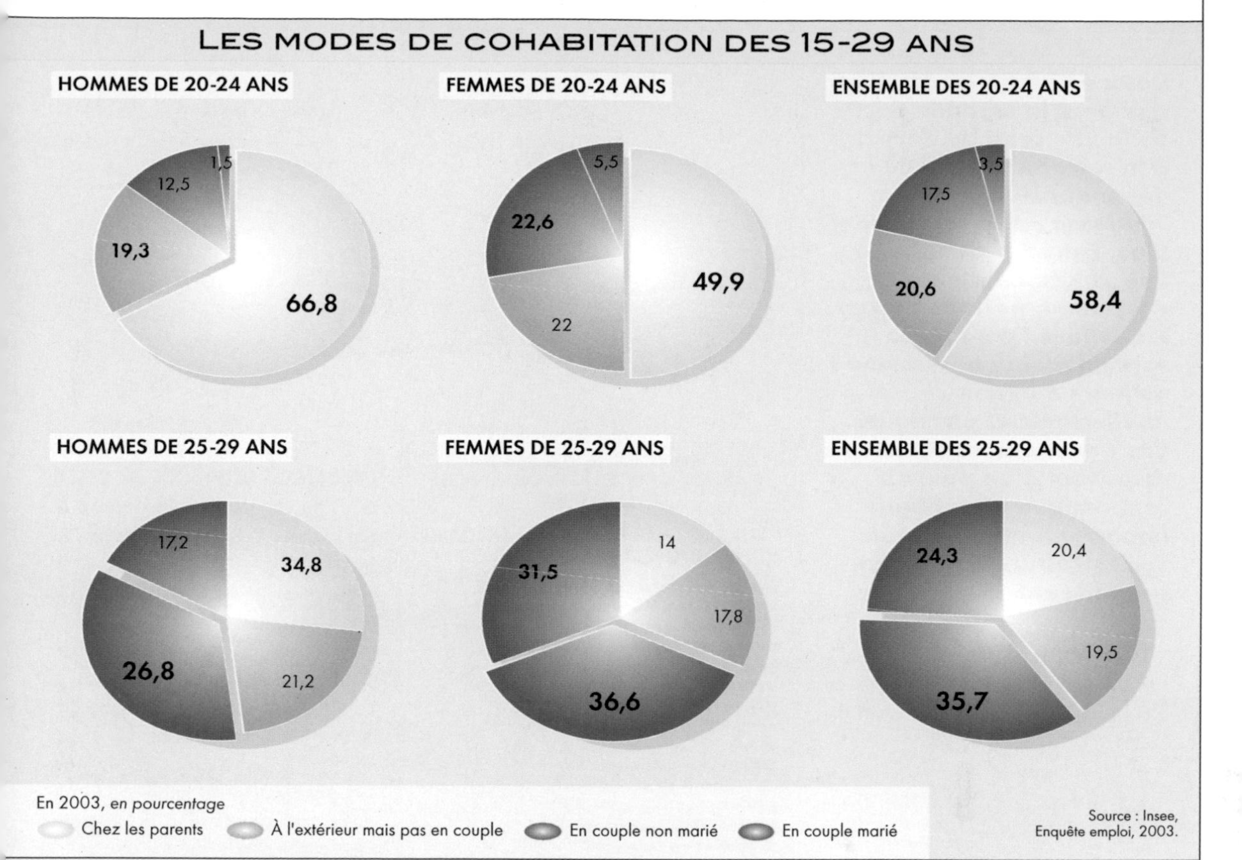

Une frontière floue entre autonomie et dépendance parentale

L'allongement de la jeunesse et l'enrichissement relatif des parents concourent l'un et l'autre à favoriser l'entraide familiale et parfois à maintenir une dépendance des jeunes vis-à-vis de leur famille.

Les difficultés d'insertion des jeunes sur le marché du travail ont pour conséquence un niveau élevé des moins de 35 ans parmi les Rmistes et une entraide familiale qui atteint son maximum à cette étape du cycle de vie, celle où les enfants prennent leur indépendance et quittent le cocon familial. En moyenne, avant 25 ans, l'aide familiale est prépondérante ; après cet âge, en cas de pénurie de revenus, c'est surtout l'aide sociale avec le RMI qui permet d'éviter la pauvreté. Dans tous les cas, étudiants ou jeunes en emploi précaire restent largement dépendants du « parapluie familial » pour la consommation, l'entretien du linge ou le paiement du loyer. Dépendance intermittente parfois lorsque les jeunes couples se font et se défont, et que l'enfant revient chez ses parents. L'entraide familiale reste différente selon les milieux sociaux. Dans les milieux ouvriers ou employés, la mobilité géographique des jeunes pénalise l'aide des parents, qui est plus souvent « domestique », composée de produits de consommation ou de bricolage ; elle se traduit par une entraide faisant plus appel à la parenté élargie (grands-parents ou cousins). Les parents de classes moyennes sont ceux qui gardent leurs enfants le plus longtemps chez eux, ces derniers ne quittant le domicile parental que lorsque leurs revenus leur permettront d'obtenir un niveau de vie égal à celui de leurs parents. Dans les familles aisées, le soutien financier est plus important au moment de l'installation des enfants. Le projet des parents est différent, il a pour but d'assurer une autonomie presque totale du jeune couple, qui, en contrepartie, aura une sorte de dette consistant à rester dans le réseau familial.

UN PHÉNOMÈNE IMPORTANT
Un quart des garçons de 25-30 ans habitent chez leurs parents.

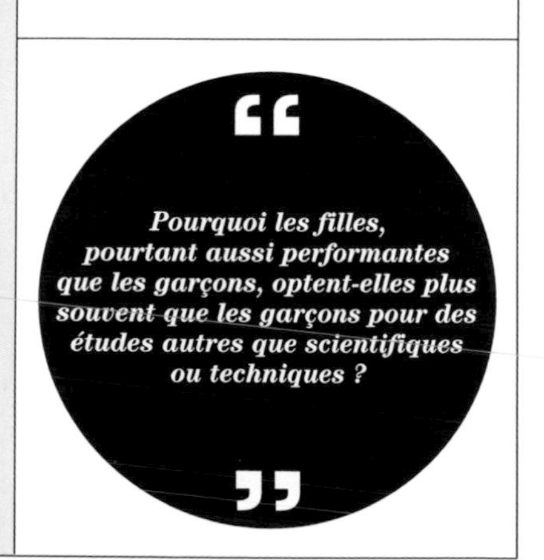

Deux moments particuliers scandent la seconde partie de la vie, celui du départ à la retraite et celui de la dépendance. Retraite et vieillesse ne se confondent plus. Entre les deux, une vingtaine d'années s'écoulent, période durant laquelle les personnes sont en pleine possession de leurs moyens intellectuels et physiques. Ces « nouveaux retraités » disposent d'un pouvoir économique et politique important, et ont un rôle social, culturel et familial grandissant.

> « *Les jeunes et les seniors ont en commun de se consacrer à la culture, à la sociabilité, aux hobbies. Ces deux classes inactives s'épaulent : les jeunes s'instruisent et inventent, les seniors transmettent, tandis que les actifs assurent le fonctionnement de l'économie.* »

LES SENIORS FRANÇAIS PARMI LES PLUS JEUNES D'EUROPE

TAUX D'EMPLOI DES 55-64 ANS DANS L'UNION EUROPÉENNE, en 2002

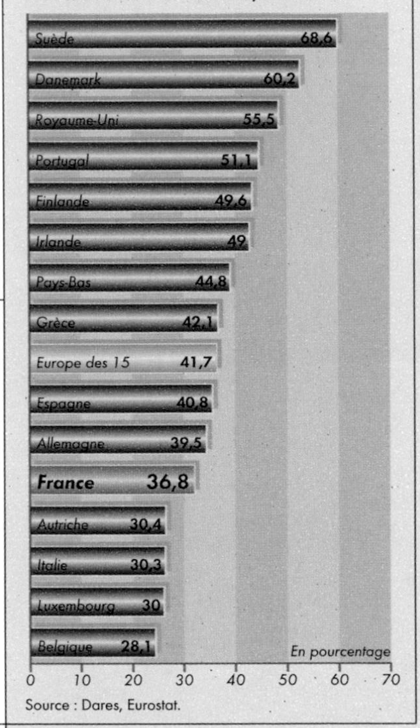

Source : Dares, Eurostat.

Un niveau économique accru

Le recul de la mortalité au fil des générations a remis en question l'âge de la vieillesse et a créé cette nouvelle période qui précède l'invalidité, où l'on n'est plus tout jeune mais pas encore vieux. Avoir 60 ans aujourd'hui, c'est être entouré de parents âgés, de collatéraux nombreux, d'enfants et de petits-enfants. C'est avoir un niveau de vie confortable grâce aux dividendes des années de croissance, qui ont permis des retraites relativement élevées. C'est disposer de soins médicaux, qui permettent de rester gaillard. C'est disposer d'un temps libre inédit. C'est finalement être le pivot familial sur qui les autres membres de la famille vont compter, les uns pour traverser des périodes de chômage ou les séparations, les autres pour leur apporter soutien moral ou soins du grand âge.

Une amélioration du niveau de vie. Avec moins de charges et moins d'emprunts (70 % des retraités sont propriétaires de leur logement), l'amélioration des pensions de retraite et l'accroissement du patrimoine ont permis aux retraités d'avoir un niveau de vie égal en moyenne à celui des actifs. Cette évolution a renversé le sens habituel des transferts privés de solidarité : ce ne sont plus les enfants qui aident leurs vieux parents, mais l'inverse. Ce pouvoir d'achat a conduit à la création d'un marché dévolu aux « seniors » : produits de santé, voyages, cours de gymnastique et presse spécialisée.

Des disparités persistantes. Des disparités subsistent cependant au sein de la population des retraités : l'espérance de vie reste de neuf ans plus courte pour un manœuvre que pour un cadre supérieur, et le niveau des pensions peut être très différent : beaucoup de femmes n'ont travaillé qu'à temps partiel. Elles ont été plus nombreuses dans les emplois peu qualifiés et ont plus souffert des licenciements ou de mises en préretraite. L'écart est donc considérable entre les pensions des hommes et celles des femmes.

OÙ VIVENT LES RETRAITÉS ?

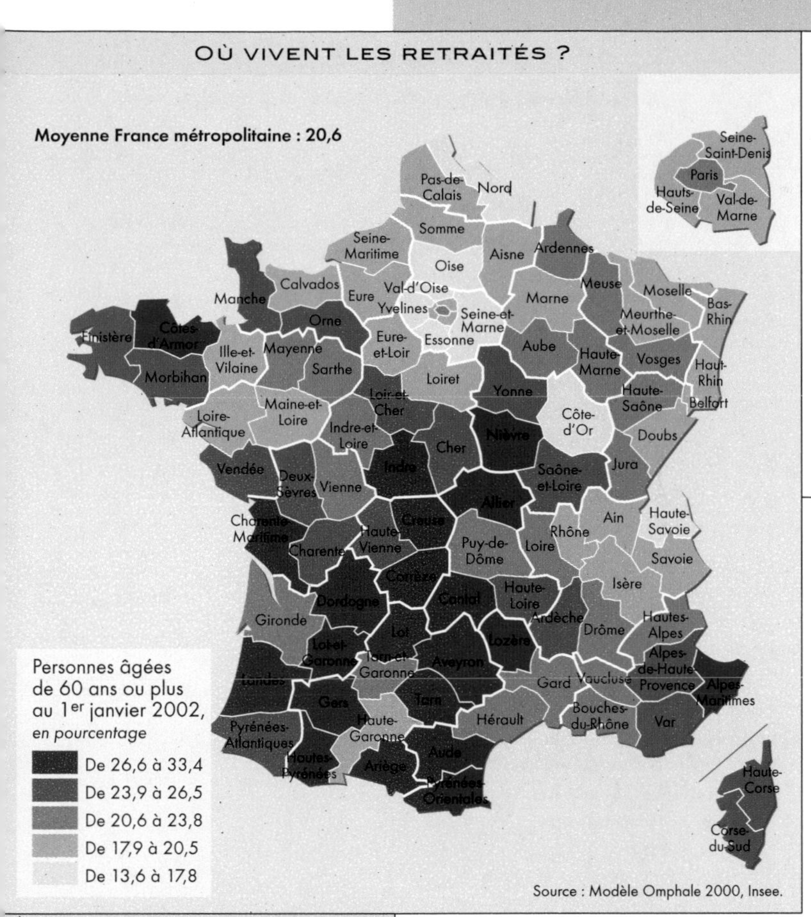

Source : Modèle Omphale 2000, Insee.

LA CAMPAGNE ET LES SENIORS
Les retraités animent les campagnes et les font revivre en exigeant des services.

Le pouvoir croissant des retraités

Si les retraités ne militent plus comme ils le faisaient en période d'activité sur des sujets liés au travail, en revanche, ils sont plus nombreux que ceux des autres générations à adhérer à une association et à y être actif. Ils sont également plus nombreux parmi les élus politiques. Leur disponibilité et leur expérience les prédisposent à accepter des mandats électoraux (environ 30 % des maires sont des retraités). Et pour les activités bénévoles, l'effet d'âge est compensé par l'effet de génération : un retraité qui aura eu des responsabilités dans son entreprise aura utilisé toutes les nouvelles technologies, aura pris l'habitude de s'informer ; il gardera ses habitudes au moment de la retraite et les mettra au profit de ses engagements. Il est même possible que cette partie de la population, démographiquement ascendante, se constitue en *lobby*, dont le poids pourrait peser sur les décisions politiques, d'autant qu'au regard de l'évolution des pensions de retraite, ces retraités auront plus de raisons de vouloir défendre leurs droits que leurs aînés. Ce type de mouvement est déjà bien ancré aux États-Unis ou aux Pays-Bas.

La première génération qui a vécu une jeunesse véritable, celle du *baby boom*, commence à arriver à la retraite. Elle entre dans le troisième âge en retrouvant les activités culturelles et sociales de sa jeunesse, activités qui la rapprochent de la jeunesse d'aujourd'hui.

ES CADEAUX DANS UNE ANNÉE

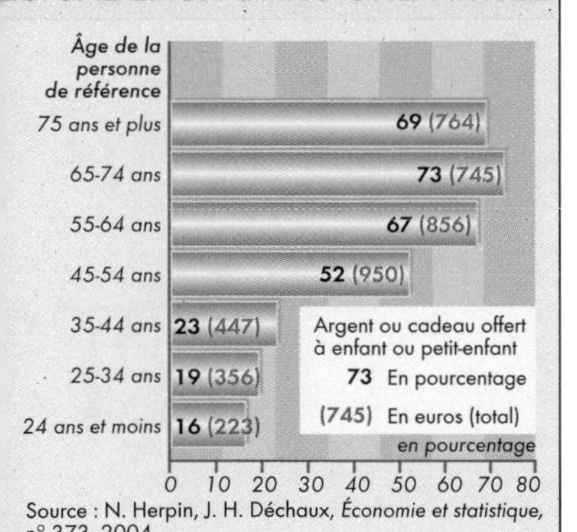

Source : N. Herpin, J. H. Déchaux, *Économie et statistique*, n° 373, 2004.

L'AIDE MATÉRIELLE

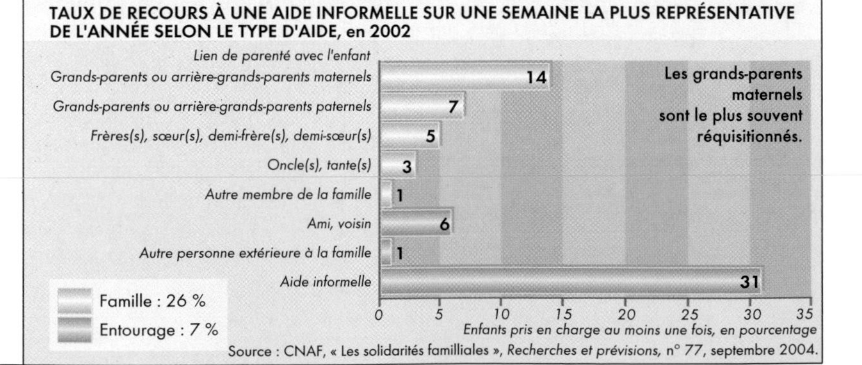

Source : CNAF, « Les solidarités familliales », *Recherches et prévisions*, n° 77, septembre 2004.

Vacances, famille et bénévolat

DES VACANCES TOUJOURS FRÉQUENTES. Les vacances sont l'exemple parfait de changement de comportement des seniors. Il y a vingt ans, plus on était jeune, plus on partait en vacances. Aujourd'hui, rien ne différencie les nouveaux retraités des autres tranches d'âge : ils partent en vacances aussi souvent. Contrairement aux retraités des générations précédentes, ils ont tous une automobile et se déplacent sans cesse. Autre disparité en voie d'extinction, la possession du micro-ordinateur se diffuse parmi les retraités. Il est de plus en plus l'objet du cadeau de départ à la retraite et son utilisation, volontairement simplifiée par les constructeurs qui voient dans les seniors une cible attractive, est stimulée par les petits-enfants. Courriels et moteurs de recherche sont de nouveaux outils qui permettent aux retraités une transition douce entre âge actif et âge inactif.

LES DÉPARTS EN VACANCES DES SENIORS

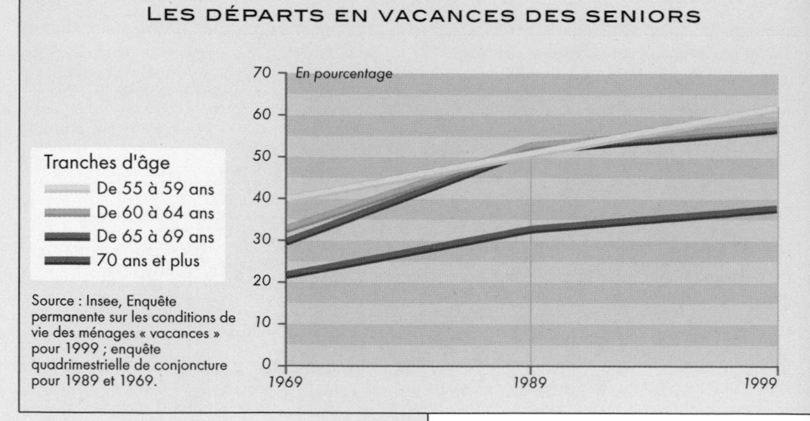

Source : Insee, Enquête permanente sur les conditions de vie des ménages « vacances » pour 1999 ; enquête quadrimestrielle de conjoncture pour 1989 et 1969.

DES RELATIONS FAMILIALES ÉTENDUES. La sociabilité les jeunes retraités diminue peu, habitués qu'ils étaient à fréquenter beaucoup de monde pendant la période d'activité. Ils continuent à inviter des amis, mais ils perdent leurs anciens collègues de travail et les relations avec la parenté prennent toute leur ampleur. Le cas le plus aigu est celui de la femme sexagénaire qui se tourne d'un côté vers ses filles pour les aider à élever les petits enfants – le plus souvent il s'agit de la garde le mercredi et les vacances scolaires –, de l'autre vers ses propres parents qui réclament soins et attentions. Ainsi, le chevauchement des générations renforce les liens du lignage dont la sexagénaire devient le pivot.

UNE IMPLICATION ACTIVE DANS LES ASSOCIATIONS. Les nouveaux retraités sont actifs dans les associations, en particulier celles liées aux loisirs et à la culture ; ils animent les clubs du troisième âge et s'investissent beaucoup dans le bénévolat et l'humanitaire.

UNE RUPTURE DE GÉNÉRATION PLUS TARDIVE. En deux décennies, les disparités d'antan entre jeunes, actifs et troisième âge ont eu tendance à s'effacer. La vraie rupture se situe maintenant autour des 75 ans : une moins bonne santé et l'isolement dû au veuvage constituent les premiers facteurs de divergence.

TAUX DE PARTICIPATION AUX ÉLECTIONS 2004

Âge au 1er janvier 2004	Taux moyen de participation, en pourcentage
18 à 19 ans	52
20 à 29 ans	39
30 à 39 ans	50
40 à 49 ans	60
50 à 59 ans	65
60 à 69 ans	69
70 à 79 ans	67
80 à 89 ans	55
90 ans ou plus	30
ENSEMBLE	57

Source : Insee, Enquête sur la participation électorale en 2004.

TAUX D'ADHÉSION À UNE ASSOCIATION SELON L'ÂGE

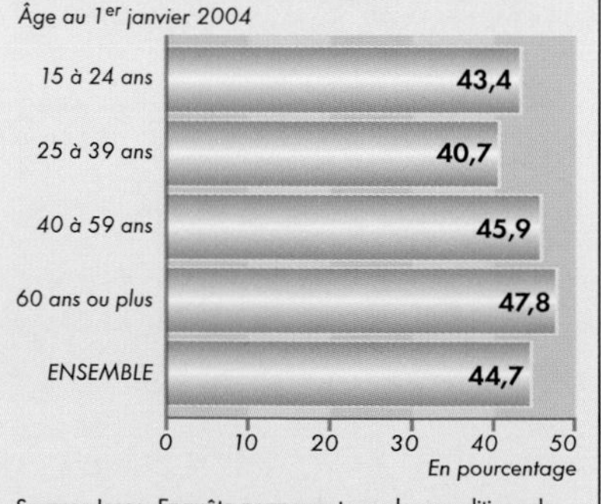

Source : Insee, Enquête permanente sur les conditions de vie 1997 à 2003.

Un âge d'or qui prend de la patine

Jusqu'à présent, la France est l'un des trois pays de l'Union européenne où les 55-64 ans travaillent le moins. Sans un allongement important de la durée d'activité, la population active devrait commencer à diminuer à partir de 2007. Ceci devrait conduire à un report de l'âge moyen de la retraite vers 62 ans en moyenne. Par ailleurs, le montant moyen des pensions devrait diminuer du fait des réformes engagées depuis 1993, qui visent à limiter le poids des prélèvements obligatoires. C'est pourquoi, aujourd'hui, sans illusion sur l'évolution future de leur pouvoir d'achat, les Français en activité envisagent, plus qu'hier, d'épargner personnellement en vue de la retraite, au risque de peser sur la consommation, la croissance et l'emploi.

LA FORTUNE DES FRANÇAIS

Les Français sont des écureuils. Leur taux d'épargne est globalement élevé. Toutefois, un quart des ménages ne dispose que d'une épargne modeste et de court terme, alors qu'une minorité concentre les trois quarts du patrimoine d'investissement ou entrepreneurial. Entre ces deux groupes, la majorité des ménages cumule des actifs financiers en vue de la retraite et souvent la propriété du logement qu'ils transmettront à leurs enfants. Les Français craignent l'avenir. Ils continuent d'épargner bien que leur pouvoir d'achat ait légèrement diminué au cours des dernières années, et ils le font le plus souvent dans des placements sans risque.

Un patrimoine élevé en moyenne

L'enrichissement des ménages depuis plusieurs décennies a décuplé le patrimoine des Français, qui s'est beaucoup diversifié. Neuf ménages sur dix ont un livret d'épargne qui a remplacé le bas de laine, près de la moitié ont des contrats d'assurance vie ou d'épargne retraite, et plus de la moitié ont un patrimoine immobilier (56 % des Français sont propriétaires de leur résidence principale, y compris ceux qui sont en cours d'accession). La pierre continue d'être une valeur refuge, l'épargne la plus sûre qui évitera de payer un loyer au moment de la retraite. Nombreux sont les ménages qui cumulent différentes formes d'épargne. Ils répondent à une offre de produits sans cesse élargie par les institutions bancaires ou d'assurance. La France figure parmi les pays où le taux d'épargne est le plus élevé. Le taux d'épargne net des ménages français (différence entre l'épargne réalisée au cours de la période considérée et la variation de l'endettement) s'élève à 15,3 % de leur revenu disponible en 2004. Il n'a cessé de s'accroître depuis 1991, tandis qu'il baissait en Espagne, en Allemagne, au Royaume-Uni et aux États-Unis. Les Français craignent le chômage et la baisse des pensions de retraite. L'épargne de précaution ne cesse d'augmenter, encouragée par les nouvelles formes d'épargne salariale. L'endettement des Français augmente, mais il est largement consacré à l'habitat. Grâce à l'endettement, les ménages jeunes (30-35 ans) sont plus souvent propriétaires que leurs homologues de 1998. Par ailleurs, les nouveaux propriétaires se sont plus souvent établis dans les zones rurales que dans les agglomérations.

En 2000, le montant du patrimoine médian des ménages s'élevait à environ 78 000 euros ; il progresse de 2 à 5 % en monnaie constante suivant les années depuis 1985. Le montant du patrimoine médian est celui qui partage la population des Français en deux fractions égales : une moitié de la population dispose d'un patrimoine inférieur à la valeur médiane et l'autre moitié, d'un patrimoine supérieur à cette même valeur.

LE PATRIMOINE SELON LES CATÉGORIES SOCIOPROFESSIONNELLES

TAUX DE DÉTENTION DE PATRIMOINE PAR LES MÉNAGES

TAUX DE DÉTENTION DE PATRIMOINE IMMOBILIER PAR LES MÉNAGES POUR LA RÉSIDENCE PRINCIPALE

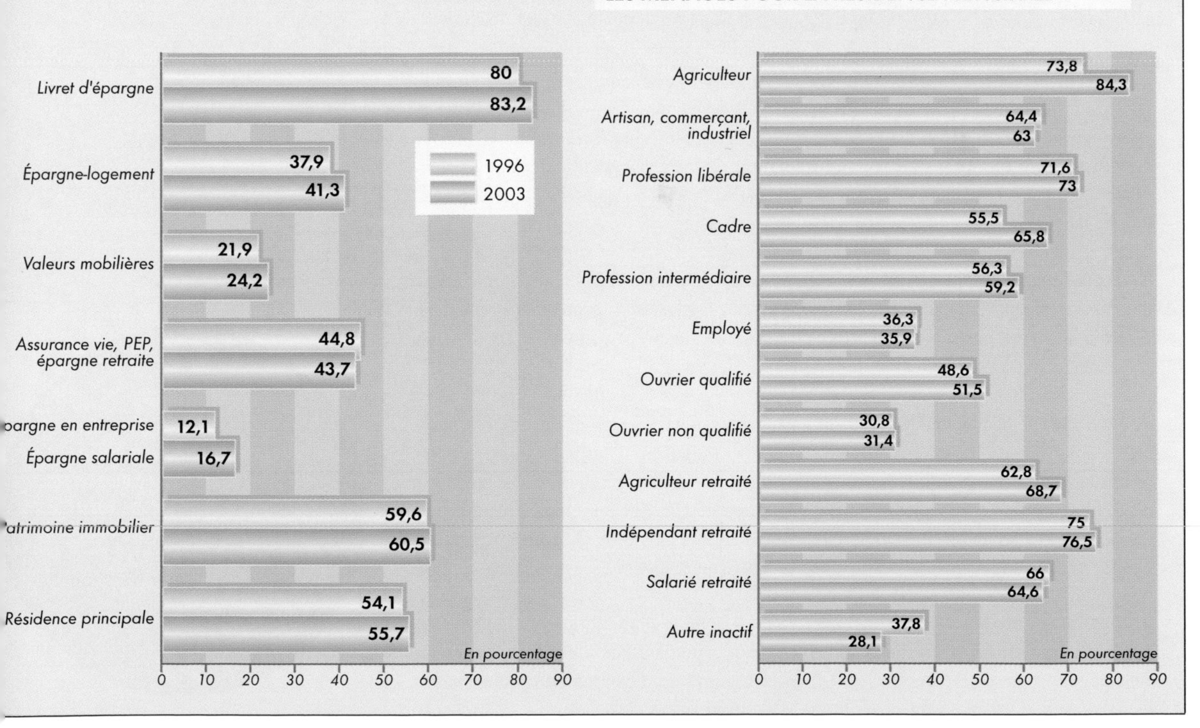

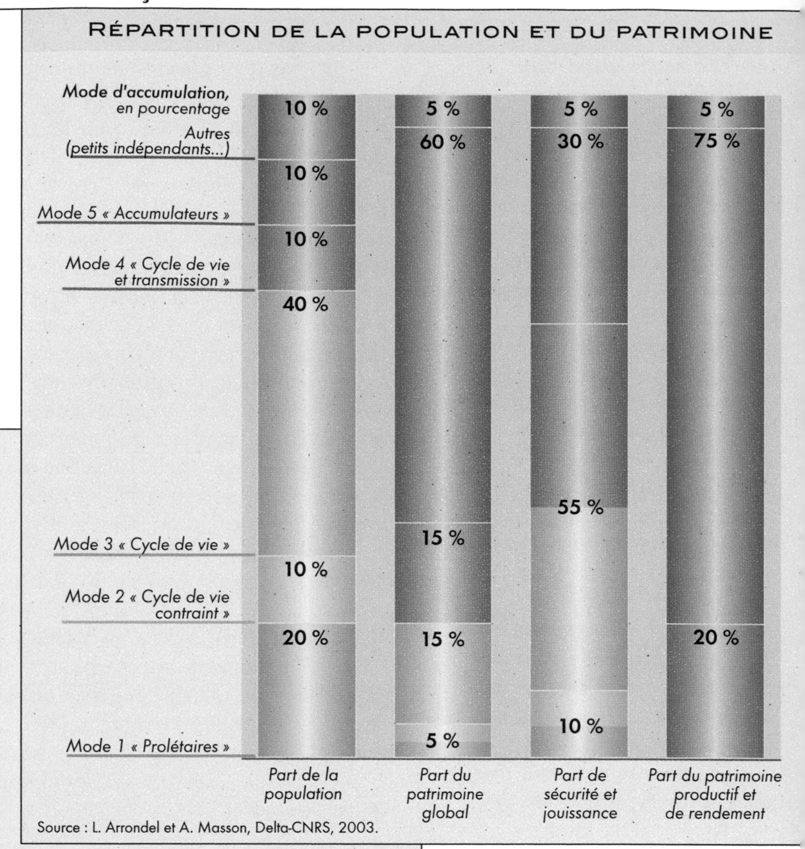

Source : L. Arrondel et A. Masson, Delta-CNRS, 2003.

Les différents profils d'épargnants

Selon les économistes Luc Arrondel et André Masson (CNRS), on observe plusieurs types d'épargnants, dont les types 2 à 4 constituent les classes moyennes et représentent 60 % de la population.

1. Consommation quotidienne. Les « prolétaires » représentent 20-25 % de la population. Les ménages sont modestes, vivent au jour le jour et ont des revenus instables. Ils utilisent l'épargne et le crédit au gré de leur consommation quotidienne. Ils épargnent surtout pour la transaction et la précaution du lendemain seulement. Ils sont souvent endettés à court terme et ne peuvent pas avoir de projet patrimonial. Le livret A leur sert de banque, il est la boîte à biscuit en métal du siècle dernier.

2. Objectif retraite. Certains ménages ont pour horizon temporel leur existence. C'est le modèle de « cycle de vie contraint » ; les revenus sont modestes et l'objectif principal est la retraite. Ils vont épargner durant leur vie professionnelle et tout consommer au moment de la retraite. Ils ne pensent pas à une quelconque transmission. Si celle-ci se réalise, elle sera résiduelle. Ils sont estimés à 10 % de la population. Ils n'accèdent pas à la propriété du logement.

3. Objectif logement et retraite. Les plus nombreux (près de 40 % de la population) sont des ménages dont l'épargne est centrée sur l'acquisition du logement et la retraite. Ils transmettront une résidence et quelques actifs financiers résiduels. Ils sont au cœur des classes moyennes, techniciens supérieurs, professions intermédiaires.

4. Faire fructifier son patrimoine. Plus avant sont les ménages qui ont acquis une aisance suffisante pour transmettre une accumulation d'actifs, une résidence secondaire en plus de la résidence principale, des valeurs mobilières. L'objectif est de faire fructifier son patrimoine pour le transmettre. Sur les vieux jours, ils ne consomment pas beaucoup pour transmettre le plus possible. Ce sont en particulier les cadres supérieurs et les professions libérales.

5. Investir. Enfin, les « accumulateurs » (5 à 10 % de la population) privilégient les actifs d'investissement. Ils jouent un rôle socioéconomique essentiel car ils disposent de la moitié du patrimoine total et des trois quarts du capital d'investissement.

« Paris, Hauts-de-Seine et Yvelines représentent en 2002 près de la moitié du montant total versé au titre de l'ISF (46,7 %). »

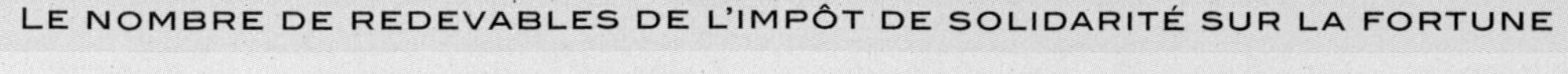

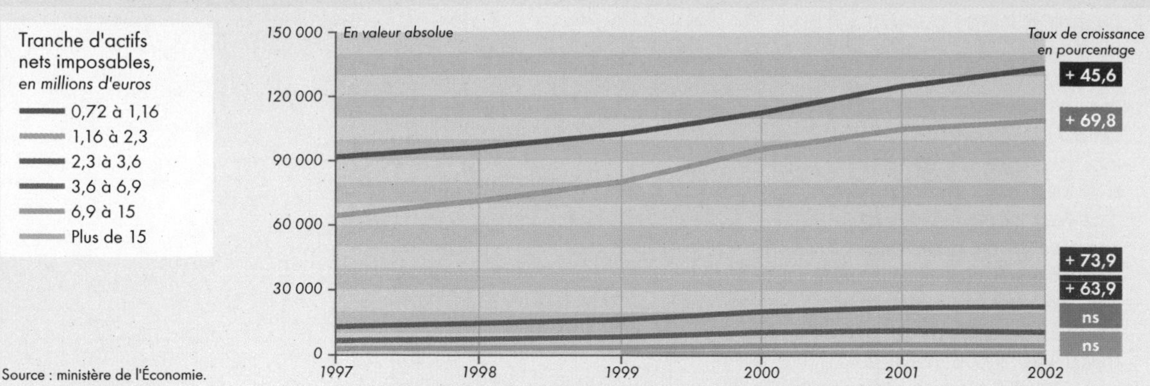

Source : ministère de l'Économie.

UN NOMBRE D'ASSUJETTIS À L'ISF EN HAUSSE

Entre 1997 et 2003, les assujettis à l'ISF ont augmenté de 67,5 %. 85 % d'entre eux ont un revenu imposable inférieur à 2,3 millions d'euros.

L'impôt sur la fortune

Au sein du groupe d'épargnants les « accumulateurs », ceux qui sont assujettis à l'impôt sur la fortune (ISF) représentent 300 000 foyers fiscaux, dont 85 % se situent dans les premières tranches de cet impôt, qui s'élève en moyenne à 0,2 % de leur patrimoine. Les « vrais riches » sont environ 5 000 en France et leur patrimoine dépasse les 7 millions d'euros. Ils pourraient être plus nombreux, mais quelques centaines ont quitté la France pour échapper à cette taxation, au détriment des emplois qu'ils auraient pu créer en investissant en France, car ces derniers sont souvent des jeunes compétences qui ont des moyens financiers.

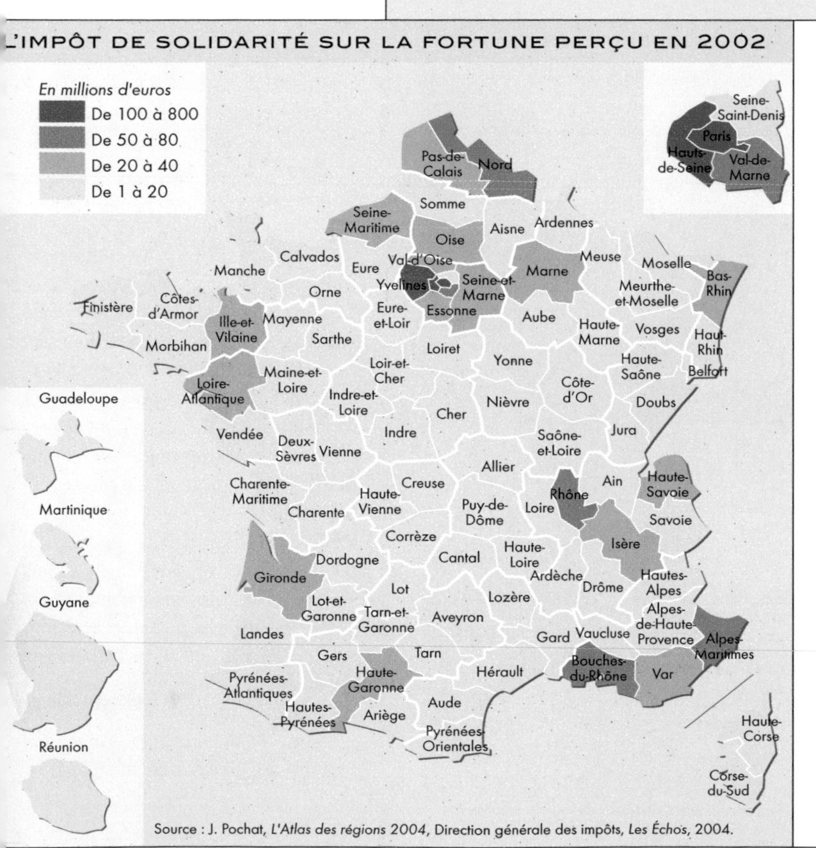

Source : J. Pochat, *L'Atlas des régions 2004*, Direction générale des impôts, *Les Échos*, 2004.

Le patrimoine est inégalement réparti entre les ménages

Depuis la fin des années 1980, on constate une légère baisse de la concentration du patrimoine et l'éventail de la répartition s'est resserré pour la grande majorité des ménages, en dehors des plus pauvres et des plus riches. Ceci est dû à l'enrichissement des plus âgés, qui ont bénéficié des fruits de la période de croissance. Ils sont plus riches que les plus âgés d'hier. Dans le palmarès des inégalités de patrimoine, la France apparaît moins inégale que les pays anglo-saxons et l'Allemagne, mais plus que les pays d'Europe du Nord. En France, les 10 % les plus riches disposent de 46 % du patrimoine total et les 10 % les plus pauvres ne disposent de rien. Les grosses fortunes ne s'expliquent pas par l'âge, mais par le revenu et, surtout, par l'héritage.

DE L'ANCIENNE À LA « NOUVELLE PAUVR

Grâce à l'État-providence, la pauvreté a diminué de plus de moitié depuis les années 1970. Le minimum vieillesse et l'arrivée à maturité des régimes de retraite ont fait sensiblement reculer le nombre des « économiquement faibles » qu'étaient les retraités et qui formaient la grande partie des ménages pauvres. En revanche, derrière cette amélioration, se cache l'émergence d'une « nouvelle pauvreté » issue de la dégradation de la condition salariale. Le développement du chômage et de l'activité à statut précaire (temps partiel contraint, intérim, emplois aidés, CDD, etc.) conduit aux bords de la pauvreté une importante partie de la population.

Les mesures de la pauvreté

LA MESURE DE LA PAUVRETÉ EST EN PARTIE CONVENTIONNELLE. En général, on considère en Europe qu'un individu est pauvre lorsque ses ressources sont inférieures à la moitié du revenu médian de la population. En France, ce revenu était de 650 euros par mois en 2003 pour une personne seule, ou 1 170 euros pour un couple avec un enfant de moins de 14 ans. Selon cette mesure, les pauvres représentent 6,1 % de la population en 2001, soit environ 3,6 millions de personnes.

MESURES DE L'INSEE. L'Insee procède régulièrement à une enquête destinée à mesurer les difficultés matérielles de la vie des individus (privations, difficultés de fin de mois, etc.). Vingt-sept variables sont prises en compte. Il résulte de cette enquête que 6,8 millions de personnes seraient pauvres, soit 11,5 % de la population.

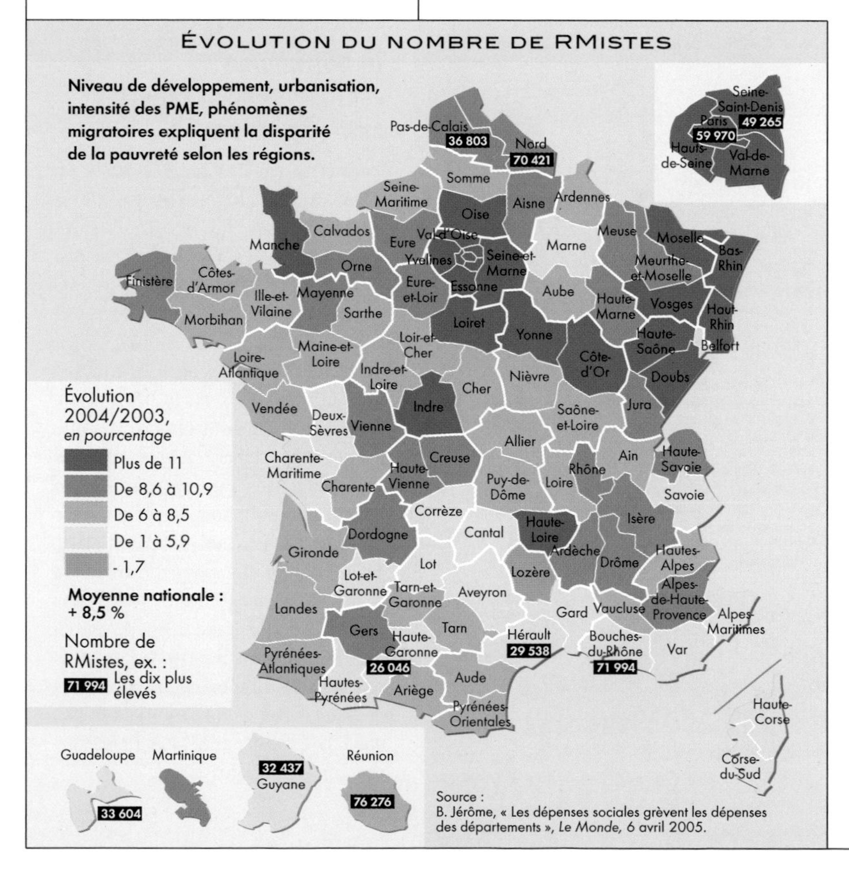

Source :
B. Jérôme, « Les dépenses sociales grèvent les dépenses des départements », *Le Monde*, 6 avril 2005.

MESURES D'INSTITUTIONS LUTTANT CONTRE LA PAUVRETÉ. Les rapports des diverses institutions qui se consacrent à la lutte contre la pauvreté (Cnaf, Secours catholique, Agir contre le chômage, etc.) notent une détérioration récente de la situation, confirmée, en particulier en 2005, par une hausse du nombre d'allocataires du RMI (1 107 000).

Les enquêtes sur l'extrême pauvreté et les sans-domicile fixe révèlent une population plutôt masculine et jeune, mais les femmes en représentent tout de même un tiers. Les étrangers demandeurs d'asile représentent plus de 30 %. Près de la moitié ont eu un logement, mais l'ont perdu pour cause de séparation, de non-paiement du loyer et d'expulsion. Trois sans-logis sur dix ont un emploi et 11 % appartenaient antérieurement aux catégories cadre ou profession intermédiaire. Enfin, moins du quart de cette population perçoit le RMI, alors que 60 % bénéficient de la couverture universelle maladie (CMU).

La montée de la précarité et des salariés pauvres

Avec un chômage qui frôle les 10 % de la population active et des emplois précaires (emplois temporaires et à temps partiel) qui concernent 14 % de l'emploi, c'est une part très importante de la population qui, sans être à proprement parler pauvre, connaît en permanence le risque de paupérisation et les difficultés à gérer la vie quotidienne. Il suffit d'un accident de la vie, d'une rupture, d'une maladie, d'un problème de logement pour basculer dans l'indigence.

UNE NOUVELLE PAUVRETÉ. La pauvreté d'antan était quasi héréditaire : on naissait pauvre et on menait sa courte vie dans l'indigence. La pauvreté actuelle est plus souvent transitoire, parfois entrecoupée de périodes plus favorables, la personne ayant trouvé un emploi temporaire ou l'aide sociale étant plus généreuse. Si le taux global de personnes considérées comme pauvres, selon la définition, n'a pas augmenté, en revanche le nombre de « précaires », qui font partie de cette zone grise appelée le « halo autour du chômage », a fortement augmenté. De plus en plus de personnes estiment n'être pas à l'abri de la pauvreté. Le risque s'est étendu à toute la population qui a un emploi précaire ou un temps partiel contraint. Les plus concernés sont les jeunes qui ne parviennent pas à construire une carrière, les chefs de familles monoparentales – ce sont neuf fois sur dix des femmes, en situation de surendettement – et les travailleurs âgés. Ce sont des travailleurs pauvres qui alternent chômage et sous-emploi. Aujourd'hui, environ 30 % des salariés perçoivent un salaire inférieur à 1 100 euros.

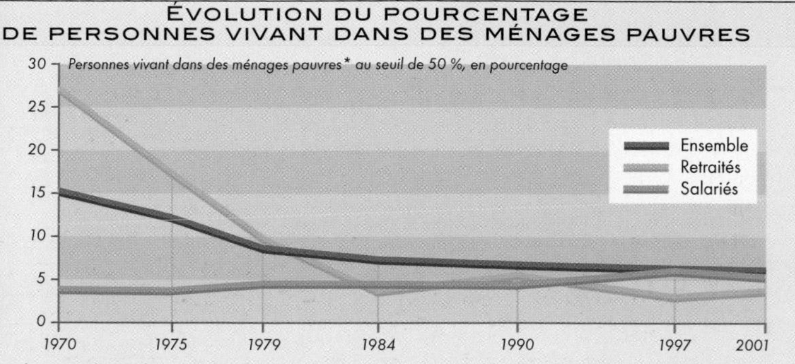

* C'est-à-dire où les personnes y vivant ont des ressources individuelles inférieures à 50 % des ressources individuelles médianes.

Source : J. Rigaudiat, *Droit social*, mars 2005, et rapport de l'Observatoire de la pauvreté.

LES CONDITIONS SALARIALES NE CESSENT DE SE DÉGRADER
Il n'y a pas de montée générale de la pauvreté ; il y a, par contre, une profonde dégradation de la condition salariale.

POURCENTAGE DE MÉNAGES VIVANT AU-DESSOUS DU SEUIL DE PAUVRETÉ

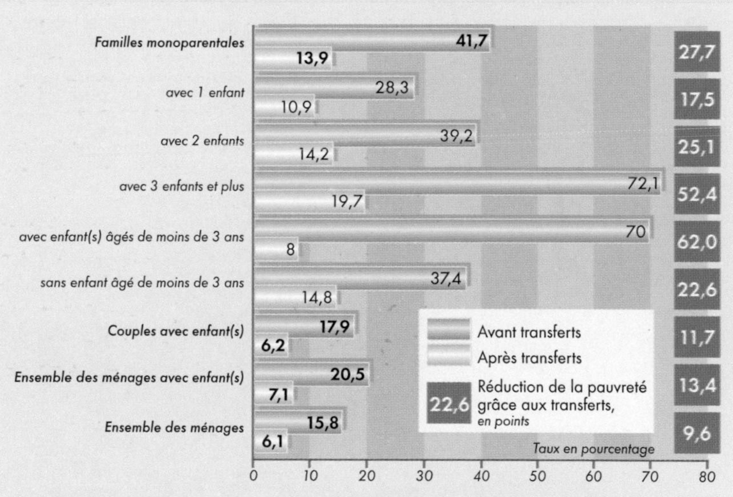

Avant transfert, 41,7 % des individus vivant dans une famille monoparentale ont un niveau de vie inférieur au seuil de pauvreté (défini comme la demi-médiane des niveaux de vie des individus). Après transferts, soit en considérant le revenu disponible des individus, 13,9 % de ceux qui vivent dans une famille monoparentale ont un niveau de vie inférieur au seuil de pauvreté.

Champ : ménages ordinaires dont le revenu primaire est positif ou nul, hors ménages étudiants. Les enfants sont âgés de moins de 25 ans et sont célibataires. Le niveau de vie s'apprécie en rapportant le revenu du ménage (primaire ou disponible) au nombre d'unités de consommation qui composent le ménage selon l'échelle d'équivalence de l'Insee et de l'OCDE. Le revenu primaire correspond au revenu initial des ménages (revenu d'activité et de remplacement - allocations chômage, pensions de retraite, rentes, pensions alimentaires, patrimoine) diminué des prélèvements directs que sont la CSG et la CRDS. Le revenu disponible correspond au revenu primaire augmenté des prestations familiales, des minima sociaux et des aides au logement et diminué de l'impôt sur le revenu et de la taxe d'habitation.

Source : Dress, E. Algava *et al.*, « Les familles monoparentales et leurs conditions de vie », *Études et résultat*, n° 389, mars 2005.

> « *Personnes de plus de 50 ans, familles monoparentales, pères seuls, étrangers sans statut, chômeurs non indemnisés, telles sont les populations les plus demandeuses du Secours catholique.** »

DE L'ANCIENNE À LA « NOUVELLE PAUVRETÉ »

RÉPARTITION DES SITUATIONS PROFESSIONNELLES

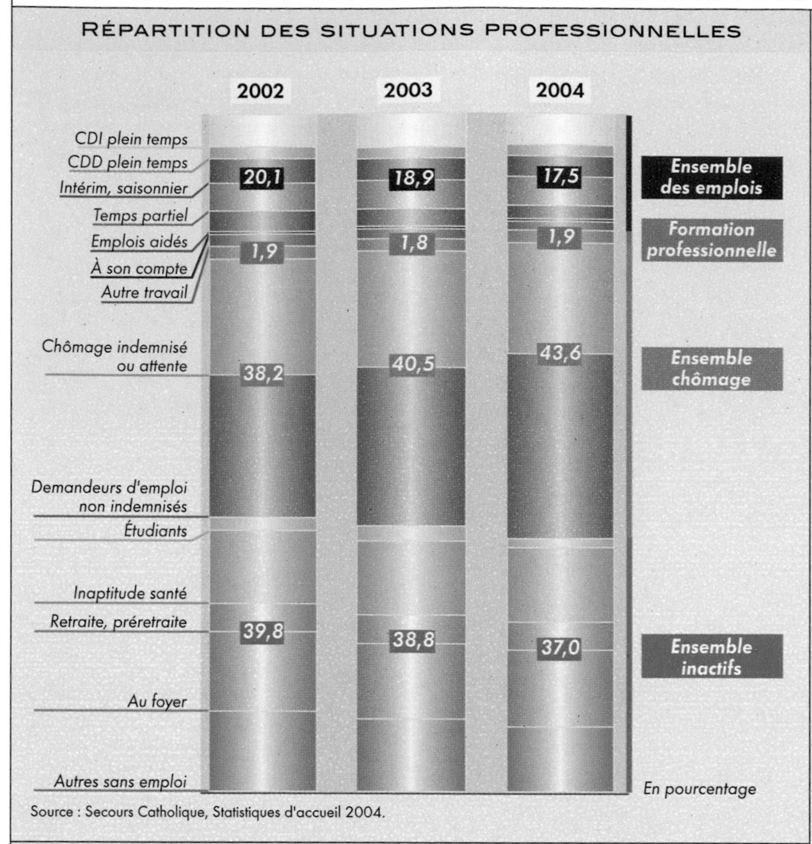

Source : Secours Catholique, Statistiques d'accueil 2004.

LES ALLOCATAIRES DES MINIMA SOCIAUX

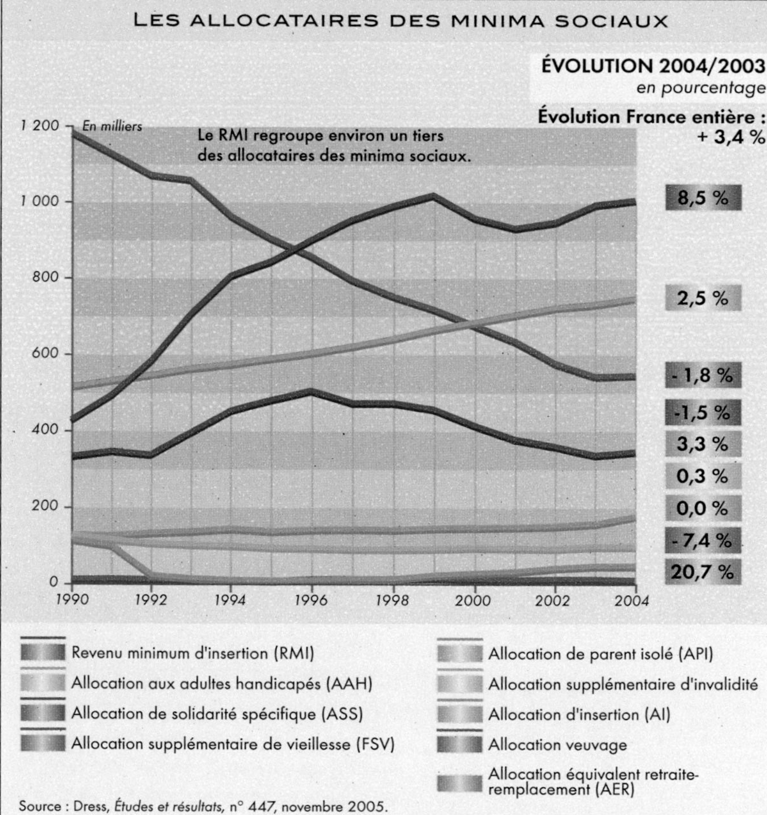

Source : Dress, *Études et résultats*, n° 447, novembre 2005.

L'assistance de l'État peine à faire face

Face à la montée du chômage, depuis 1992, les indemnités de l'Unedic ont été revues à la baisse. Non seulement le nombre d'ayants droit à une pleine indemnité a diminué mais le montant de l'indemnité est passé en moyenne de 80 à 57 % du salaire brut. Des allocations de solidarité pour les chômeurs qui n'ont jamais travaillé ou qui atteignent la fin de leurs droits prennent la relève du système d'indemnisation du chômage. L'ASS (allocation de solidarité spécifique) et le RMI (revenu minimum d'insertion) ont pour principe de servir de filet de sécurité. Mais leur montant est inférieur au Smic à mi-temps.

LE RETOUR À L'EMPLOI, UNE PRIORITÉ. Devant le chômage de masse et l'incapacité à trouver des emplois bien rémunérés pour les RMistes, qui n'ont pas intérêt à retravailler pour un très bas salaire, on a créé la prime pour l'emploi, qui s'ajoute au salaire et incite les chômeurs à retravailler. La loi de programmation pour la cohésion sociale veut aller encore plus loin dans le principe de retour à l'emploi et le RMA (revenu minimum d'activité) subventionne le chef d'entreprise qui embauche un RMiste ou un allocataire de l'ASS : avec un contrat d'insertion, la part du salaire correspondant au RMI est versée par l'État à l'employeur. Fin 2003, 3,3 millions de personnes reçoivent des minima sociaux, qui couvrent au total quelque 6 millions de personnes.

DES PRESTATIONS SOCIALES INDISPENSABLES

Les prestations sociales contribuent fortement à améliorer le niveau de vie des familles monoparentales, souvent très faible.

MOBILITÉ SOCIALE ET INÉGALITÉS

Jusqu'aux années 1980, on parlait des inégalités en termes de lutte des classes, des écarts économiques entre les grandes catégories de la population. Aujourd'hui, ces écarts ont diminué grâce à la prolongation de la scolarité, l'élévation générale des niveaux de vie et des conditions matérielles. Dorénavant, on parle de sécurité de l'emploi ou de précarité et d'exclusion, d'inégalités hommes/femmes, de générations, de diplômes, de culture, de territoire, de liens sociaux ; pour simplifier, d'« égalité des chances », de société juste, à la recherche d'une juste distribution des ressources entre les individus.

Augmentation de la fluidité sociale, moindre influence de l'origine sociale

Globalement, si l'on regarde l'évolution des professions depuis les années 1960, on observe un mouvement, que les Anglais nomment *up-grading*, de glissement vers le haut. Les besoins de la production et du fonctionnement de la société réclament de plus en plus de professions moyennes ou supérieures et de moins en moins de salariés non qualifiés. Cette tendance est cohérente avec l'élévation du niveau moyen de formation scolaire et universitaire. La mobilité sociale a ouvert la porte des classes moyennes aux classes populaires, tandis que la catégorie des cadres supérieurs, en expansion, recrutait dans les professions intermédiaires. Ce mouvement a eu pour conséquence de réduire l'inégalité des chances entre catégories professionnelles.

DISPARITÉS SELON L'ORIGINE SOCIALE. Sur la période 1979-2000, les experts (A. Lefranc, N. Pistolesi et A. Trannoy, 2004) observent que le milieu social le plus avantagé, celui des enfants de cadres, voit son avantage relatif par rapport à la catégorie la moins avantagée diminuer. En 2000, entre mobilité sociale et évolution de revenu, un descendant de cadre peut espérer bénéficier d'un niveau de vie supérieur de 50 % à celui d'un descendant d'ouvrier, écart qui a diminué de vingt points en vingt ans. L'enfant de cadre a plus de difficulté aujourd'hui qu'hier à rester dans la position de cadre, malgré l'expansion de ce groupe social. À l'autre extrémité, les fils d'agriculteurs et d'artisans ont de meilleures perspectives qu'auparavant en occupant des métiers plus rémunérateurs. La part de l'origine sociale dans la hiérarchie des inégalités des chances tend à diminuer.

LE GLISSEMENT VERS LE HAUT DES POSITIONS SOCIALES

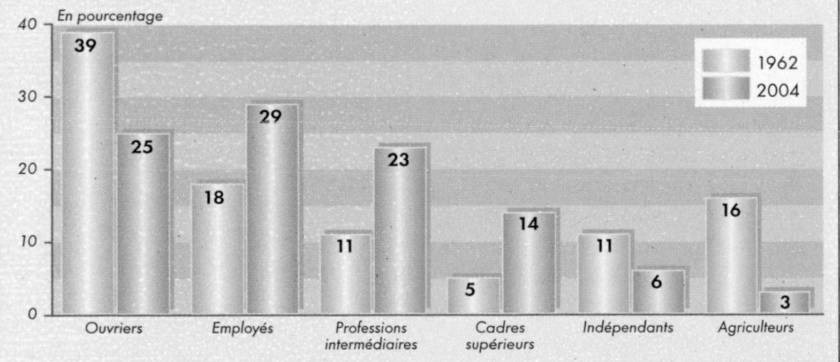

Source : Insee, recensement 1962 ; Enquête emploi 2003.

UNE ORIGINE SOCIALE MOINS DÉTERMINANTE
Il est plus difficile aujourd'hui pour un fils de cadre d'être cadre, tandis que les fils d'agriculteurs et d'artisans voient leurs chances augmenter. Fils d'ouvriers et d'employés ont moins de perspectives de mobilité. Mais l'origine sociale a progressivement de moins en moins d'impact sur les inégalités globales.

LA PROFESSION DE PÈRE EN FILS

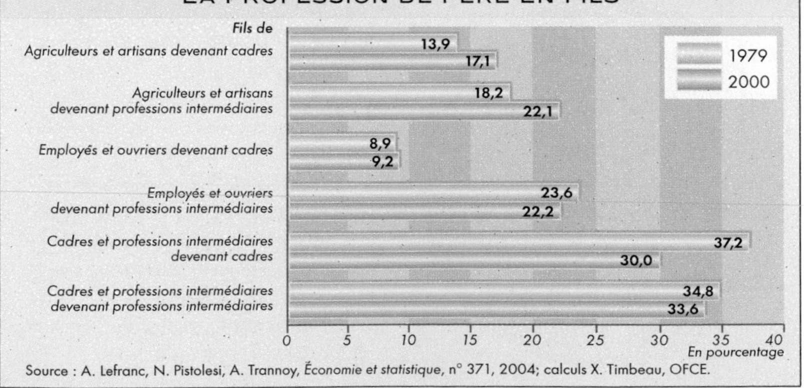

Source : A. Lefranc, N. Pistolesi, A. Trannoy, *Économie et statistique*, n° 371, 2004; calculs X. Timbeau, OFCE.

LES INÉGALITÉS LES MOINS ACCEPTÉES

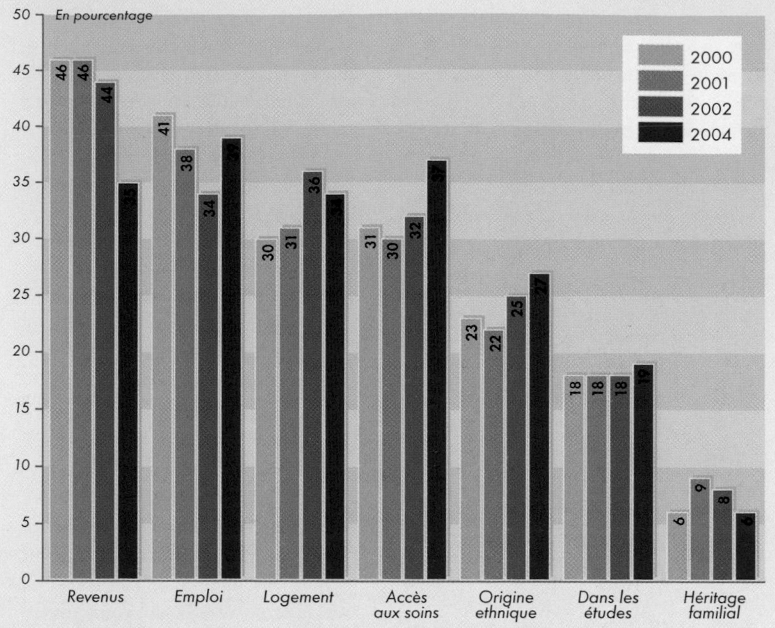

Source : K. Julienne et M. Monrose, « Les opinions des Français sur la pauvreté et l'exclusion au début de l'année 2004 », Dress, *Études et résultats*, n° 357, décembre 2004.

Les inégalités hommes/femmes

Quand elles sont diplômées, les femmes peinent à intégrer les états-majors des entreprises, où elles sont en minorité. Elles occupent plus souvent les métiers de l'expertise ou les métiers relationnels, mais elles ont moins que les hommes des tâches d'encadrement. Lorsqu'elles sont moins qualifiées, elles sont plus souvent au chômage que les hommes et occupent quatre fois plus souvent des emplois précaires ou des emplois d'exécution. Pour couronner l'ensemble, à situation égale, elles sont moins rémunérées que les hommes. L'inégalité commence à l'école, où les filles sont davantage orientées vers les filières moins porteuses, les filières littéraires ou de sciences et techniques tertiaires, de secrétariat et gestion, alors que les garçons sont plus souvent orientés vers les techniques industrielles ou de management débouchant sur des métiers plus rémunérateurs.

DES INÉGALITÉS FINANCIÈRES APPAREMMENT CRIANTES

Les revenus et l'emploi sont devenus les premiers facteurs d'inégalité dans l'opinion, l'héritage, le moins scandaleux.

Avoir un emploi ou ne pas en avoir

Pour l'individu, le travail ne se réduit pas à sa dimension économique. Chacun espère être utile socialement et progresser dans son emploi. Pour la plupart des individus, exercer une profession est un élément essentiel pour se construire une identité stable et pour être intégré à la société ; il permet d'y avoir sa place et d'entretenir des rapports avec les autres.

Or, les entreprises sont contraintes aujourd'hui d'augmenter la flexibilité de l'emploi. Elles doivent adapter rapidement les besoins de main-d'œuvre à la demande, mais aussi aux moyens de production et à leur technicité. Le passage d'une économie industrielle vers une économie tertiaire, à main-d'œuvre flexible, a accru considérablement l'instabilité de l'emploi. Dans ce nouveau cadre, la sous-qualification, l'âge (jeunes et seniors) et l'emploi intermittent sont des facteurs d'inégalité devant l'emploi, qui se sont renforcés ces dernières années.

« En France, les clivages entre groupes sociaux (selon le sexe, l'ethnie, l'âge...) n'ont pas encore créé de conflits structurels comme aux États-Unis qui ont eu recours aux mesures de la discrimination positive. »

Grâce aux prestations sociales et à l'impôt, les inégalités monétaires sont freinées

La réduction des inégalités résulte non seulement des aides sociales, des aides au logement et des allocations familiales, mais aussi de la fiscalité. Aides sociales et impôts réduisent ainsi d'un tiers les inégalités entre les 30 % les plus pauvres et les 10 % les plus riches. Les 10 % les plus riches ont des revenus avant impôts 6,6 fois supérieurs aux revenus des 30 % les plus pauvres. Mais après impôts et compte tenu des aides sociales, ce rapport passe à 4,2.

UN PAS À FRANCHIR AVANT LA PARITÉ

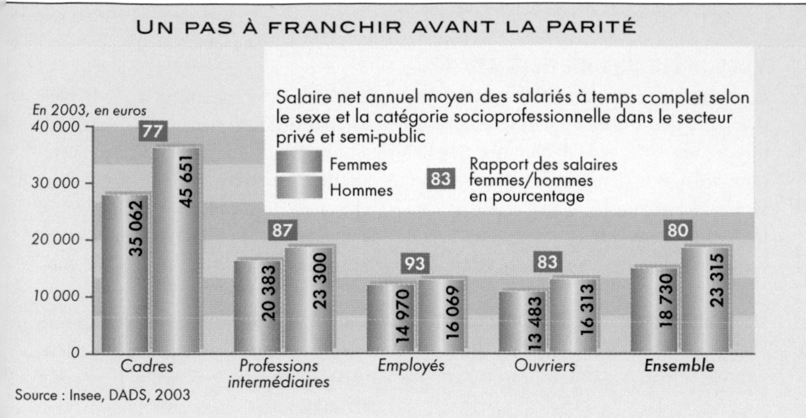

Source : Insee, DADS, 2003

Un éventail de niveaux de vie qui peine à se réduire

Le niveau de vie moyen des Français a progressé de 10 % entre 1996 et 2001. Les niveaux de vie des plus pauvres se sont améliorés tout comme celui des plus riches, si bien que l'écart reste le même. Les plus pauvres ont vu les prestations sociales augmenter, tandis que les plus riches ont bénéficié d'une bonne tenue des actifs patrimoniaux. Ces dernières années, l'éventail des salaires s'est légèrement réduit grâce à la politique de revalorisation des salaires minimaux, hausse qui s'est peu diffusée dans le reste de la hiérarchie salariale. Entre 2003 et 2004, le Smic net a augmenté plus vite que l'indice des prix à la consommation. Ainsi, en matière de revenus salariaux, le rapport entre les plus riches et les plus pauvres a diminué. Ce sont les revenus du patrimoine des ménages qui freinent les inégalités.

LA CONCENTRATION DU PATRIMOINE

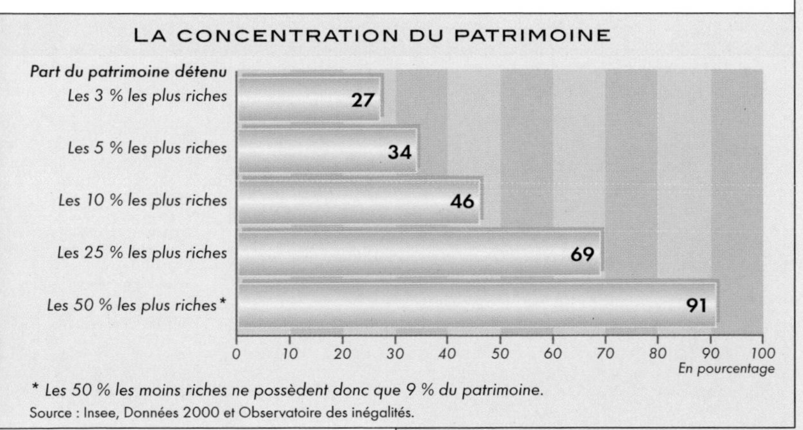

* Les 50 % les moins riches ne possèdent donc que 9 % du patrimoine.

Source : Insee, Données 2000 et Observatoire des inégalités.

Une société malgré tout plus égalitaire, mais plus fragile

Diplômes et revenus sont les deux variables qui structurent fortement les inégalités. Elles se traduisent dans les modes de vie, du logement à la santé, en passant par l'accès aux services et aux loisirs.

NOTRE SOCIÉTÉ EST MOINS INÉGALITAIRE AUJOURD'HUI QU'AU MILIEU DU SIÈCLE DERNIER. La réduction des inégalités a plus porté sur les revenus que sur le patrimoine et a fait grossir la classe moyenne, qui compte en majorité deux salaires. Une conséquence : beaucoup de gens modestes ont pu acquérir leur logement grâce à l'emprunt et que leur niveau de vie s'est amélioré, tout comme leur santé et leur équipement. Les riches, eux, ne sont plus les rentiers d'autrefois, ce sont des cadres supérieurs ou des professions libérales, des « nouveaux riches » dont les rentes de leur patrimoine mobilier sont liées aux soubresauts de la conjoncture financière.

LA SOLIDARITÉ PERMET DE NE PAS CREUSER LES INÉGALITÉS. Avec un taux d'emploi qui stagne, ces dernières années ont été marquées par la hausse du sous-emploi et de la précarité, mais la diffusion du RMI, l'élargissement du champ des minima sociaux ou l'impôt négatif comme la prime pour l'emploi ont conduit à réduire les inégalités monétaires, en particulier en bas de la distribution. Le taux de pauvreté monétaire tend ainsi à diminuer.

La question des inégalités se pose dans des termes très différents de ceux qui caractérisaient les années de croissance forte de l'après-Seconde Guerre mondiale. À cette époque, les entreprises contribuaient fortement à l'amélioration du bien-être social, du fait de la croissance vigoureuse de la production et de l'emploi. La croissance des revenus des dirigeants pouvait alors se justifier d'autant plus facilement qu'elle n'était pas contradictoire avec une réduction des inégalités permise par l'augmentation encore plus rapide de la productivité et des salaires des cadres, des employés et des ouvriers. Il n'en va plus de même aujourd'hui, quand la part des richesses à se partager est modeste. Quand la croissance est forte, tout le monde profite de ses dividendes et les écarts entre les pauvres et les riches sont supportables. Quand elle est faible ou nulle, les inégalités deviennent criantes. Ainsi, selon l'enquête de la Drees de 2004, les trois quarts des Français pensent que les inégalités ont beaucoup augmenté depuis cinq ans, alors que la réalité est moins sombre.

LE PATRIMOINE FAIT LA DIFFÉRENCE

À catégorie sociale équivalente, posséder son logement modifie sensiblement le niveau de vie réel.

Ce que femme veut...

En un demi-siècle, nous avons assisté à une étonnante reconquista de la société. Les filles du baby boom ont refusé de reproduire le modèle de leur mère. Elles ont fait des études, investi les métiers dévolus aux hommes et les nouveaux emplois tertiaires. Aujourd'hui, les femmes travaillent presque autant que les hommes, qui veulent bien désormais partager les soins aux enfants. Mais il leur reste quelques bastions à récupérer : un réel partage des tâches domestiques et quelques positions suprêmes dans la politique et les états-majors des entreprises.

Vers la fin des métiers sexués

C'est aux âges où elles assument les tâches familiales les plus lourdes que le taux d'activité des femmes a le plus augmenté. Mais, aujourd'hui encore, bien que l'emploi féminin soit plus dynamique que l'emploi masculin, les femmes sont toujours plus présentes dans les emplois les moins qualifiés (services administratifs, service aux personnes, vente, distribution, service aux entreprises et collectivités, intervention sociale et culturelle), les emplois précaires, les emplois à temps partiel, et elles sont plus souvent victimes du chômage.

Les comportements d'activité masculins et féminins se sont rapprochés. Des secteurs entiers se féminisent. Déjà les professions du droit ou de la médecine comptent plus de femmes que d'hommes. Avec les départs à la retraite massifs, beaucoup d'emplois dans les familles professionnelles où dominaient les hommes vont être disponibles et occupés par des femmes : l'automobile ou la construction. La pénurie d'emploi peut conduire les entreprises à se mettre à jour sur les questions d'égalité salariale, de discrimination et à intégrer dans leurs négociations collectives les questions de la parentalité et de l'équilibre entre vie familiale et vie professionnelle. Les femmes pourraient à l'avenir impulser l'amélioration des conditions du travail, qui profiterait aussi aux salariés masculins.

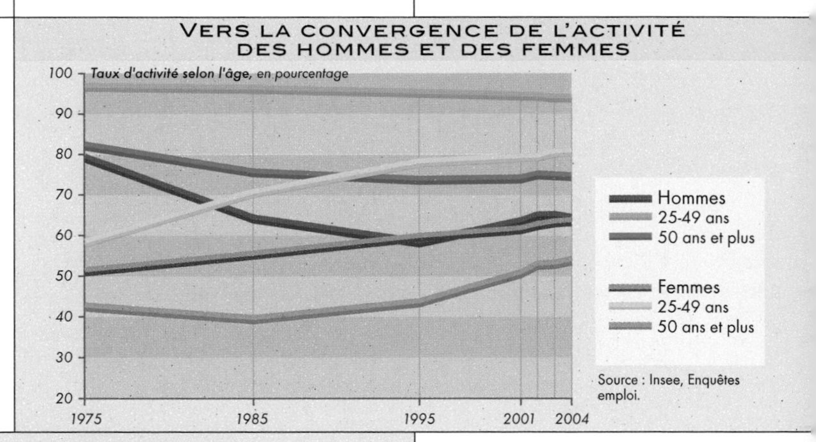

Les années de croissance imputables aux femmes

C'est la contraception qui a marqué la rupture la plus radicale dans l'évolution des rôles féminins. En pouvant maîtriser leur fécondité, les femmes ont pu choisir leur projet de vie : prolonger leurs études, se qualifier, avoir deux enfants en moyenne et mener une vie professionnelle en parallèle. L'État-providence français les a accompagnées dans leur projet en mettant en place des crèches et des écoles maternelles. Si bien qu'au cours des années 1980, la croissance de la population active et une bonne partie de la croissance économique sont imputables aux femmes, qui ont apporté une offre de main-d'œuvre supplémentaire pour le tertiaire en expansion et une demande supplémentaire de services marchands pour pallier leur absence du foyer. L'emploi des femmes coïncide avec les mutations sectorielles de l'économie.

LA PROPORTION DE FEMMES SELON LA CATÉGORIE SOCIOPROFESSIONNELLE EN 2004

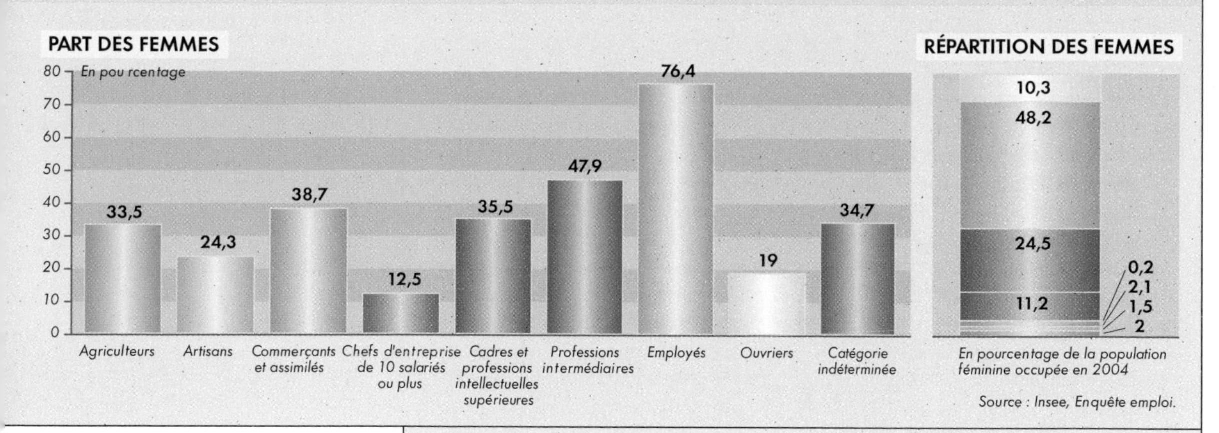

Source : Insee, Enquête emploi.

LA CATÉGORIE DES CADRES, BASTION MASCULIN
Deux tiers des employés et un tiers des cadres sont des femmes.

Un sexisme prononcé dans la direction des entreprises

En ce début de XXIe siècle, les femmes sont rarement PDG (17 % des 300 000 dirigeants d'entreprises) et, lorsqu'elles le sont, elles sont moins bien payées (un tiers de moins) parce qu'elles dirigent en moyenne des entreprises plus petites. Elles sont plus souvent gérantes de SARL que dirigeantes et, de ce fait, elles gagnent moins que les femmes cadres du privé. La discrimination sexuelle expliquerait un écart de 20 % entre les salaires masculins et les salaires féminins.

LA MÊME AMBITION QUE LES HOMMES. Qu'elles soient dirigeantes ou cadres issues des grandes écoles, les femmes de l'élite française ont les mêmes ambitions que les hommes : les responsabilités professionnelles, la reconnaissance et l'argent passent avant l'équilibre entre vie privée et vie professionnelle. Elles travaillent beaucoup (en moyenne 50 heures par semaine), se déplacent en moyenne quatre fois par mois et 20 % vivent à l'étranger. Malgré leur ambition et l'énergie qu'elles déploient pour tenter de faire oublier aux DRH le handicap d'être une femme, c'est-à-dire avoir droit à un congé de maternité, elles accèdent peu à la direction des entreprises (17 % des diplômées de l'Essec, contre 34 % des hommes de la même école par exemple).

> *« Concilier travail et vie de famille reste l'affaire des femmes. Mais, en 2004, les deux tiers des nouveaux pères ont pris le congé paternité auquel ils ont droit depuis 2002 (11 jours au moment de la naissance). »*

LES JEUNES FEMMES, PREMIÈRES VICTIMES
Le chômage atteint plus souvent les jeunes femmes, qui occupent en majorité les emplois peu qualifiés.

LE TAUX DE CHÔMAGE PAR TRANCHE D'ÂGE

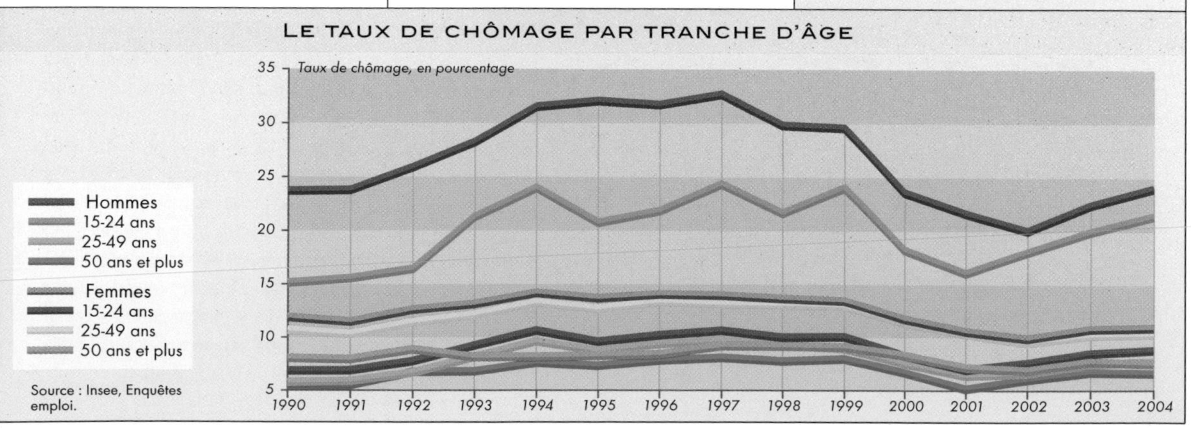

Source : Insee, Enquêtes emploi.

Sexisme également dans la politique

En 1945, en accordant, très tardivement, le droit de vote aux femmes, on allait vers plus d'égalité entre hommes et femmes, mais, curieusement, la parité n'a jamais atteint les fonctions électives. Une « révolution douce » est en train de s'opérer depuis la loi de juin 2000 sur la parité dans les scrutins de liste (élections municipales, régionales et européennes) : les femmes représentent presque la moitié des élus. En revanche, 10 % seulement des maires sont des femmes et une région seulement sur les vingt-deux a une présidente. Là où aucune contrainte ne demeure (Sénat, Assemblée nationale, conseils généraux), la part des femmes ne dépasse toujours pas les 17 %. Dans les partis politiques, les responsables peinent à céder leur place aux femmes, même si leur militantisme est le bienvenu. Malgré promesses et bonnes paroles, les femmes sont en minorité dans les instances dirigeantes de l'UMP et du PS.

Différence de sensibilité politique entre les hommes et les femmes. Au fur et à mesure de leur arrivée à l'université et sur le marché du travail dans des emplois salariés, les femmes ont voté majoritairement à gauche. En avril 2002, elles se sont différenciées des hommes en étant beaucoup moins nombreuses que les hommes à voter pour le Front national, parti qui veut rétablir un certain ordre patriarcal refusé par les femmes. Grâce au vote des femmes, le leader du Front national n'est pas arrivé en tête au premier tour de l'élection.

Une vie culturelle plus intense

Alors que les hommes lisent la presse quotidienne, les femmes lisent davantage de livres. Les femmes organisent entre elles des sorties culturelles, elles vont au théâtre, au concert, au musée bien plus souvent que les hommes. Seulement 38 % des femmes entre 25 et 39 ans ne pratiquent aucune activité culturelle, contre presque la moitié des hommes de cette tranche d'âge (46 %).

Les femmes au Parlement européen pour la législature 2004-2009

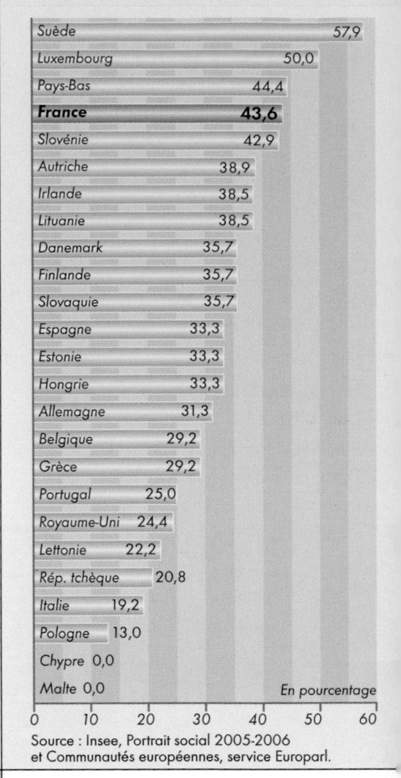

Source : Insee, Portrait social 2005-2006 et Communautés européennes, service Europarl.

Petit à petit, les femmes pratiquent tous les types de sports

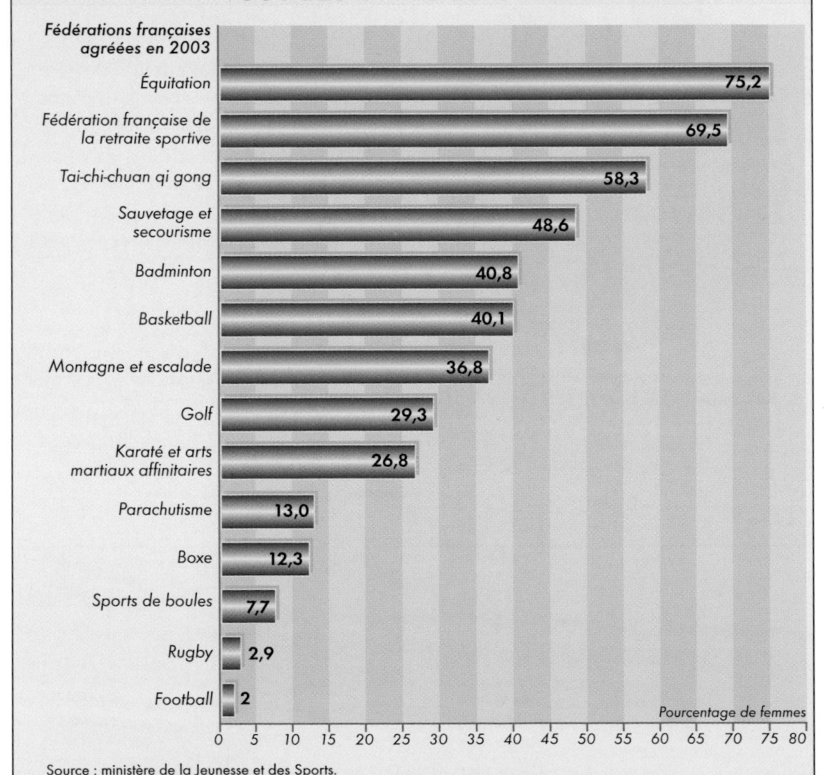

Source : ministère de la Jeunesse et des Sports.

Le modèle du sportif viril se délite aussi

Les femmes sont de plus en plus nombreuses à pratiquer des activités sportives : 9 % en 1968, 48 % en 2004 et, plus encore, 34,6 % des sportifs de haut niveau inscrits sur les listes officielles sont des femmes. Le changement est spectaculaire pour l'équitation par exemple, activité sportive autrefois masculine par excellence, dont le symbole est le Cadre noir ou la chasse à courre. Aujourd'hui, la part des femmes parmi les licenciés des fédérations d'équitation est de 75 % et, dans peu de temps, tous les moniteurs des centres d'équitation seront des femmes. De même, on peut compter des femmes parmi les skippers des grands voiliers courant les trophées du tour du monde. Leur arrivée dans les disciplines telles que le football, le rugby ou la lutte est encore embryonnaire.

Les femmes au bricolage, les hommes aux couches-culottes

Les femmes, malgré leur activité professionnelle, assurent une grande partie des tâches domestiques, mais les choses bougent. Il y a toujours une séparation entre tâches féminines (lessive, repassage, vaisselle, cuisine de la semaine) et tâches masculines (bricolage, réparations). Mais entre les deux, une part grandissante des tâches et des décisions est de plus en plus négociée au sein du couple (courses, rangement, repas du week-end) et cette part s'accroît lorsque le niveau global des diplômes des conjoints augmente, ne serait-ce qu'en recourant aux services marchands pour soulager des « corvées ».

ASSUMER LA PATERNITÉ. On le voit particulièrement chez les couples qui viennent d'avoir un enfant : plus nombreux sont les hommes à vouloir prendre du temps pour s'occuper du jeune enfant et à accorder moins d'importance au travail à ce moment-là, à prendre des jours de RTT ou un congé de paternité qui, institué en 2002, connaît un succès certain. Non seulement les nouveaux pères veulent partager un peu plus la charge qui incombe à la femme active mais ils veulent aussi affirmer leur identité paternelle. C'est dans le temps consacré aux enfants que la répartition des tâches domestiques tend à être plus égalitaire. Cette tendance s'observe chez les pères jeunes, diplômés et à revenus importants. Ce qui valorisait la femme, les soins maternels, l'homme cherche désormais à le partager.

LA PARITÉ EN POLITIQUE

CE QUE PRÉVOIT LA LOI	PROPORTION DE FEMMES – Les résultats aux élections avant la loi ou élection précédente	PROPORTION DE FEMMES – Les résultats aux élections après la loi
PARLEMENT EUROPÉEN Les parlementaires sont élus au scrutin proportionnel, avec une alternance homme/femme stricte sur les listes.	40,2 % (1999)	43,5 % (2004)
ASSEMBLÉE NATIONALE La loi sur la parité ne prévoit aucune contrainte, mais impose, *a posteriori*, des pénalités financières aux partis qui ne respectent pas l'équilibre hommes/femmes.	10,9 % (1997)	12,3 % (2002)
SÉNAT Les sénateurs sont élus pour partie au scrutin proportionnel avec une alternance homme/femme sur les listes, pour partie au scrutin uninominal.	10,9 % (2001)	16,9 % (2004)
CONSEILS RÉGIONAUX Les conseillers sont élus au scrutin proportionnel avec une alternance homme/femme sur les listes.	27,5 % (1998)	47,6 % (2004)
CONSEILS GÉNÉRAUX La loi sur la parité ne s'applique pas à ce scrutin uninominal.	9,2 % (2001)	10,4 % (2004)
CONSEILS MUNICIPAUX **Dans les communes de moins de 3 500 habitants** La loi sur la parité ne s'applique pas à cette élection au scrutin uninominal.	21 % (1995)	30,05 % (2001)
Dans les communes de plus de 3 500 habitants Les conseillers sont élus au scrutin proportionnel. Il doit y avoir un même nombre d'hommes et de femmes par groupe de six candidats sur les listes.	27 % (1995)	47,5 % (2001)

Assemblée nationale et conseils généraux sont les plus réfractaires à la parité. La France est loin derrière les pays d'Europe du Nord, qui sont les plus sensibles à la parité en politique.

Source : A. Chemin, « Une nouvelle génération de femmes s'est lancée en politique », *Le Monde*, 8 mars 2005. Reproduit avec l'autorisation du journal *Le Monde*.

LA LENTE ET CERTAINE INTÉGRATION DES

Au cours des vingt-cinq dernières années, la croissance de la population immigrée régulière (personnes nées étrangères à l'étranger et vivant en France) a été très faible, contrairement à ce que l'on avait observé dans l'immédiat après-guerre puis dans les années 1960 et 1970. Les étrangers venus en France ont fondé une famille, souvent nombreuse. Certains sont devenus français et leurs enfants nés en France le sont aussi, au plus tard à leur majorité. Le débat sur l'immigration est devenu central dans les années 1980, lorsque les enfants des grandes vagues migratoires des années 1950-1974 sont parvenus à l'âge actif en période de crise économique. Malgré les manifestations d'un racisme antimaghrébin et antisémite, l'intégration des populations immigrées se poursuit et tend à faire évoluer la société vers une société plurielle favorable au développement de la diversité culturelle.

L'immigration française : une histoire ancienne

PORTUGAIS, ESPAGNOLS ET ITALIENS. La France a été un pays d'immigration : avant la guerre, les Italiens dans le bâtiment et les Polonais dans les mines du Nord formaient les bataillons de l'immigration économique. Celle-ci était complétée au début du XXe siècle par une immigration politique constituée d'Arméniens, puis de juifs fuyant les pogroms et l'antisémitisme de l'Europe centrale. Entre 1946 et 1975, la part de la population immigrée a doublé. Originaires du Portugal, d'Espagne ou d'Algérie, les immigrés sont venus compenser le manque de main-d'œuvre de la période de reconstruction. Pour des raisons différentes, les premiers immigrés italiens, polonais ou juifs ont souffert des sentiments hostiles de la population française, oubliés aujourd'hui. Les Portugais et les Espagnols ont connu le même sort, alors que les immigrés d'Afrique du Nord et, depuis peu, sub-saharienne sont encore victimes de la « peur » des étrangers. Depuis la crise des années 1970, la France limite l'entrée de la main-d'œuvre étrangère et n'autorise plus que le regroupement familial et des demandes d'asile, qui conduisent à une immigration politique en provenance de Turquie, de l'ex-Yougoslavie, de la République démocratique du Congo et d'autres pays en conflit.

ALGÉRIENS, MAROCAINS... PUIS ASIATIQUES. Depuis 1962, la part des immigrés venant de l'ensemble de l'Europe ne cesse de diminuer. Dans les années 1980, ce sont les Algériens et les Marocains qui ont constitué la part la plus importante de l'immigration (les originaires du Maroc représentent aujourd'hui 12 % des immigrés, contre 1 % en 1962). Récemment, l'immigration en provenance de l'Afrique subsaharienne s'est développée. Enfin, depuis 1962, la part des Asiatiques a été multipliée par cinq (aujourd'hui elle représente 13 % des immigrés). Il s'ensuit une croissance des effectifs de certains groupes nationaux, en particulier du Maghreb et d'Afrique subsaharienne, qui se reconstituent dans des quartiers entiers et des banlieues de grandes agglomérations. Sur fond de crise économique, la question de l'immigration change de nature : elle devient celle des enfants d'immigrés, dont certains revendiquent leur place sur le sol français en provoquant des conflits largement médiatisés qui remettront en question la faculté formidable qu'a eue, jusque-là, la France à intégrer les immigrés sans constituer des ghettos comme ce fut le cas dans d'autres pays.

UN ÉVENTAIL D'ORIGINES

Après l'arrivée d'Italiens, puis de Portugais, d'Algériens et de Marocains, l'éventail des origines des immigrés s'est ouvert dans les années récentes avec l'arrivée de personnes originaires de l'Afrique subsaharienne.

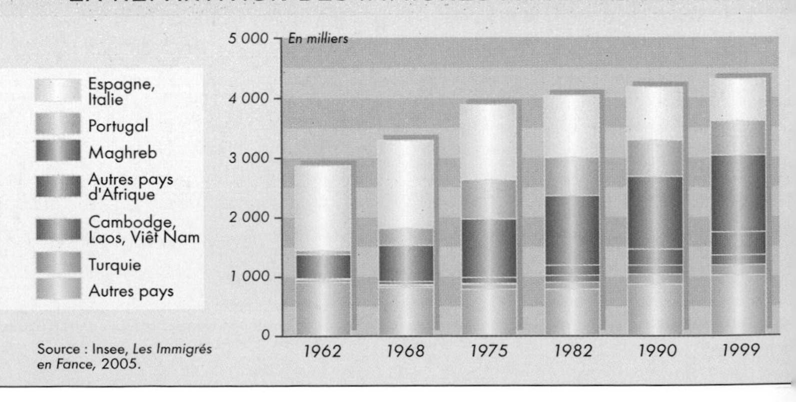

Source : Insee, *Les Immigrés en Fance*, 2005.

IMMIGRÉS

Un racisme exacerbé par la montée de l'islam

Le problème de la religion, essentiellement de l'intégrisme islamique, est apparu au début des années 1980 avec la révolution iranienne et, au cours des années suivantes, avec plusieurs actes terroristes. Fin 1989 éclate « l'affaire du voile », qui révèle le progrès de l'intégrisme islamique. Les Français acquièrent progressivement une perception négative de la religion musulmane qui vient bousculer les valeurs fondatrices de la République ; ces Français, en majorité d'origine catholique, qui avaient déjà eu tant de mal à régler les problèmes de la religion pour en faire une affaire privée au sein de la République laïque, dénoncent l'immigration comme la source de tous les problèmes.

LA DEUXIÈME RELIGION DE FRANCE. La France est le pays d'Europe qui compte le plus d'adeptes de la religion musulmane, aujourd'hui la deuxième religion de France. 6 % de la population française se dit de religion musulmane. 62 % de Français de souche se disent catholiques, selon le sondage CSA-Le Monde-La Vie de mars 2003 ; mais, alors que 80 % d'entre eux respectent les règles du Ramadan, on estime entre 8 et 15 % le nombre de musulmans véritablement pratiquants. Si l'édification de lieux de cultes juifs, orthodoxes ou bouddhistes ne rencontre pas beaucoup d'hostilité, en revanche, la construction de mosquées, réclamée pour donner plus de transparence à l'activité religieuse musulmane, est parfois insidieusement contestée.

LE PORT DU VOILE

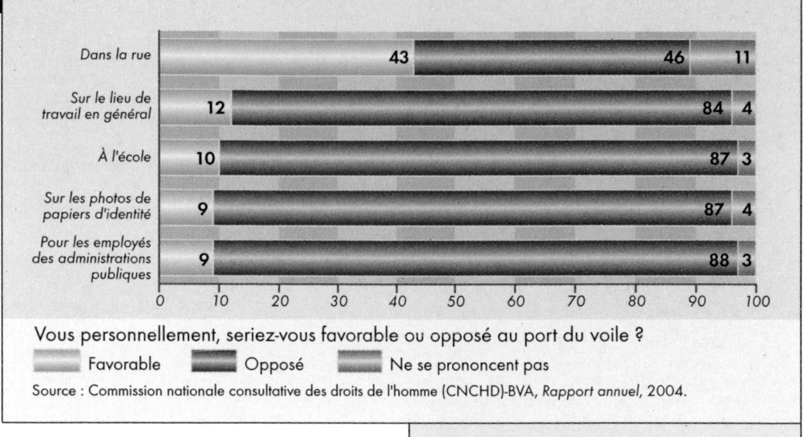

Vous personnellement, seriez-vous favorable ou opposé au port du voile ?

Source : Commission nationale consultative des droits de l'homme (CNCHD)-BVA, *Rapport annuel*, 2004.

L'ATTITUDE ENVERS LES IMMIGRÉS

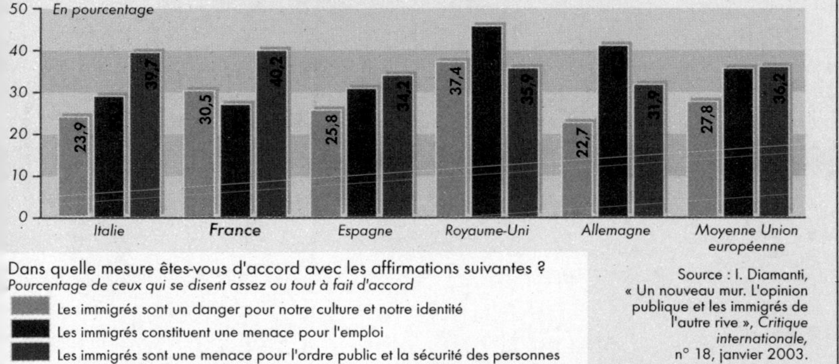

Dans quelle mesure êtes-vous d'accord avec les affirmations suivantes ?
Pourcentage de ceux qui se disent assez ou tout à fait d'accord

Source : I. Diamanti, « Un nouveau mur. L'opinion publique et les immigrés de l'autre rive », *Critique internationale*, n° 18, janvier 2003.

Plusieurs façons de porter le voile

Dans l'opinion, le port du voile est interprété comme un symbole de « communautarisme » hostile à la société d'accueil ; pour les militantes du mouvement Ni putes, ni soumises, il est un outil d'oppression des hommes sur les femmes. Mais certaines musulmanes le portent différemment : les unes veulent exprimer par là le respect de la tradition du village d'origine, d'autres le voient comme un compromis avec la famille et une façon de se protéger de l'agressivité des garçons ; enfin, il peut aussi être le choix de jeunes femmes bien intégrées qui veulent convaincre la société française que chaque femme a sa place, quelle que soit sa communauté.

ANTISÉMITISME : DES ACTES RÉPRIMÉS PAR L'OPINION

Les résultats des sondages montrent que le racisme et l'antisémitisme sont plutôt en recul et que l'opinion supporte mal les actes antisémites, qu'elle n'exprime aucune indulgence et demande même des sanctions. En fait, les Français acceptent de plus en plus les minorités ; ils reconnaissent que l'intégration des immigrés et de leurs enfants est plutôt une richesse : ils contribuent à la démographie et à l'économie et il faut favoriser l'exercice de leur culte.

Mais, si les préjugés à l'égard des juifs comme à l'égard des musulmans ont reculé dans la plus grande partie de la population, la persistance du conflit israélo-arabe a contribué à l'apparition d'un antisémitisme virulent de la part d'une partie de la population d'origine maghrébine. Si bien que les actes violents antisémites ont connu un record en 2004. Ces actes sont dirigés contre des personnes juives, leurs écoles et leurs lieux de culte. Cette année-là, ils ont presque volé la place des actes de violence contre les Maghrébins et les musulmans.

L'AMALGAME IMMIGRATION ET INSÉCURITÉ

Un Européen sur trois considère l'immigration comme facteur d'insécurité. Les attentats terroristes récents conduisent à voir dans l'immigration un vivier potentiel du terrorisme et un véhicule du fondamentalisme musulman.

LA LENTE ET CERTAINE INTÉGRATION DES IMMIGRÉS

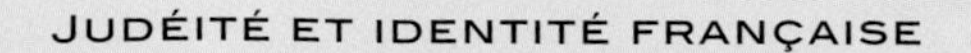

Aujourd'hui dans l'opinion, un Juif est devenu plus français qu'un Corse.

Source : TNS-Sofres pour l'Association française des amis de l'université de Tel-Aviv, mai 2005.

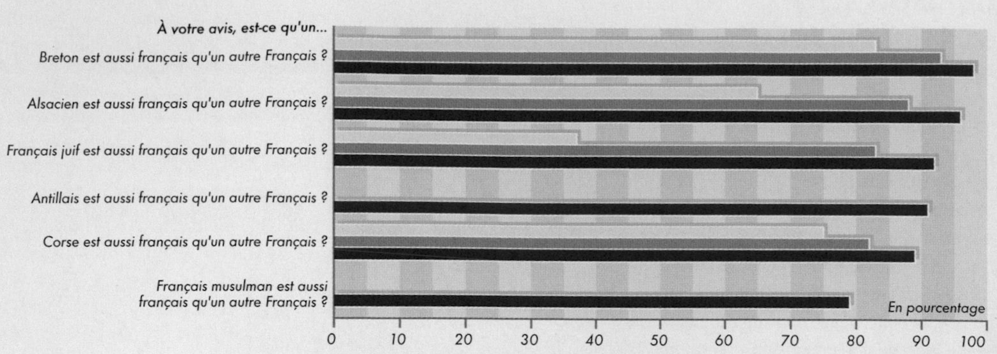

Depuis 1975, la part des immigrés dans la population est stable

Depuis 1975, le nombre d'immigrés (personnes nées à l'étranger de parents étrangers) a légèrement augmenté mais leur part dans la population est restée la même : 7,4 % de l'ensemble de la population. L'augmentation du nombre d'immigrés est essentiellement due à l'arrivée des femmes, qui, grâce au regroupement familial, ont pu rejoindre leurs époux : elles représentent 50,3 % de la population immigrée en 2004.

Parmi les immigrés vivant en couple, plus du tiers appartiennent à des couples mixtes, formés d'un conjoint non immigré et huit fois sur dix d'un Français ou Française né en France. La fécondité des femmes immigrées est en moyenne supérieure à celle des Françaises (2,4 enfants par femme, contre 1,9). Les femmes arrivées récemment grâce au regroupement familial ont un taux de fécondité élevé (sorte de rattrapage), tandis que la fécondité de celles arrivées de plus longue date se rapproche très vite de celle de l'ensemble des femmes. Moins renouvelée, la population des immigrés de première génération a vieilli plus vite que l'ensemble de la population. Ayant eu une vie professionnelle décousue, nombreux sont ceux qui jouissent à la retraite d'une pension très modeste.

LA PART DES IMMIGRÉS DANS LA POPULATION PAR DÉPARTEMENT EN 1999

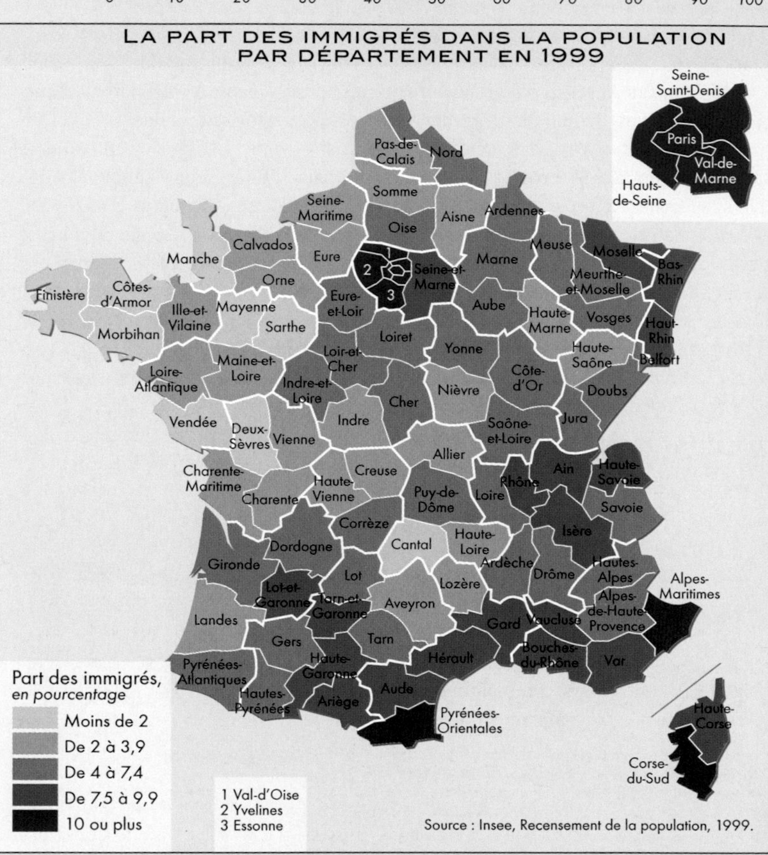

Source : Insee, Recensement de la population, 1999.

LA POPULATION IMMIGRÉE SELON LA CATÉGORIE DE COMMUNE EN 1999

Les deux tiers des immigrés habitent dans des villes de plus de 100 000 habitants. Le secteur économique de la localité et la proximité avec le pays d'origine expliquent le lieu d'habitation des immigrés.

Source : Insee, Recensement de la population, 1999.

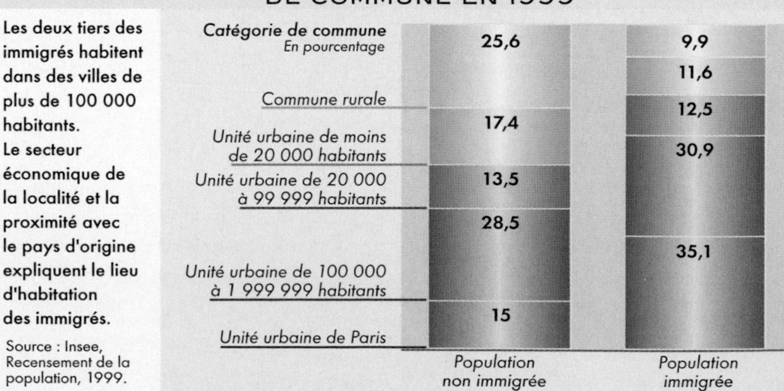

Les études : un niveau supérieur et plus d'égalité des chances qu'on ne le croit

À situation sociale et familiale comparable, les enfants issus de l'immigration ont des chances au moins égales à celles des autres élèves de préparer un baccalauréat général et risquent moins que les autres une sortie précoce du système éducatif.

Les études secondaires. 27 % des élèves issus de l'immigration préparent le baccalauréat général, contre 40 % des élèves issus de familles non immigrées et 48 % des enfants des familles mixtes. À l'inverse, les enfants d'immigrés sont plus nombreux dans les filières technologiques et professionnelles. Ceci s'explique par le fait qu'ils vivent plus souvent au sein de familles défavorisées – parents employés de service ou au chômage. En revanche, lorsque les enfants d'immigrés maghrébins vivent au sein de familles stables (père ouvrier qualifié, mère inactive, par exemple), ils ont plus de chances d'entrer dans un lycée général que les enfants nés de parents français. Et ce constat est encore plus vrai pour les enfants de parents d'origine asiatique. Toujours dans ce contexte, les enfants de parents d'Afrique noire ont les mêmes chances que les enfants de parents français, alors que les enfants de parents turcs ont moins de chances. Les parents immigrés ont une ambition forte pour leurs enfants et croient beaucoup en l'école comme moyen de promotion sociale. Parmi les déçus de voir leur enfant orienté dans une filière professionnelle dès la troisième, beaucoup vont s'évertuer à prolonger les études de leurs enfants dans le supérieur. La volonté de « bien gagner sa vie » et de ne pas rester dans la condition de leurs parents motive les enfants.

L'université. Plus de 10 % des étudiants inscrits dans l'enseignement supérieur sont des étrangers. Depuis 1998, cette part progresse à un rythme annuel supérieur à 12 %. Après l'université, c'est dans les STS (section technicien supérieur) que les étrangers sont les plus nombreux. Mais chaque nationalité a ses attentes : les étudiants européens viennent en France approfondir la culture française, tandis que les étudiants des pays francophones d'Afrique s'inscrivent davantage en préparation aux grandes écoles ou écoles d'ingénieurs (les Marocains) ou en formation scientifique universitaire. Les étudiants du Moyen-Orient se dirigent plus vers le troisième cycle, la recherche. En revanche, les étudiants d'Afrique de l'Ouest préfèrent des formations courtes plus « professionnalisantes » (IUT, STS, IUP).

Si l'on ne regarde que l'université, plus de la moitié des étudiants étrangers sont originaires des pays francophones d'Afrique, en particulier des Marocains et des Algériens, contrairement aux autres grands pays d'accueil où les étudiants étrangers viennent principalement d'Asie et d'Océanie. Ce nombre augmente et est expliqué par le fait que beaucoup ne sont pas bacheliers. Ils s'inscrivent le plus souvent en lettres-sciences humaines ; les académies de Paris et de Créteil accueillent un étudiant étranger sur trois. Les taux de réussite sont de beaucoup inférieurs à ceux des étudiants français (40 %) ; c'est en partie le résultat de conditions de vie souvent précaires, dans des résidences parfois peu salubres où ils vivent en communauté. Malgré le faible montant des droits d'inscription en université et les bourses distribuées sur critères sociaux, leur prise en charge est insuffisante et la solution fait débat entre une sélection drastique des entrants ou la mise en place de quotas en fonction des qualifications requises en France.

Les effectifs des étudiants étrangers à l'université

À l'université, plus de la moitié des étrangers sont originaires d'Afrique.

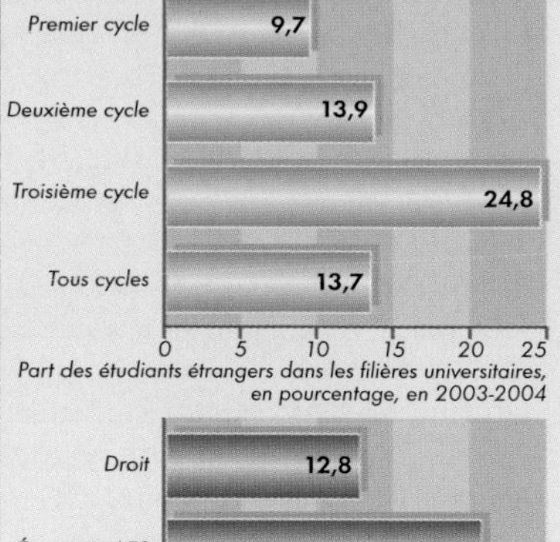

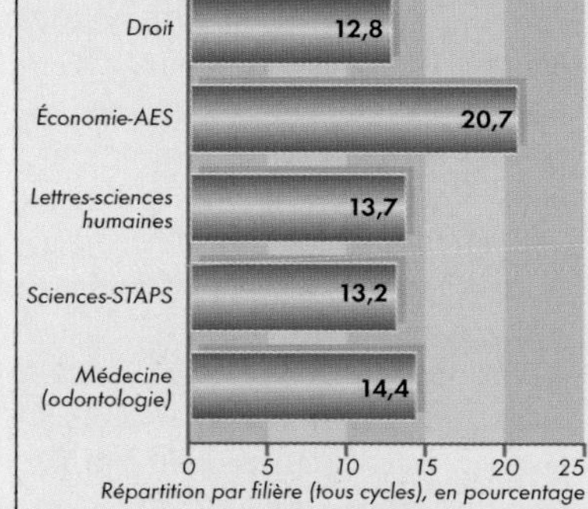

Source : L. Bronner, « Un rapport préconise la sélection des étudiants étrangers », *Le Monde*, 29 janvier 2005, et Direction de l'évaluation et la prospective (ministère de l'Éducation nationale).

Les lycéens d'origine étrangère souhaitent continuer leurs études

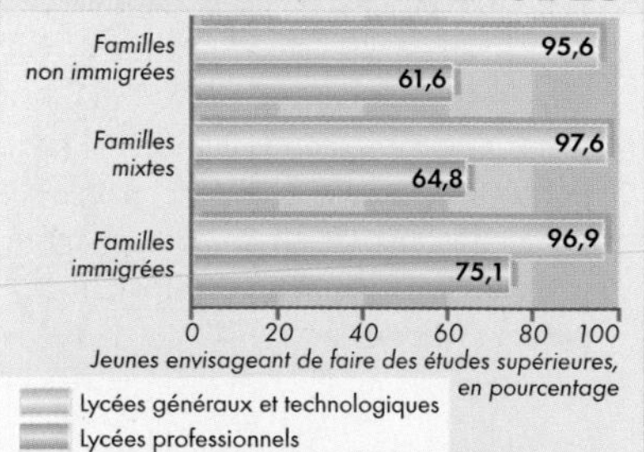

Source : M. Laronche, « L'échec scolaire en trompe l'œil des enfants d'immigrés », *Le Monde*, 6 juillet 2005 et Direction de l'évaluation et de la prospective (ministère de l'Éducation nationale).

Travail et niveau de vie

L'ÉVOLUTION DE L'EMPLOI CHEZ LES HOMMES ET LES FEMMES IMMIGRÉS. Depuis 1992, les catégories sociales immigrées ont suivi ou même dépassé l'évolution générale des groupes sociaux : moins d'ouvriers et plus d'employés, plus de cadres et de professions intermédiaires. Ils sont plus nombreux que les autres à être artisans, commerçants, à vendre des services aux particuliers.

Le taux d'activité des hommes immigrés (en emploi ou en recherche d'emploi) est légèrement supérieur à celui des autres hommes ; en revanche, le taux d'activité des femmes immigrées est nettement inférieur à celui des autres femmes. Cela s'explique moins par le niveau d'études que par le fait que les femmes immigrées avec des enfants restent à la maison lorsqu'elles sont en cessation d'emploi, contrairement aux autres qui poursuivent leur activité ou leur recherche d'activité.

INÉGALITÉS DU NIVEAU DE VIE. La question du chômage est souvent douloureuse pour les immigrés. Leur taux de chômage est plus élevé et, contrairement aux autres, les inégalités face au chômage sont moins marquées en bas de l'échelle : le risque de chômage est moins élevé pour un ouvrier immigré non qualifié que pour un cadre immigré, qui est deux fois plus souvent au chômage que le reste des cadres actifs. Plus que les autres, les salariés immigrés ont des emplois précaires (stages, emplois aidés ou temporaires, temps partiel), statut qui se maintient même à un âge avancé.

Le niveau de vie des ménages immigrés est de 26 % inférieur à celui des autres ménages ; la pauvreté sévit plus parmi les ménages immigrés, en particulier chez ceux avec enfants et chez les personnes seules.

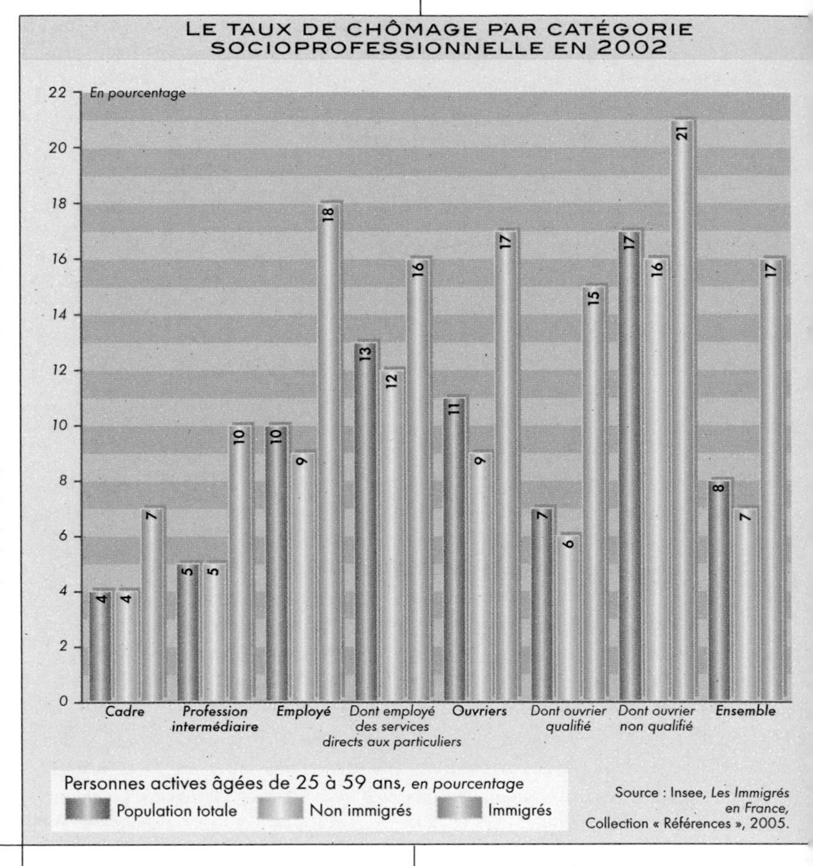

> *L'acquisition de la nationalité française permet aux immigrés de réduire les obstacles discriminatoires qu'ils rencontrent dans la recherche d'un emploi.*

LES IMMIGRÉS SONT DEUX FOIS PLUS AU CHÔMAGE QUE LES NON-IMMIGRÉS

En bas de l'échelle, ils occupent des emplois plus touchés par le chômage et, en haut de l'échelle, ils sont victimes de la discrimination à l'embauche.

ÉVOLUTION FAVORABLE DES POSITIONS SOCIALES
Depuis 1992, les différences entre les positions sociales des immigrés et des non-immigrés se sont réduites. L'évolution semblable des différentes catégories s'est faite à un rythme plus soutenu pour les immigrés.

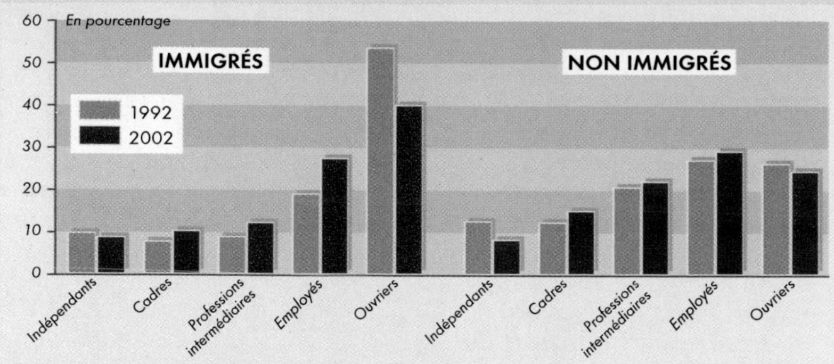

Source : C. Tavan, « Les immigrés en France : une situation qui évolue », *Insee-Première*, n° 1042, septembre 2005.

Vers une société plurielle, favorable à la diversité culturelle

Le port du voile ou les hostilités récentes entre jeunes d'origines différentes, juifs et musulmans, ne doivent pas cacher la mue qui s'opère discrètement au sein de notre société. La tolérance envers l'immigré tend à augmenter au sein de la population, surtout chez les plus instruits et les plus jeunes, qui sont amenés à côtoyer chaque jour à l'école, au travail ou dans les discothèques des personnes issues de l'immigration. La montée en puissance d'associations antiracistes (Licra, Mrap, SOS racisme) a enraciné les idées d'assimilation et d'intégration. À travers la mondialisation de l'économie et de la culture, la diversité culturelle de la société française s'affiche partout, aussi bien dans les vêtements, la cuisine ou les commerces que dans le sport et les loisirs. Les rites religieux chinois ou musulmans s'exposent comme des fêtes officielles.

Une intégration qui conduit à la convergence des valeurs

Une enquête du Cevipof (Sciences Po) portant sur un échantillon de Français issus de l'immigration (Africains et Turcs) montre que les valeurs de ces derniers ne sont pas en marge ou en rupture avec celles de la société française. Malgré des valeurs religieuses spécifiques, ils ne vivent pas dans une logique communautaire ou minoritaire revendicative. Ils se sentent bien français comme les autres. Leur religion, l'islam, a une importance plus élevée, mais elle ne les empêche pas de valoriser la laïcité. Politiquement, la population étudiée est plus à gauche que le reste de la population, de même leur attachement au système démocratique est plus marqué. Leur position sur l'échelle sociale a moins d'importance : « Un ouvrier français issu de l'immigration africaine et turque est plus "français" quand l'ouvrier français est plus "ouvrier". » Les auteurs de cette enquête, S. Brouard et V. Tiberj, montrent que les personnes issues de l'immigration, qui pourtant comptent dans leurs rangs plus de chômeurs et plus d'emplois pénibles, sont plus nombreuses que les autres à considérer qu'« il est normal de travailler dur pour gagner de l'argent » et que « les chômeurs pourraient trouver du travail s'ils le voulaient ». Contrairement à certaines opinions, on voit là que leur décision de venir en France n'avait pas pour motivation la recherche de l'assistance, mais bien la volonté de réussir.

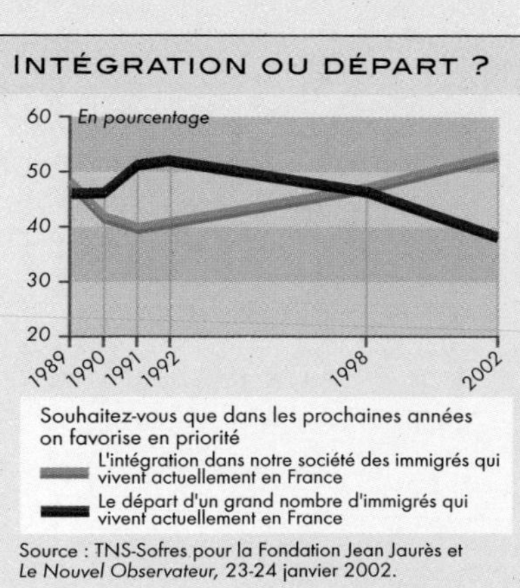

Source : TNS-Sofres pour la Fondation Jean Jaurès et *Le Nouvel Observateur*, 23-24 janvier 2002.

Une politique de l'immigration attendue

En matière d'immigration, la politique de la France est hésitante. Un débat important s'est développé autour de la question des quotas. L'Allemagne a fait partiellement ce choix tandis que l'Italie et l'Espagne ont régularisé massivement leurs clandestins, comme la France l'a fait plusieurs fois dans le passé. De plus en plus, il apparaît clairement que le principe de libre circulation au sein de l'Europe et son application pratique dans le cadre des accords de Schengen devraient conduire à européaniser la politique de l'immigration, qui reste encore dans le champ de compétence des États membres alors que les décisions des uns ont évidemment des conséquences très importantes pour les autres.

Entre 1999 et 2001, 40 % de l'ensemble des immigrants seraient venus en France pour travailler, hors emplois saisonniers. Les nouveaux contrats d'intégration concernent seulement les primo-arrivants : ceux qui sont entrés légalement en France ou qui ont bénéficié du regroupement familial ou du droit d'asile. Mais beaucoup entrent illégalement en France pour trouver du travail. Malgré la pénurie d'emplois dans certains secteurs (construction ou hôtellerie), ils ne peuvent être embauchés car leur situation est irrégulière.

Les « quartiers sensibles » sont des espaces urbains où se concentrent les maux de notre société, qui menacent sa cohésion dans son ensemble. Ils sont le plus souvent délimités explicitement et constituent alors une « zone urbaine sensible » (ZUS). Mais ils peuvent se situer aussi au cœur de villes qui n'appartiennent pas à ce zonage. Ils sont définis par un nombre important de chômeurs, de pauvres, d'allocataires de minima sociaux, qui vivent dans des logements dégradés. Dans ces quartiers, la vie des habitants est parfois en péril, ce qui diffuse dans la société tout entière un sentiment d'insécurité tenace : d'un côté, leurs habitants sont perçus comme un facteur de risques menaçant l'ensemble de la société ; de l'autre, ils représentent une atteinte au principe d'égalité. Toute l'action de la politique de la ville vise essentiellement à réduire ces inégalités insupportables aux yeux de l'ensemble des citoyens, en octroyant à ces territoires des moyens dérogatoires.

Les grands ensembles : une solution devenue un problème

La construction des grands ensembles s'est faite en une vingtaine d'années (1950-1970) comme réponse à la crise du logement qui sévissait après-guerre. Il s'agissait de sortir les misérables de leurs taudis et bidonvilles, de loger les immigrants venus répondre à la demande de main-d'œuvre, parmi lesquels les Algériens qui avaient choisi la France, mais aussi les Français de l'exode rural, les jeunes ménages qui ne voulaient plus vivre avec leurs parents, les ouvriers de l'industrie nouvelle s'installant à proximité de leur travail. Et surtout, il s'agissait, dans le cadre des projets de modernisation du pays, d'offrir un habitat populaire moderne, hygiénique, entouré de verdure et de lumière, en opposition avec la ville ancienne en léthargie et des centres-villes souvent insalubres.

DES RÉSULTATS INATTENDUS. Cette politique fut stoppée en 1973 lorsqu'on s'aperçut qu'au sein de ces cités-dortoirs apparaissaient progressivement des formes de ségrégation sociale et de délinquance. Petit à petit, les classes moyennes ou ouvrières quittaient ces logements sociaux pour s'installer plus loin, en zones pavillonnaires, laissant derrière elles les plus démunis et les victimes de la crise économique. La première manifestation de violence fut celles des Minguettes à Vénissieux en 1981. L'État entreprit alors nombre de mesures et missions, dont l'instauration des ZEP (zones d'éducation prioritaires) pour faciliter l'insertion des jeunes. Le problème devint tel qu'en 1990 fut créé le ministère de la Ville, suivi en 1995 par l'instauration de zones urbaines sensibles. Les actes violents dans ces banlieues sont très largement décrits et commentés dans les médias qui, en stigmatisant ces quartiers et leurs populations, globalisent un problème qui n'est pas du tout homogène d'une banlieue à l'autre ou d'un quartier à l'autre, et tendent à diffuser un sentiment d'insécurité général malsain.

Près de 5 millions de personnes vivent en ZUS

UN CHÔMAGE IMPORTANT. Le taux de chômage des 15-59 ans est de 20,7 % en moyenne dans les ZUS en 2004, le double de la moyenne nationale. Sur une population active estimée à 1,7 million de personnes, la diminution des emplois est largement due à la baisse des emplois non aidés du secteur marchand. Malgré les aides à l'emploi dans les ZUS, en particulier les contrats emploi solidarité (CES) dirigés vers ces populations, l'emploi durable n'est pas garanti. Le fait d'être une femme, un jeune ou un immigré habitant en ZUS expose davantage au risque de chômage. Le chômage de la population immigrée renforce l'écart entre le taux de chômage national et celui des ZUS.

Fin 2004, l'amélioration conjoncturelle de l'emploi en ZUS semble se confirmer comme sur le plan national. Grâce aux nouveaux dispositifs d'exonération de cotisations ou de zones franches, le nombre d'entreprises augmente dans les ZUS, surtout dans le secteur de la construction. Cependant, les deux tiers des nouveaux établissements n'ont pas de salariés. Une ZUS sur trois compte entre 20 et 30 % de bas revenus (ménages dont le revenu par unité de consommation est inférieur à 5 470 € en 2001). Enfin, faute d'emploi sur place, les jeunes restent tardivement chez leurs parents. Cercle vicieux : sans permis de conduire, autrefois gratuit grâce au service militaire, ils ne peuvent chercher un travail loin de leur domicile et s'installer hors des ZUS.

TAUX DE CHÔMAGE EN 2003

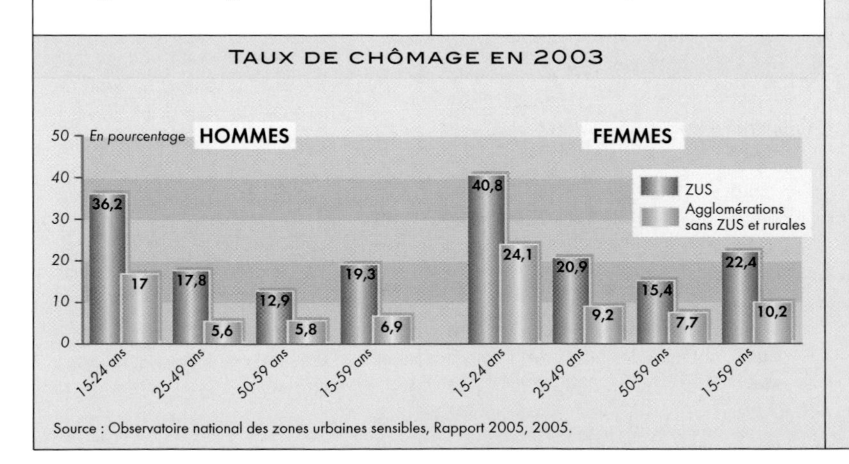

Source : Observatoire national des zones urbaines sensibles, Rapport 2005, 2005.

LES ZONES URBAINES SENSIBLES (ZUS) EN 2005

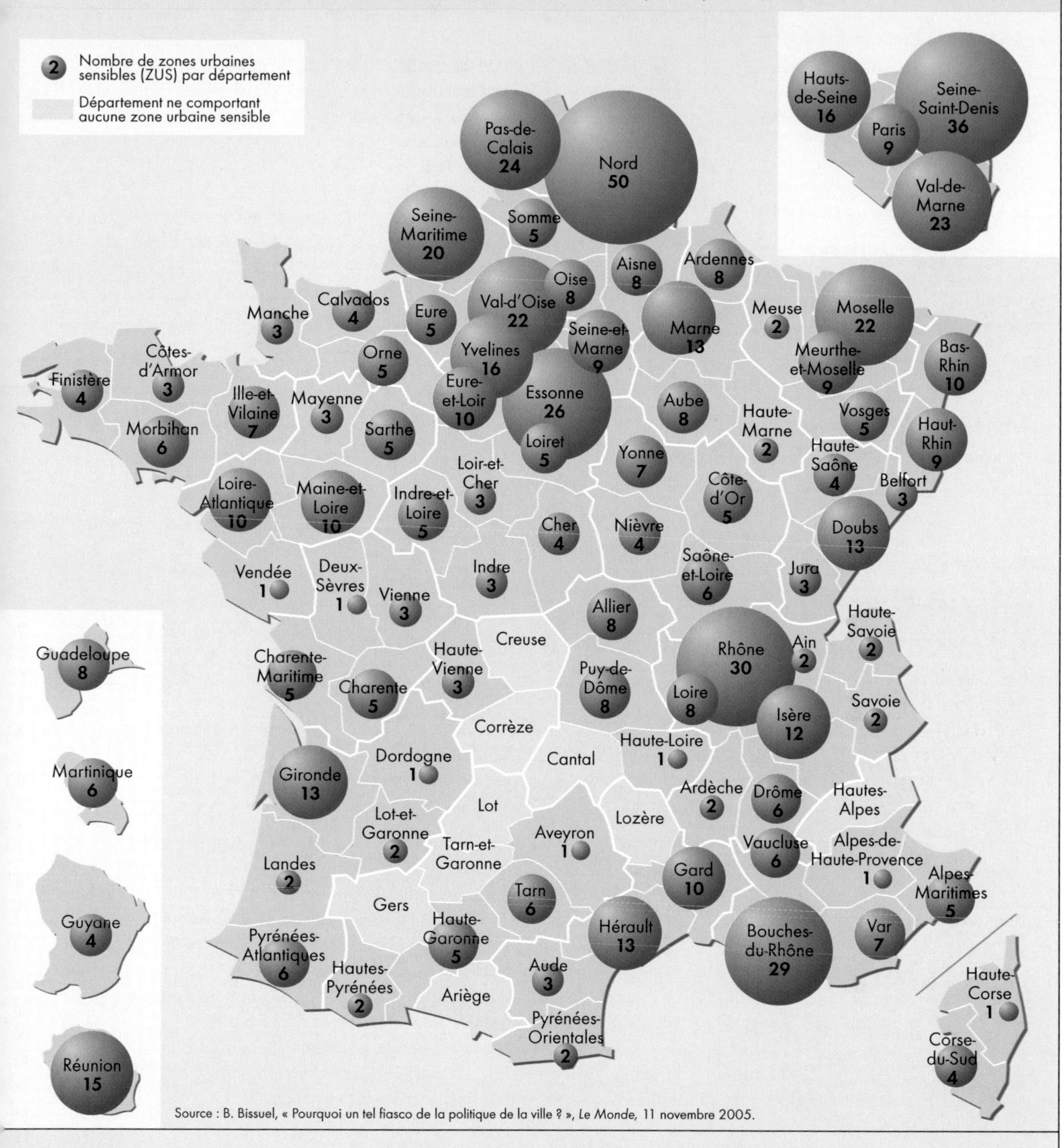

Source : B. Bissuel, « Pourquoi un tel fiasco de la politique de la ville ? », *Le Monde*, 11 novembre 2005.

UNE STRUCTURE DE POPULATION MARQUÉE. Comparativement au reste de la France métropolitaine, les jeunes sont en nombre plus important (les moins de 20 ans représentent 31,5 % de la population en 1999, alors qu'ils sont 24,6 % en France métropolitaine), les couples sans enfants sont nettement moins nombreux, tandis que la part des familles très nombreuses (13,3 % des familles en ZUS ont quatre enfants et plus, contre 5 % pour la France métropolitaine) et des familles monoparentales (14,2 % contre 8 %) y est beaucoup plus grande. En revanche, leur augmentation est moindre : entre 1990 et 1999, elles ont augmenté de 16 %, contre 24 % pour la France métropolitaine. Celle des individus de nationalité étrangère y est trois fois supérieure (18,6 %).

QUELQUES ZUS EN VOIE DE RECONSTRUCTION. Si certaines ZUS voient leur situation se dégrader, pour d'autres il y a une amélioration. Tout dépend de la zone d'emploi auxquelles elles appartiennent. Pour résumer, on peut dire que les ZUS très peuplées (6 700 habitants en moyenne) sont en « décrochage », tandis que les plus petites (177 parmi les 717) sont en situation de « rattrapage ». On observe que leur situation s'étant améliorée, ces petites ZUS se sont fondues dans le paysage, acquérant petit à petit des caractéristiques sociales proches de la moyenne nationale, et ont pu accueillir de nouveau des populations moins défavorisées.

EN ZUS, PEU DE MÉNAGES IMPOSÉS

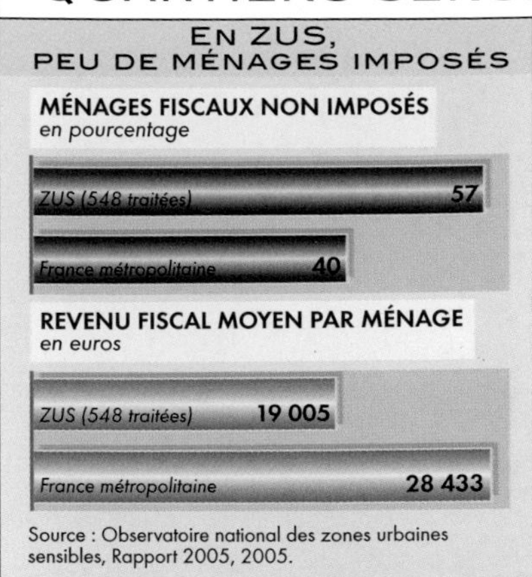

Source : Observatoire national des zones urbaines sensibles, Rapport 2005, 2005.

DES TAUX PLUS FAIBLES DE PRATIQUE DE LOISIRS
Les activités de loisirs pratiquées en ZUS sont hiérarchisées de façon proche de celles pratiquées dans le reste des agglomérations. La différence porte sur les volumes.

LES LOISIRS EN ZUS

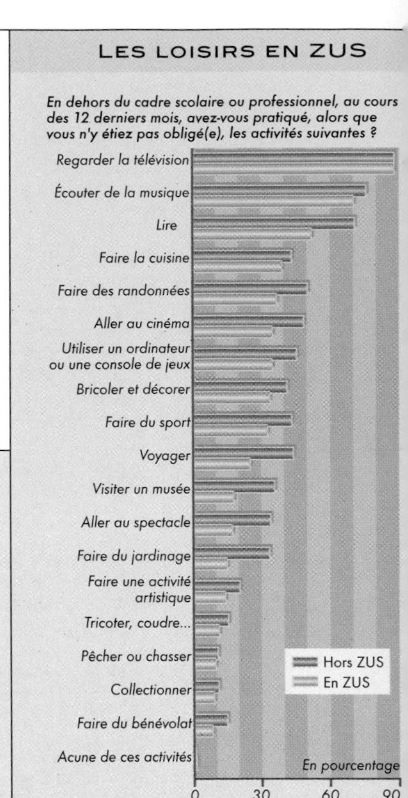

Source : Observatoire national des zones urbaines sensibles, Rapport 2004, 2004.

Traiter les difficultés au niveau local : l'exemple des zones d'éducation prioritaire (ZEP)

De 363 en 1984 à 784 en 2002, les ZEP scolarisent aujourd'hui 15 % des écoliers et 18 % des collégiens. L'idée de la création des ZEP était de « donner plus à ceux qui ont moins », source de l'expression récente « discrimination positive ». Il s'agit d'une stratégie inégalitaire dans un but d'équité, principe tout à fait nouveau au sein de l'Éducation nationale.

UNE VOLONTÉ D'ENCADRER LA SCOLARITÉ. C'est le recteur d'Académie qui propose le classement en ZEP, mais les territoires se recoupent presque en totalité avec les ZUS. 60 % des élèves de ZEP sont enfants d'ouvriers. Les élèves en ZEP sont plus encadrés que les autres et la scolarité dès 2 ans est favorisée, selon le principe qu'il est préférable pour les petits enfants de milieux défavorisés d'être en maternelle plutôt que chez eux.

DES RÉSULTATS CONTRASTÉS. Vingt ans après la création des ZEP, le bilan est mitigé. Comme pour les ZUS, les résultats sont hétérogènes. On constate néanmoins un effet positif : si l'amélioration des résultats scolaires n'est pas prouvée (les élèves de ZEP réussissent moins bien que les autres), en revanche les ZEP accueillent de plus en plus d'élèves et évitent souvent l'échec total qui pourrait résulter de la dégradation considérable des conditions sociales et économiques dans certains quartiers.

Les jeunes des cités

Tous les jeunes des cités ne vivent pas « la galère ». Beaucoup sont très attachés à leur cité, un espace de protection où se révèle la force du groupe, des codes d'honneur ou des conduites de compétition, un espace qui protège du stigmate et du racisme. Ce territoire est fortement organisé et les rôles masculins et féminins bien distribués. Le statut des jeunes filles peut être très problématique : devant des garçons qui, au chômage, manquent de statut social, les filles ne les perçoivent plus comme des époux potentiels. Les garçons tentent, eux, d'exprimer leur virilité par un contrôle social fort sur les filles, qui soit se cachent ou se plient au contrôle, soit adoptent des conduites masculines et agressives. Le plus souvent, elles élaborent des compromis, choisissent la réussite scolaire, évitent le quartier mais préservent la famille. Elles adoptent une stratégie qu'on peut qualifier de « révolution tranquille » qui va déstabiliser la domination masculine.

L'ACTION MILITANTE EN ZUS

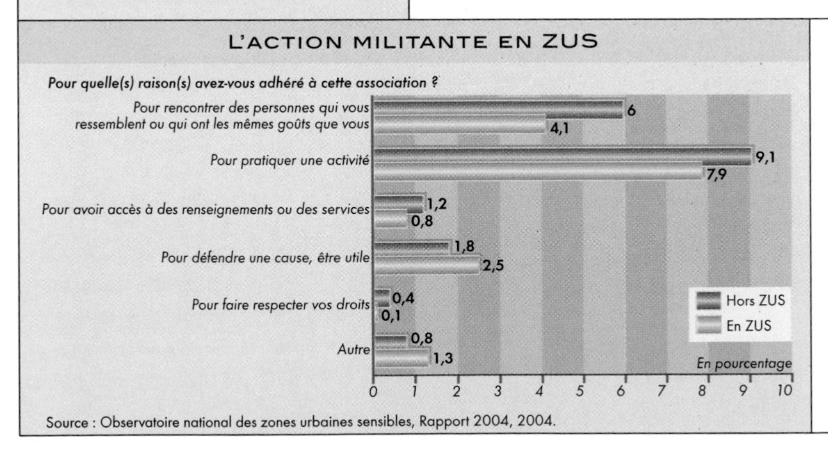

Source : Observatoire national des zones urbaines sensibles, Rapport 2004, 2004.

UN ENGAGEMENT CITOYEN MARQUÉ
L'action militante – défendre une cause, être utile – est plus importante en ZUS qu'ailleurs.

Le rap : un moyen de se faire reconnaître

Le mouvement hip-hop – qui comprend le rap, la break dance ou smurf, le tag et le graff – prend son origine dans les ghettos noirs américains. Il apparaît en France au milieu des années 1980, devient vite l'emblème d'une culture propre aux banlieues et révèle un désir de visibilité sociale. En cela le tag est très représentatif, il exprime la rage dans un espace public interdit qui a demandé une prise de risque. Le rap, qui se développe à partir des années 1990, n'est pas un mouvement social. Par sa dimension contestataire, il est l'expression d'une énergie révoltée et militante. Les paroles ont une signification, elles expriment des expériences d'exclusion et de répression, d'injustice et d'inégalité. Le rap peut être une alternative à une violence sans objet. Pour la première fois, une expression artistique, porte-parole de la catégorie sociale la plus pauvre, s'est diffusée, à l'échelle de la société, aux catégories les plus aisées.

Le parcours de ceux qui « s'en sortent »

Parmi ceux qui « s'en sortent », beaucoup ont suivi un cursus scolaire. Ils ont pu obtenir un CAP ou un BEP ou suivre un enseignement secondaire et occupent de façon transitoire un poste d'animateur culturel de quartier ou de médiateur entre les habitants et les institutions. Ils s'investissent dans le quartier et militent pour lui donner une autre image. D'autres, ceux qui ont eu la chance de vivre dans une ambiance familiale favorable, parviennent avec beaucoup de volonté à suivre des études supérieures et à entamer une carrière professionnelle avec des responsabilités importantes, mais en s'éloignant de la cité (la proportion d'habitants déclarant posséder au moins le baccalauréat progresse dans les ZUS de 14,2 % en 1990 à 22 % en 2004). Nombreux sont ceux qui réussissent une carrière « banale ». Cette réussite s'est souvent accomplie grâce à une rencontre avec un travailleur social, un enseignant, un prêtre ou un psychologue qui joue un rôle de déclic.

> « ***La population des ZUS change. Les arrivées sont loin de compenser les départs. Ceux qui restent sont les plus fragiles mais aussi ceux qui s'y sentent bien parce que leurs conditions y ont été améliorées.*** »

UN NIVEAU DE DIPLÔME QUI AUGMENTE AUSSI EN ZUS

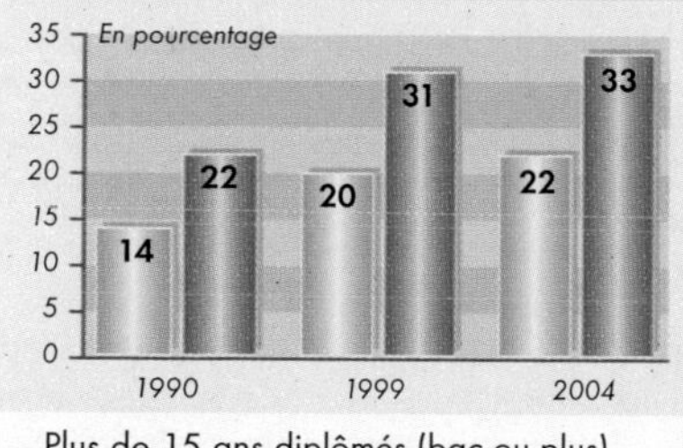

Plus de 15 ans diplômés (bac ou plus), *en pourcentage*

En ZUS — Hors ZUS

Source : ministère de l'Emploi, de la Cohésion sociale et du Logement, dossier de presse : « Réussite éducative », 2005.

Une sociabilité de proximité

De nombreuses études locales montrent la sociabilité accrue des familles pauvres concentrées dans un quartier qui développent des relations de proximité intenses, caractérisées par des échanges de services nombreux, dont la contrepartie réside dans la dépendance et des désaccords plus nombreux (typiques des relations uniquement de voisinage). Pour grossir le trait, c'est la réputation qui organise la place de chacun. Ces relations de solidarité sont encore plus fortes chez les personnes immigrées et leurs enfants, pour lesquels l'origine culturelle et le parcours migratoire constituent des facteurs de rapprochement. Contrairement à ce qui se dit sur le « repli ethnique », les familles immigrées se « bricolent » une identité en combinant leur attachement originel à travers la famille et l'intégration au pays d'accueil à travers les associations et animations locales. Il ne s'agit donc pas de sociabilité « communautaire » comme le dénoncent certains Français qui ont, pour leur part, des relations de proximité moins intenses. Ces personnes « assignées à résidence » aspirent à des styles de vie et à une image de soi dont le modèle est celui des classes moyennes, mais leur précarité économique les empêche d'être autonomes.

LES ÉLÈVES DES ZUS EN RETARD

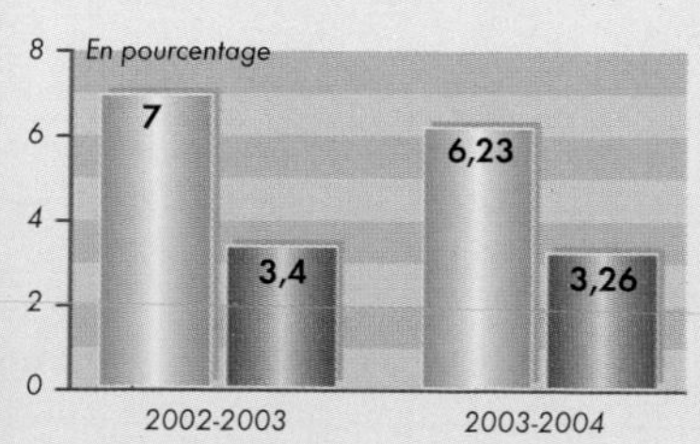

Proportion d'élèves en retard de deux ans ou plus en 6e, *en pourcentage*

En ZUS — France entière (hors ZUS)

Source : Observatoire national des zones urbaines sensibles, Rapport 2005, 2005.

DÉLINQUANCE ET INSÉCURITÉ

On croyait jugulées les formes massives de la violence. Les émeutes dans les banlieues en 2005 ont rappelé les événements de Mai 1968. Mais, entre ces deux dates, si, certaines années, le chiffre global de la délinquance est en baisse, en revanche, le noyau dur, le chiffre relatif à celui des agressions contre les personnes, est en hausse (+ 6,6 % en 2005). Depuis une dizaine d'années, on assiste à une explosion de la délinquance des mineurs et de la délinquance individuelle. L'échec scolaire et le manque de contrôle social multiplient par dix la probabilité de commettre un délit. Les violences collectives sont en diminution et sont souvent des rixes entre « gangs » réglant des comptes liés aux stupéfiants ou à des rivalités de bandes très localisées. Mais le taux d'homicides reste extrêmement faible. Il faut malgré tout relativiser cette délinquance puisque pour un quartier donné, environ 5 % des jeunes, surtout les garçons, sont responsables de la majorité des infractions.

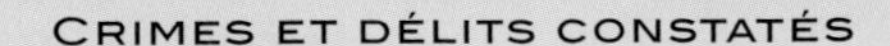

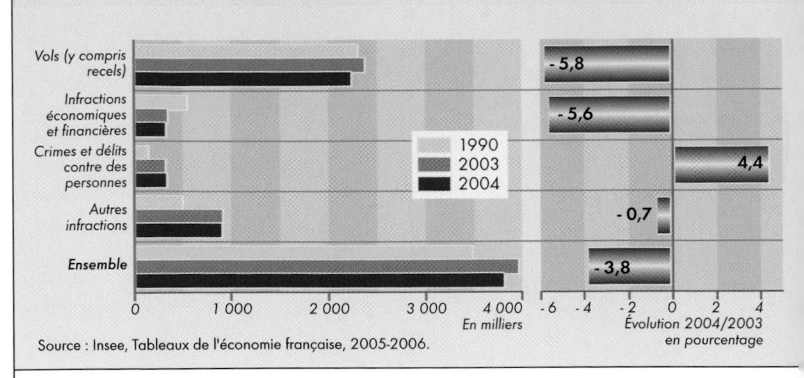

Source : Insee, Tableaux de l'économie française, 2005-2006.

Mise en garde à propos de la mesure de la délinquance

Les chiffres de la police, en mesurant le nombre des délits, mesure en même temps l'activité policière : plus la police est active, plus elle enregistre de délits. De plus, l'opinion publique et les hommes politiques jouent leur rôle. Ainsi, un cercle vicieux s'établit : si le sentiment d'insécurité augmente, les hommes politiques en font un thème électoral répercuté par les médias et augmentent les moyens de la police. Les chiffres de la délinquance augmentent, les médias s'en emparent et le sentiment d'insécurité trouve confirmation. Ceci ne veut pas dire que la délinquance n'a pas augmenté, mais que le sentiment d'insécurité évolue de manière relativement autonome. Depuis dix ans, le nombre de viols recensés a augmenté fortement et les cas de pédophilie traités par les tribunaux se sont multipliés. Entre 1996 et 2004, les violences sexuelles sur mineurs constatées ont augmenté de 47%. En 2004, près de deux violences sexuelles sur trois ont eu pour victime un mineur. Ce qui ne veut pas dire que le nombre total des viols, notamment incestueux entre père et fille, ait augmenté, pas plus que les actes pédophiles, car la grande majorité de ces délits reste inconnue de la police et des tribunaux. Un plus grand nombre de victimes osent parler, et le système pénal et judiciaire les écoute de manière plus attentive. La définition même des délits pose des problèmes délicats entre les « incivilités » dont on parle depuis dix ans et les véritables émeutes dont certaines banlieues sont le théâtre, les classements sont difficiles. Différente de la délinquance « acquisitive » (vol, recel), une délinquance « expressive » (affrontement contre l'autorité) se développe par laquelle le jeune exprime son agressivité et ne cherche pas de profit.

Les enquêtes de victimation

Ces enquêtes, qui consistent à interroger la population, permettent de mieux cerner la réalité de la délinquance que les statistiques de la police qui n'enregistrent que les délits déclarés par les victimes. La dernière enquête de l'Observatoire national de la délinquance montre ainsi que seulement 31 % des victimes de violences physiques ont déposé plainte ; il faudrait donc multiplier par trois le chiffre pour atteindre la réalité. Il s'agit une fois sur cinq d'une violence physique commise dans l'espace privé.

La masse des « incivilités » ou de la criminalité est le fait d'adolescents et de jeunes adultes. Le phénomène apparaît vers 8 ou 10 ans, s'accélère à l'adolescence (12-13 ans) et atteint son maximum vers 15-16 ans, puis décroît jusqu'à disparaître autour des 30 ans. Les garçons des classes populaires sont quasiment les seuls à avoir à faire avec la police. Dans les classes sociales moyennes et supérieures, les jeunes sont aussi auteurs d'actes délinquants, mais la famille, le plus souvent, parvient à sortir l'adolescent des mains de la police, à le raisonner et à masquer le délit.

Le chiffre des homicides n'a guère varié ; depuis des années il se situe entre 700 et 900 par an. Le nombre des homicides n'augmente pas, tandis que le nombre des tentatives d'homicide augmente.

> « *Les violences physiques non crapuleuses (sans intention de vol) et les menaces connaissent des évolutions annuelles orientées à la hausse. On observe une augmentation des violences à l'encontre des dépositaires de l'autorité dont le motif n'est pas apparent.* »

Délinquance des jeunes

La plupart de ces délits commis par les jeunes sont des petits vols : 50 % des auteurs de vols ont gagné moins de 15 euros. En revanche, il existe des noyaux, petits mais très actifs, qui imposent souvent leur loi et établissent dans certains quartiers une ambiance de violence et de peur.

Les trafiquants de drogue forment un groupe réduit parmi ces noyaux durs. Si beaucoup des consommateurs de cannabis vivent dans les quartiers aisés, les dealers de drogue ou autres produits illégaux sont des jeunes de quartiers populaires formant de véritables « gangs » ; en étalant leur richesse illégalement acquise, ils exercent un contrôle souvent accompagné de violences. Plus nombreux sont ceux qui revendent ou consomment pour eux-mêmes, s'offrant ainsi les moyens de se « saper » ou de s'amuser. Ces derniers ne considèrent pas cette pratique comme délinquante : elle assure juste une petite autonomie en attendant les ressources d'un véritable emploi.

La violence à l'école est un phénomène plus récent. Les évolutions vont dans le sens d'une augmentation de l'agressivité. Le racket en groupe est en progression dans certains établissements, tout comme l'agression contre les enseignants, qui est une forme de délinquance d'exclusion tournée vers les représentants des institutions publiques de proximité.

Les « bandes » contre les institutions. Plus récemment est réapparu dans les quartiers pauvres le phénomène des « bandes ». Regroupant dans les années 1960 des jeunes de milieux ouvriers, elle s'identifie plus à une « ethnie » (maghrébine, africaine ou antillaise) qui varie selon la morphologie des quartiers. Contrairement aux États-Unis, en France la bande n'est pas vraiment structurée, elle est seulement liée à un quartier et la violence participe de son identité et de son honneur. Elle surgit de façon aléatoire et s'exprime par la violence contre une institution. Elle vise l'école, les services sociaux, les équipements collectifs. Ces violences collectives s'intensifient dans certains quartiers (en particulier dans les cités HLM excentrées), tandis qu'elles disparaissent dans d'autres. Lorsque ces mouvements se terminent en véritables émeutes urbaines, c'est que le sentiment d'injustice et de mépris est arrivé à son paroxysme, pouvant conduire à l'autodestruction du cadre de vie qui interpelle les institutions attribuant des ressources supplémentaires.

L'année 2005 a connu une recrudescence des affrontements entre bandes, dont l'objet des contentieux reste obscur. Les départements les plus touchés sont le Nord, les Bouches-du-Rhône et la Seine-Saint-Denis, où la densité urbaine est forte et où les cités sensibles sont nombreuses et proches les unes des autres, permettant aux bandes de se rejoindre rapidement. Les problèmes sociaux y sont considérables. Grande pauvreté, chômage et absence de prévention conduisent des bandes de jeunes à saccager les biens de la population de ces cités et les services publics sensés la protéger.

Les taux de délits en France

Source : ministère de l'Intérieur, *La Délinquance régionale en 2003*, 2003.

Les causes de la délinquance

La délinquance dans les banlieues défavorisées est le fait de quelques groupes de jeunes, livrés à eux-mêmes depuis la tendre enfance. Leurs parents, souvent dans des situations précaires (chômeurs, mères seules, etc.), n'ont pas les moyens de leur donner une éducation qui leur aurait permis d'avoir des valeurs et des repères, les laissant aux prises avec toutes sortes de trafics dans la rue. Le contrôle social, assuré autrefois par les patronages ou la vie communautaire ouvrière, n'est plus exercé.

Les sociologues de la délinquance voient plusieurs facteurs propices à la violence, outre le chômage et la pauvreté qui n'expliquent pas tout. Ils mettent en cause l'affaiblissement du contrôle social, celui de la société, mais aussi l'abandon de la police de proximité et la réduction des crédits aux associations de médiation. De façon générale, les règles collectives donnent aujourd'hui moins de poids à l'obéissance et plus d'importance à l'autonomie et à la prise d'initiative, changeant ainsi les mécanismes de socialisation de la jeunesse. Autrefois, par exemple, la vie communautaire ouvrière contrôlait les anciennes « banlieues rouges » où étaient tolérés et régulés des espaces de déviance qui n'existent plus.

Dans une société d'abondance matérielle, la frustration a créé dans les cités une « culture de la rue » qui vise à banaliser le vol et les « incivilités ». D'autre part, les sociologues expliquent la croissance des délits sexuels par une « crise de la masculinité » dans une société où la femme est plus libérée, où elle réussit mieux à l'école. Il résulte des diverses analyses que la délinquance révèle plus un déficit de reconnaissance qu'un déficit de possession. Le jeune se sent dominé parce qu'il est pauvre et immigré, il veut se battre contre le regard porté sur lui, se battre en fait contre la ségrégation, produit de l'isolement social dans lequel l'enferme le reste de la société.

PART DES MINEURS DANS LA CRIMINALITÉ ET LA DÉLINQUANCE

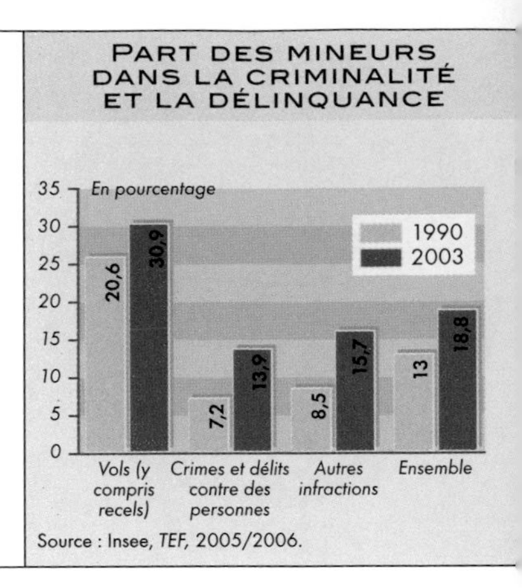

Source : Insee, *TEF*, 2005/2006.

Le sentiment d'insécurité

Le sociologue Robert Castel analyse pourquoi, dans un pays aussi non violent que le nôtre, le souci de la sécurité est devenu un sentiment très populaire et entraîne une recherche de protection infinie. Il souligne que faire de quelques milliers de jeunes, plus paumés que méchants, le noyau de la question de l'insécurité est très réducteur. Le sentiment d'insécurité est aussi lié à la nouvelle génération de risques (industriels, technologiques, écologiques), face auxquels les États sont impuissants et qui conduisent l'individu à s'armer d'assurances privées.

UNE PRÉOCCUPATION SÉCURITAIRE FORTE. La demande de sécurité est multiforme mais, ces dernières années, elle se concentre plus fortement sur la sécurité des biens et des personnes. Longtemps considérée par la plupart des hommes politiques comme une illusion au service des démagogues et des médias avides de sensations, la préoccupation sécuritaire des Français est devenue un thème majeur de la campagne du Front national et a contribué à son succès du 21 avril 2002. Les gouvernants mènent depuis lors une politique de répression accentuée, alors que la montée de la préoccupation sécuritaire des Français est une réalité depuis une vingtaine d'années. Elle n'est pas un effet de génération (les personnes âgées étaient réputées les plus sensibles) puisque aujourd'hui les jeunes, en particulier les jeunes peu ou pas diplômés, placent également l'insécurité en tête de leurs préoccupations. Toutes les enquêtes montrent les mêmes inquiétudes : d'un côté, la peur d'être victime ; de l'autre, la montée de la délinquance comme problème social.

FACTEURS AMPLIFIANT LE SENTIMENT D'INSÉCURITÉ. Vient s'ajouter à cette inquiétude la montée des affaires non élucidées : en 1989, 38 % des crimes et délits sont élucidés, en 2000, 26,7 %, en 2005, 33,2 %. Cet échec, dû à une urbanisation géante où l'anonymat est la première caractéristique, est plus net encore pour les délits tels que les vols de voiture ou les dégradations. Ainsi, la faiblesse des faits élucidés par rapport au nombre de faits constatés augmente sensiblement le sentiment d'insécurité, plus intense dans les zones d'habitat social, là où la réalité de la délinquance est la plus forte et où la victime est la plus impuissante. Les risques de se faire prendre sont plus faibles qu'il y a vingt ans. Il en résulte un sentiment d'impunité de la délinquance.

ÉVOLUTION DU TAUX D'ÉLUCIDATION

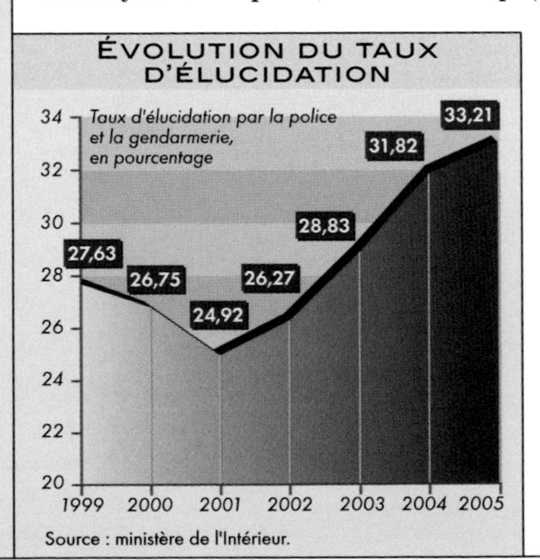

Source : ministère de l'Intérieur.

MAL-ÊTRE ET SUICIDE

Un sentiment de mal-être et d'anxiété diffuse touche un nombre important de personnes. Mal-être social ou dépression liée à un événement personnel ont entraîné l'augmentation de la consommation quotidienne de médicaments psychotropes, de drogues, allant du tabac à l'alcool, au cannabis, jusqu'aux drogues les plus dures. Les consommateurs de ces dérivatifs se caractérisent par des conditions sociales plus précaires que celles de l'ensemble de la société. Déprime de l'adolescent, du chômeur ou déprime de la personne âgée peuvent conduire au passage à l'acte fatal. On dénombre plus de 10 000 suicides et 160 000 tentatives de suicide par an en France.

Les jeunes, le tabac, l'alcool et le cannabis

TABAGISME. Le tabagisme est responsable d'environ 60 000 décès par an. Il touche principalement les hommes adultes, mais régresse depuis le milieu des années 1990, alors qu'il augmente chez les femmes. Un tiers des personnes de 26 à 75 ans présentent des signes de dépendance et 12 % des jeunes de 17-18 ans montrent une dépendance très forte. 4 jeunes sur 10 fument quotidiennement, les garçons autant que les filles.

CONSOMMATION DE CANNABIS. Jusqu'à une date récente, les jeunes Français, en particulier les garçons, figuraient parmi les plus gros consommateurs de cannabis en Europe. Les données récentes montrent un début d'inversion de tendance. En revanche, les jeunes d'aujourd'hui ont des comportements différents de ceux de leurs aînés, ils se droguent plus tôt et consomment plus d'Ecstasy et d'hallucinogènes. Les nouveaux toxicomanes sont divisés en trois groupes : le premier est constitué de personnes fortement marquées par la culture techno, ils se veulent marginaux. Le deuxième rassemble ceux qui sont en rupture avec leur famille et ont une faible insertion sociale. Le dernier groupe est constitué d'immigrés récents en provenance d'Europe de l'Est. Ils consomment dans la rue, dans des habitats marginaux ou dans des espaces festifs : rave, free parties, teknivals, discothèques, bars, etc. La génération des 15-24 ans est encore plus désocialisée que son aînée ; ces jeunes sans revenus, sans diplôme sont souvent sans logement et la moitié d'entre eux n'a aucune couverture sociale.

L'USAGE DU CANNABIS À 17 ANS

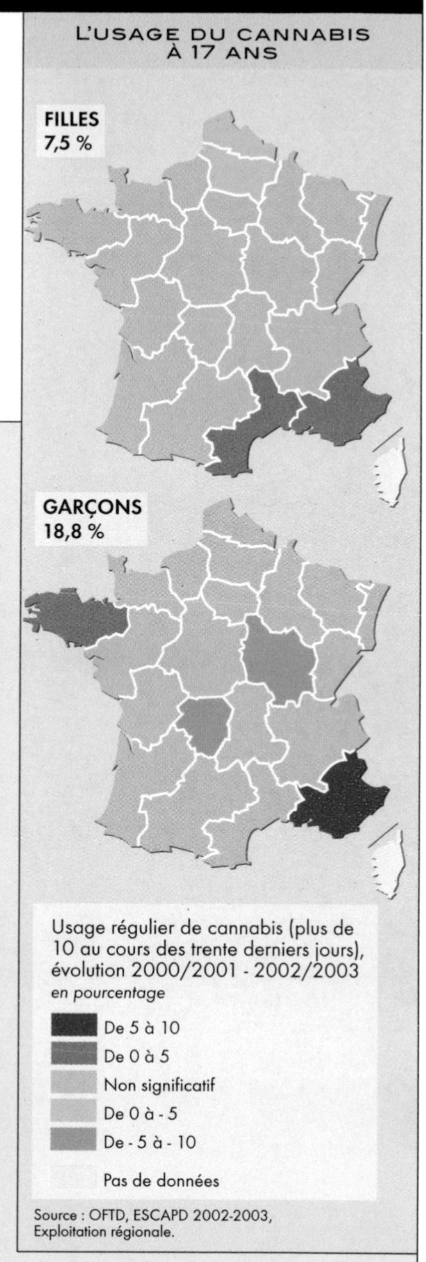

Source : OFTD, ESCAPD 2002-2003, Exploitation régionale.

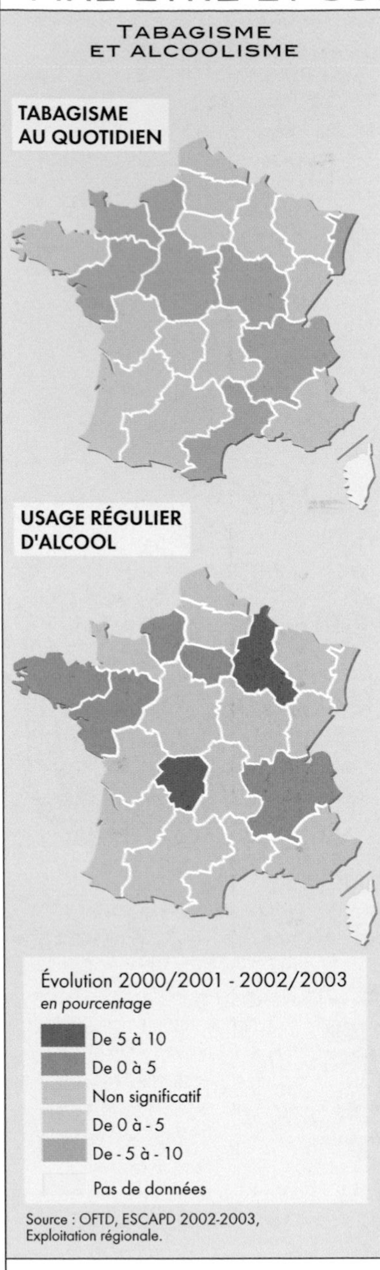

Source : OFTD, ESCAPD 2002-2003, Exploitation régionale.

Les hommes abusent de l'alcool...

L'alcool et le tabac sont les substances psychoactives les plus consommées. La consommation d'alcool est masculine et augmente avec l'âge. On recense trois fois plus de buveurs quotidiens chez les hommes que chez les femmes et chez les plus de 55 ans.

QUELQUES CHANGEMENTS DE COMPORTEMENTS. La proportion de buveurs quotidiens est en baisse. Environ 4 millions de personnes (13 % des hommes et 4 % des femmes) peuvent être classées comme alcooliques et la proportion la plus forte se situe en Bretagne. Environ 45 000 personnes décèdent d'alcoolisme par an. On a observé récemment une tendance à l'augmentation de consommation d'alcool chez les jeunes.

LA PILULE DU BONHEUR

Parmi les psychotropes, ce sont les antidépresseurs qui sont les plus consommés.

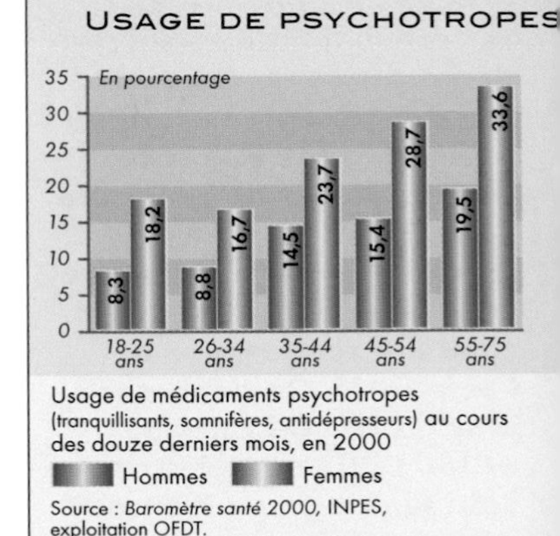

Usage de médicaments psychotropes (tranquillisants, somnifères, antidépresseurs) au cours des douze derniers mois, en 2000

Source : *Baromètre santé* 2000, INPES, exploitation OFDT.

... les femmes des psychotropes

13 % de la population déclarent souffrir d'anxiété généralisée et 11 % ont connu des épisodes dépressifs. Les personnes les plus touchées par la dépression sont en premier lieu les femmes et les personnes divorcées, veuves ou célibataires, puis les personnes au chômage, quelle que soit la catégorie sociale à laquelle elles appartiennent. Pour les cadres ou ouvriers, c'est le chômage qui prévaut. Plus graves, les troubles psychotiques concernent presque 3 % de la population, surtout des hommes.

LES MÉDICAMENTS PSYCHOTROPES (antidépresseurs, anxiolytiques, somnifères) occupent la deuxième place des ventes de médicaments derrière les antalgiques. Les Français sont les premiers consommateurs en Europe. Industriels, médecins et patients sont tous à l'origine de la surconsommation. Cet usage abusif et de plus en plus chronique répond à un mal-être que l'on ne sait soigner autrement que par la « médicalisation pharmacologique de l'existence ». Puissance des industries pharmaceutiques, mauvaise information des médecins qui doivent de plus jouer un rôle de soupape, patients exigeants expliquent pourquoi les Français sont devenus des « accros ». La dépression est devenue une épidémie, le champ des symptômes s'est élargi à la tristesse et à la mélancolie et ce sont tous les malheurs de la société que l'on soigne à coups de psychotropes entraînant, on le sait, une dépendance. Beaucoup de personnes absorbent ces molécules, d'abord de façon conjoncturelle, à cause d'un divorce, d'une perte d'emploi ou d'enfants trop durs à supporter. Mais, par la suite, ces petits cachets seront la solution à un problème plus structurel, un soutien pour aider à vivre ou à vieillir. Reste que ces médicaments sont efficaces et bien utiles lorsqu'ils sont utilisés de façon appropriée. Un certain nombre de médecins considèrent même que leur consommation est insuffisante et qu'ils seraient utiles à des personnes qui jusque-là n'y ont pas accès.

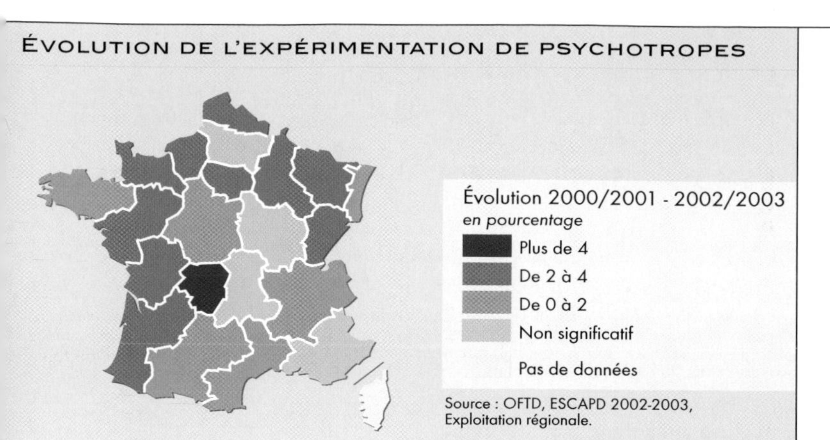

Source : OFTD, ESCAPD 2002-2003, Exploitation régionale.

L'ESSOR DE LA CONSOMMATION DE PSYCHOTROPES

Dans toutes les régions, l'expérimentation de médicaments psychotropes est orientée à la hausse, hausse qui dépasse les dix points en Limousin.

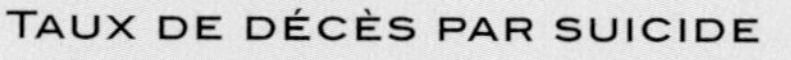

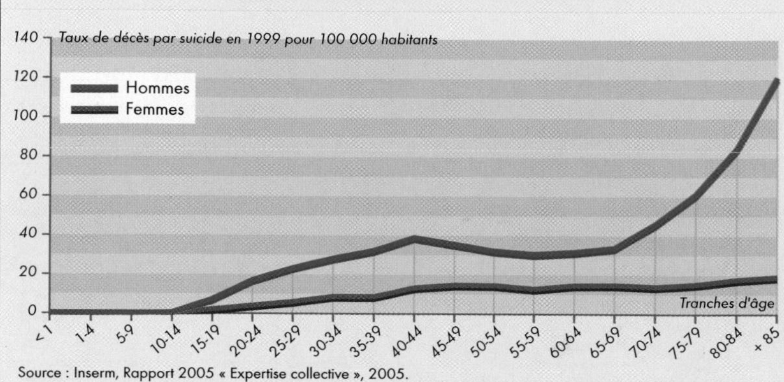

Source : Inserm, Rapport 2005 « Expertise collective », 2005.

> *La France est le pays qui a plus fort taux européen de suicide des personnes âgées. Il est le signe d'un désarroi physique et psychique dont les symptômes ne sont pas toujours diagnostiqués parce que considérés comme faisant partie de l'état « normal » du vieillard.*

Le suicide, troisième cause de mortalité en France

Avec plus de 10 000 décès par an, la France est un des pays les plus touchés par le suicide. 5 % des décès par suicide interviennent avant l'âge de 25 ans et c'est la deuxième cause de décès après les accidents de la route dans cette classe d'âge. Le taux de suicide progresse fortement avec l'âge : il est six fois plus élevé après 85 ans (dix fois plus chez les hommes) qu'entre 15 et 24 ans. On parle souvent du suicide des adolescents inacceptable, mais les personnes âgées sont concernées bien davantage. Les taux les plus élevés concernent les veufs, les divorcés puis les célibataires et enfin les personnes mariées. Les hommes veufs se suicident le plus et les femmes mariées de moins de 65 ans le moins. Toutes causes confondues, l'état matrimonial est le facteur le plus important. La pendaison est le mode de suicide le plus fréquent chez les hommes, les femmes étant partagées entre la pendaison et l'empoisonnement médicamenteux. Les taux les plus élevés se situent en Bretagne.

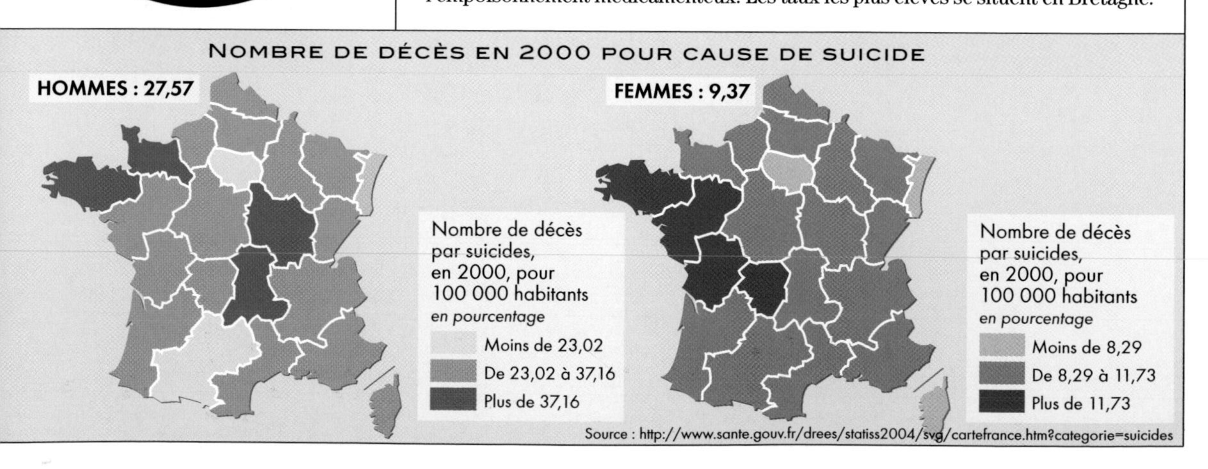

Source : http://www.sante.gouv.fr/drees/statiss2004/svg/cartefrance.htm?categorie=suicides

La réduction du temps de travail s'est traduite par davantage de temps passé à s'occuper des enfants et consacré aux loisirs et à la culture. Le marché du bricolage et du jardinage est en pleine expansion et jamais les monuments historiques n'ont été autant visités. Les activités sportives et culturelles sont pratiquées de concert par une

bonne partie de la population. En même temps, la société est devenue une société de l'écran par le temps passé devant la télévision, l'ordinateur, les jeux vidéo ou le téléphone portable. Toutefois, cette omniprésence de l'écran n'entrave pas la sociabilité ordinaire, au contraire. La culture jeune s'exprime surtout à travers la musique et la technologie la plus récente en est le vecteur principal. Une plus grande permissivité caractérise les valeurs des jeunes générations, plus sensibles que les jeunes d'hier au respect des règles de vie en société.

MODES DE VIE,

LA COURSE AU TEMPS LIBRE

La moitié de notre journée est consacrée au temps physiologique : sommeil, repas, soins, etc. L'autre moitié est partagée entre le temps de travail et le temps domestique ou de loisirs. Si la première moitié n'est guère variable, en revanche la répartition des temps sociaux au sein de la seconde s'est modifiée au cours des trente dernières années. Le temps consacré à l'activité professionnelle et aux tâches domestiques a diminué. Le temps libre a augmenté de façon différente pour les hommes et pour les femmes, et selon les catégories sociales.

MOINS DE TEMPS AU TRAVAIL, PLUS DE TEMPS POUR LES LOISIRS

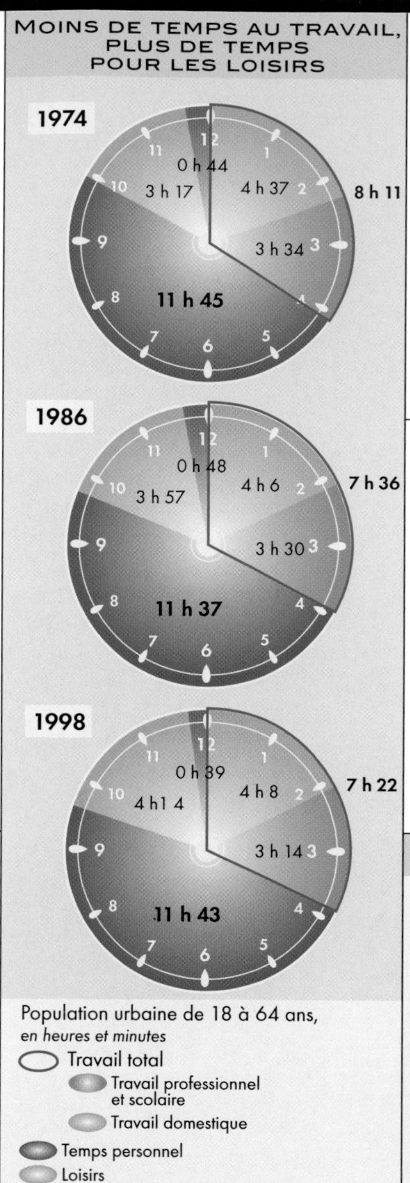

Population urbaine de 18 à 64 ans, *en heures et minutes*

- Travail total
  - Travail professionnel et scolaire
  - Travail domestique
- Temps personnel
- Loisirs
- Trajets de loisirs et domestiques

Source : Insee, Enquêtes Emploi du temps.

Emplois du temps détaillés des urbains de 18 à 64 ans, *durée quotidienne*

- Travail personnel
- Déplacements domicile-travail
- Étude

- Cuisine, linge, ménage
- Soins et éducation des enfants
- Courses
- Bricolage, jardin, soins animaux
- Couture
- Travaux domestiques divers

- Sommeil
- Repas
- Toilette, soins personnels

- Religion, cimetière
- Organisation
- Spectacles
- Conversations, rencontres
- Sport
- Promenade, plage, pêche, chasse
- Jeux, musique
- Télévision
- Lecture
- Radio, écoute de musique
- Détente, pauses

- Trajets de loisirs ou domestiques

> *La « classe du loisir » n'est plus la classe supérieure. Celle-ci conserve deux des trois facteurs caractéristiques de cette classe : les ressources culturelles et monétaires. Elle a perdu une partie de la ressource principale qui était son apanage : le temps libre.*

La contrainte de temps n'est pas la même pour tous

Depuis trente ans, les gains de productivité, le développement du salariat, aux dépens des indépendants et des agriculteurs, conjugués à la baisse volontaire de la durée du travail et à l'augmentation du chômage et des emplois à temps partiel et précaires, de même que les départs précoces à la retraite et l'allongement de l'espérance de vie, sont autant de tendances qui ont participé à l'augmentation du temps libre.

INVERSION DE TENDANCE. Autrefois privilège de l'aristocratie et de la bourgeoisie, le temps libre, consacré aux loisirs, caractérise aujourd'hui à l'inverse le bas de la hiérarchie des qualifications. Ce sont maintenant les cadres qui travaillent le plus (1 870 heures/an, contre 1 640 heures pour les professions intermédiaires et 1 610 heures pour les employés et les ouvriers). Ce sont les actifs les moins qualifiés (le plus souvent à temps partiel) qui ont le plus de temps à consacrer aux loisirs – à l'exception notoire des mères d'enfants en bas âge salariées à temps partiel souvent fractionné de telle manière qu'il ne libère que des temps « inutiles » –, tandis que les salariés à qualification élevée ou moyenne à temps plein. Ceux qui ont pleinement les moyens de s'offrir des loisirs et des activités culturelles, ont vu leur charge de travail augmenter. Pour ces derniers, le temps libre est devenu un luxe dont ils cherchent sans cesse à optimiser l'utilisation.
Depuis la mise en place de la réduction du temps de travail (RTT), les cadres en emploi à temps complet (hors enseignants et professionnels de la culture) travaillent environ cinq heures de plus par semaine que les autres salariés à temps complet, les cadres du privé travaillant davantage que les cadres du public. Ainsi, depuis trente ans, les ouvriers et employés, dont le temps libre était initialement inférieur, ont non seulement rattrapé les autres catégories, mais la tendance s'est inversée. Ces catégories travaillent quantitativement moins et, compte tenu de leur taux de chômage et de temps partiel, elles ont acquis, globalement, un volume de temps libre supérieur à celui des catégories élevées.

QUE FAIT-ON DE SA JOURNÉE ?

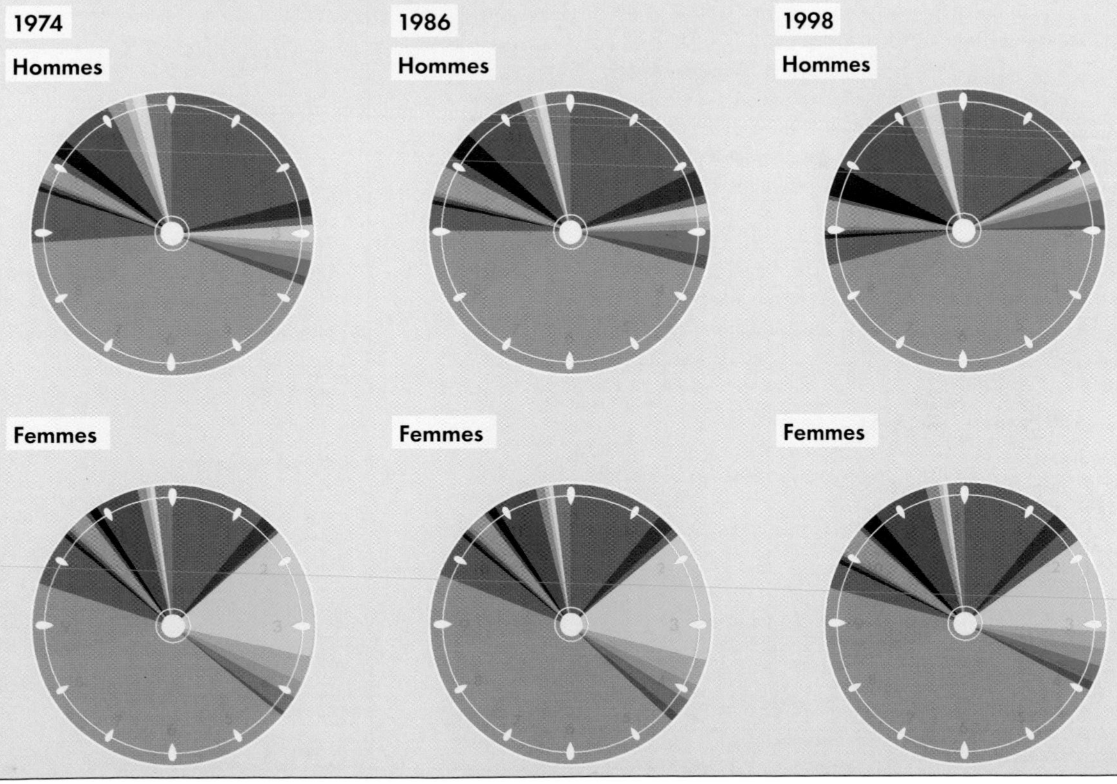

1974

Hommes

1986

Hommes

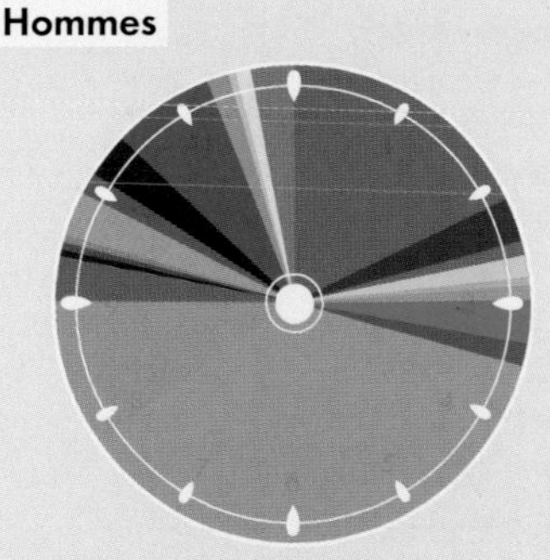

1998

Hommes

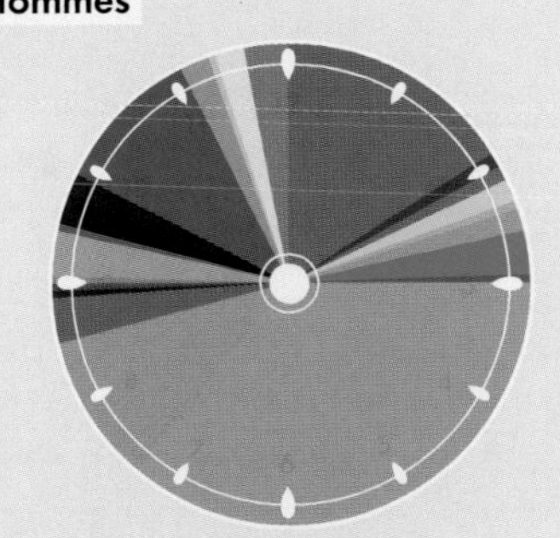

Femmes

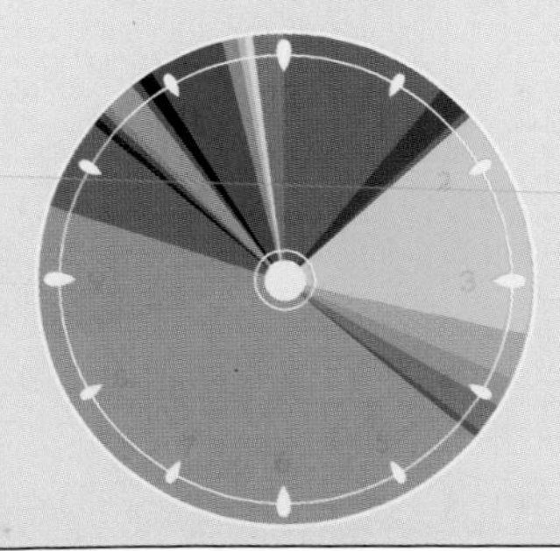

Femmes

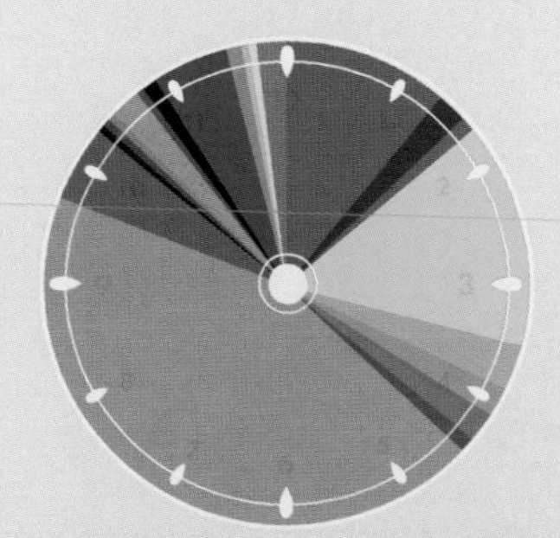

Femmes

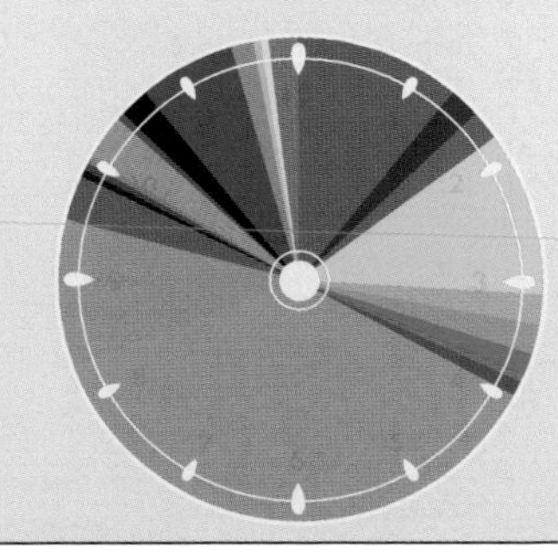

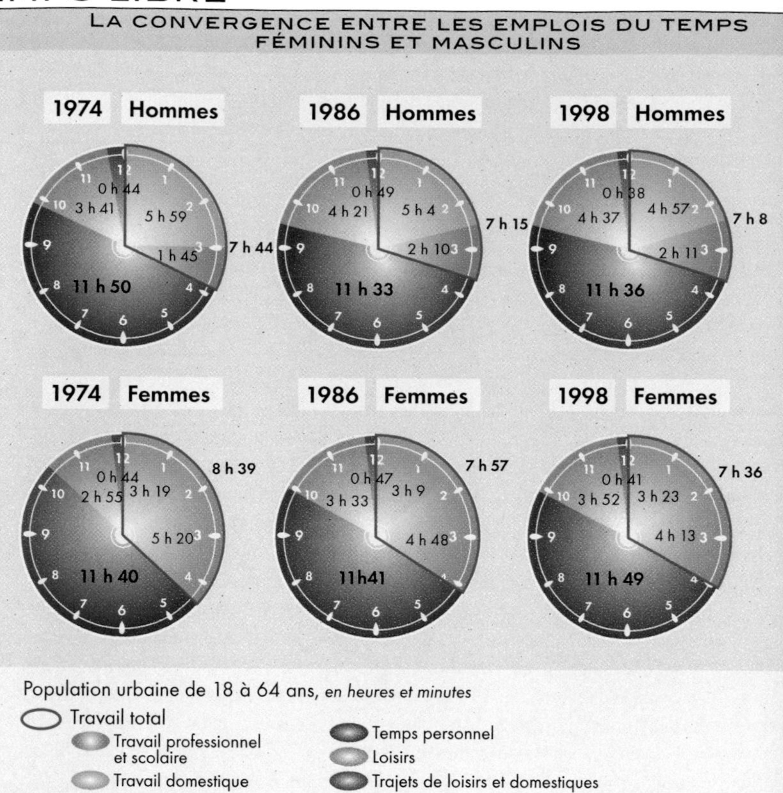

Source : Insee, Enquêtes Emploi du temps.

Des utilisations du temps différentes entre les hommes et les femmes

Si autrefois les femmes assuraient la quasi-totalité des tâches domestiques, aujourd'hui elles ont réduit le temps réservé à ces corvées. En participant au marché du travail, elles ont fait appel aux services marchands pour assurer une partie des tâches domestiques ou maternelles. Le temps consacré à ces activités est réduit à un peu moins du double du temps qu'y consacrent les hommes. C'est un net progrès ! En revanche, si les hommes assuraient auparavant 80 % de temps professionnel de plus que les femmes, ils n'en assurent plus aujourd'hui que 50 % de plus. Au total, en incluant tous les adultes en activité à temps plein, à temps partiel et au chômage, depuis trente ans, la femme a environ une heure de moins de travail domestique par jour et l'homme une heure de moins de travail professionnel.

Activités des hommes et des femmes. Les femmes ont abandonné la couture et les préparations culinaires. Le lave-vaisselle et les plats préparés ont attiré de façon feutrée les hommes dans les cuisines. Les femmes s'accordent plus de temps pour la lecture et les hommes pour le bricolage et le jardinage. Les courses en fin de semaine prennent plus de temps. La première activité de loisir est la télévision, plus regardée par les hommes que par les femmes. Le temps consacré aux sorties, aux spectacles, aux jeux et surtout au sport augmente à un rythme soutenu pour les deux sexes.

TEMPS DE TRAVAIL : IMPRESSIONS CONTRADICTOIRES
Plus on a d'autonomie, plus on se sent débordé au travail.

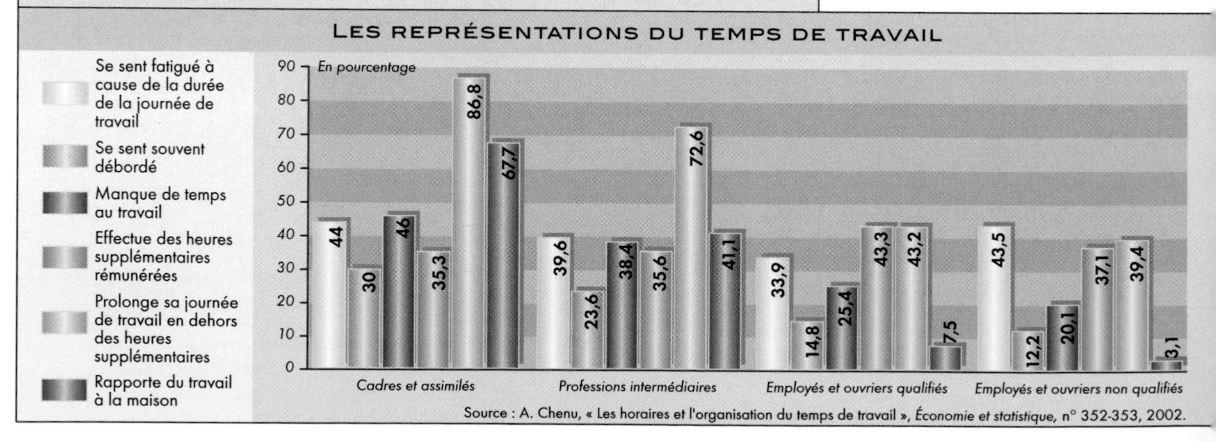

Source : A. Chenu, « Les horaires et l'organisation du temps de travail », *Économie et statistique*, n° 352-353, 2002.

La RTT a-t-elle changé la vie ?

Selon l'enquête de la Dares en 2000, la RTT a densifié le rythme du travail, en particulier pour les plus qualifiés, qui doivent parfois réaliser le même travail en moins de temps. Elle n'a pas beaucoup changé la participation des hommes aux activités domestiques. Les hommes qui y participaient déjà s'impliquent davantage (en particulier les cadres et les professions intermédiaires). La RTT a permis aux mères et aux pères de s'occuper davantage des enfants. Globalement, elle a surtout permis chez les ménages à bas revenus de se reposer, de bricoler et de jardiner un peu plus, de s'occuper de soi pour les femmes et de faire plus de sport et de jeux vidéo pour les hommes, et pour les plus hauts revenus de partir plus souvent en week-ends prolongés.

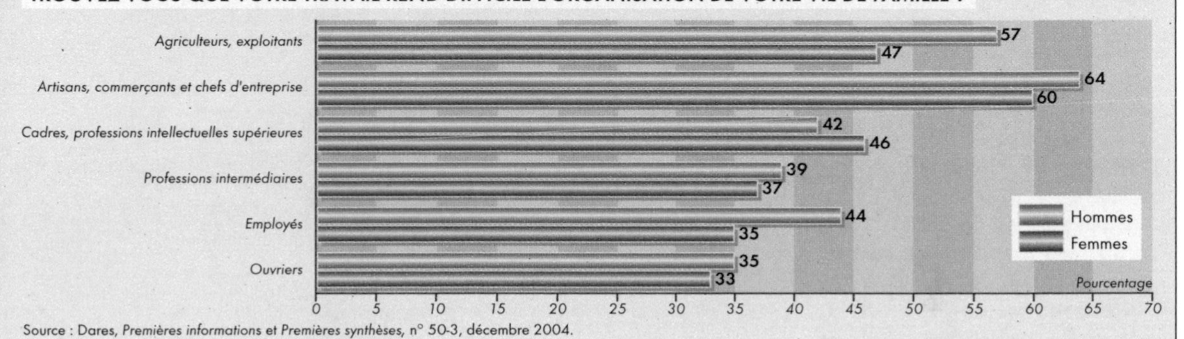

Source : Dares, Premières informations et Premières synthèses, n° 50-3, décembre 2004.

Un usage du temps libre disparate

Selon le diplôme et le revenu. L'augmentation globale du temps « libre » est due en grande partie à l'augmentation du temps non travaillé des chômeurs et des actifs à temps partiel. Avec moins de moyens, ces derniers utiliseront leur temps libre en activité « passive » peu coûteuse : télévision, tâches ménagères, activités d'intérieur, jardinage ou bricolage. Ceux qui ont aujourd'hui le moins de temps libre, les plus diplômés, les plus aisés financièrement, l'utilisent à des activités denses et nombreuses. Contrairement à ceux qui disposent de moins de ressources, ils réduisent leur temps de sommeil et de télévision, et multiplient les activités sociales et culturelles. Ainsi, la pratique de loisirs culturels est déterminée par l'emploi, le diplôme et le revenu. Les plus favorisés s'investissent plus fréquemment dans les associations, partent plus souvent en vacances et consomment plus de services que les autres.

Selon le groupe professionnel. Les rythmes de travail distinguent six groupes professionnels : les horaires lourds, le soir et en fin de semaine des indépendants et agriculteurs ; les horaires plus légers, pour partie à domicile, des enseignants ; les horaires plus libres des cadres ; les horaires stricts, imposés et décalés des employés de commerce ; les horaires réguliers des agents de la fonction publique, non enseignants, non militaires et non policiers, et des salariés des banques et des services administratifs des entreprises privées ; les horaires faisant souvent appel au travail de nuit du week-end et décalé des ouvriers, des salariés des services publics (EDF, SNCF, RATP, etc.), des militaires, des personnels hospitaliers. Paradoxe : à durée de travail identique, le fait de pouvoir organiser soi-même son temps de travail renforce le sentiment d'être débordé.

DIFFÉRENCES ENTRE INDÉPENDANTS ET SALARIÉS

Ce sont les travailleurs indépendants qui déclarent le plus de difficultés à concilier vie professionnelle et vie familiale. Parmi les salariés, les femmes cadres et les employées de commerce sont les plus concernées.

VIVE LES VACANCES

Alors qu'il avait tendance à stagner, le nombre de Français qui partent en vacances a légèrement augmenté ces dernières années. L'objectif principal des Français est alors de se reposer. Grâce à la réduction du temps de travail, ils fractionnent leurs vacances en séjours moins longs et plus nombreux. Entre les vacances d'été et les vacances d'hiver, les séjours sont organisés de façon différente, selon que l'on recherche le repos et la vie de famille comme c'est le cas pour les personnes de niveau de vie modeste, l'activité sportive et culturelle ou la découverte pour les personnes seules ou les jeunes, les séjours lointains au soleil en hiver pour les ménages plus aisés. La résidence secondaire constitue une deuxième résidence principale, utilisée en alternance.

LES RÉGIONS PRÉFÉRÉES DES CAMPEURS EN 2003

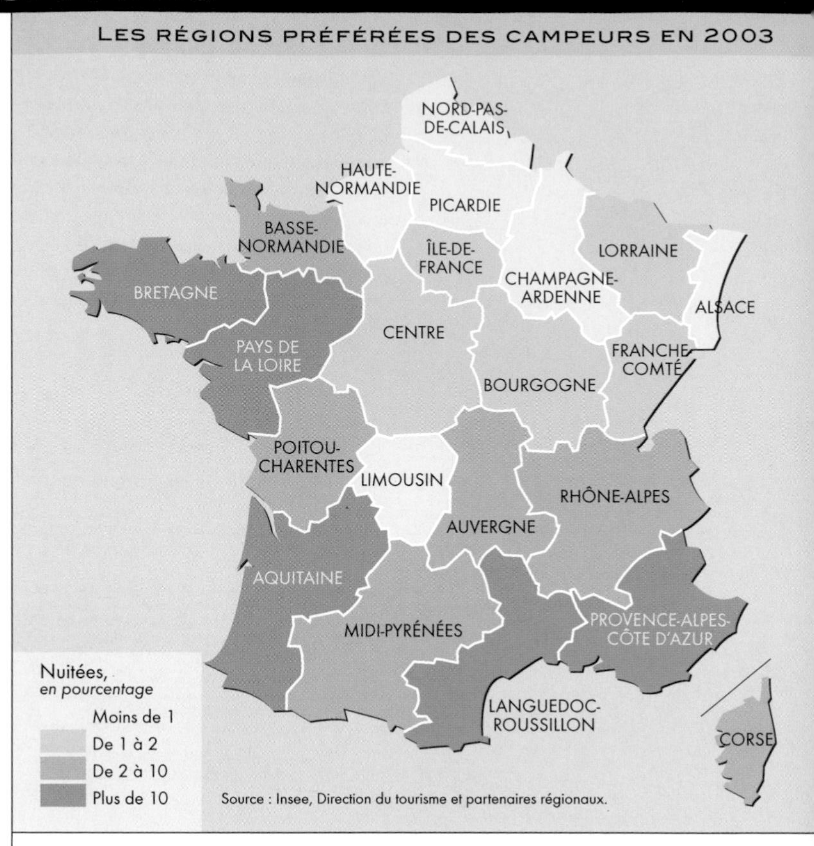

Source : Insee, Direction du tourisme et partenaires régionaux.

À chacun son style de vacances selon ses moyens

LES AMATEURS DE FARNIENTE sont les plus nombreux été comme hiver. Ils choisissent le repos et la famille. Ils partent en voiture ou en mobil-home vers la résidence familiale, une résidence secondaire, une location en bord de mer ou un camping. Grands-parents et petits-enfants se retrouvent, et les habitants de la région parisienne leur entourage familial. Chômeurs, étudiants et personnes âgées choisissent le style de vacances chez les proches, qui constitue la formule la moins onéreuse.

LES AMATEURS DE SÉJOURS-DÉCOUVERTES représentent 10 % des vacanciers d'été et 5 % des vacanciers d'hiver. Ils ont des revenus au-dessus de la moyenne, un âge certain, sont célibataires ou en couple avec deux enfants maximum. Le plus souvent, une agence aura organisé leur circuit et réservé l'hébergement.

LES AMATEURS DE SÉJOURS D'ACTIVITÉS représentent environ 6 % des séjours estivaux. Sport, activités culturelles, tourisme vert ou rencontres sont les motifs évoqués. Ils sont plutôt jeunes et choisissent l'hébergement en gîte, en chambre d'hôte ou en auberge de jeunesse.

LES AMATEURS DE VACANCES AU SKI forment environ 30 % des vacanciers d'hiver. Ce sont principalement des actifs occupés, des couples avec enfants, qui ont des revenus supérieurs à la moyenne.

LES AMATEURS DE DESTINATIONS LOINTAINES AU SOLEIL EN HIVER représentent environ 5 % des vacanciers d'hiver. Ils appartiennent aux catégories aisées : cadres, retraités, chefs d'entreprise, commerçants ayant dépassé la cinquantaine.

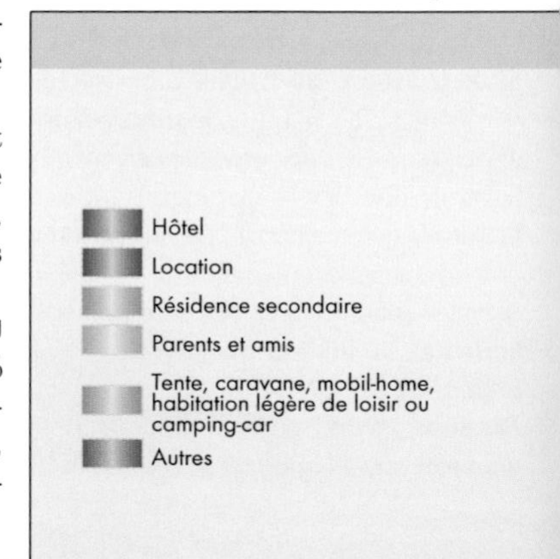

> « *Repos et retrouvailles familiales et amicales sont la grande motivation des Français pour partir en vacances. Tout au long de l'année, se multiplient les courts séjours à la campagne pour les urbains, en ville pour les ruraux.* »

Un peu plus de Français partent en vacances

En 2004, 65 % des Français sont partis en vacances, contre 62 % en 1999. Ceux qui ne partent pas sont contraints par des raisons principalement financières, mais aussi professionnelles. Mais ces raisons semblent s'atténuer : les agriculteurs et les artisans s'autorisent de courts séjours et les retraités, qui ont vu leur niveau de vie augmenter, sont tentés par de nouvelles aventures. Entre une durée plus flexible, des destinations plus rapidement atteintes et une offre d'hébergement multipliée, la nature des vacances des Français a changé et a permis à des ménages, qui en étaient autrefois privés, de goûter aux plaisirs du dépaysement.

Parmi ceux qui avaient l'habitude de partir, beaucoup ont raccourci le temps de leurs vacances estivales pour pouvoir s'évader plus souvent au cœur de l'hiver. Plus nombreux sont ceux qui partent à la neige en hiver mais aussi ceux qui partent à la campagne ou en séjour en ville pour les ruraux. La part des séjours à l'étranger est en constante augmentation grâce au développement des transports *low cost*. Les séjours dans les pays européens ou maghrébins sont privilégiés, mais les voyages lointains tendent à augmenter. Patrimoine historique, retour dans la famille ou découvertes motivent ces destinations.

TAUX DE DÉPART EN VACANCES PAR ÂGE ET SELON LA CATÉGORIE SOCIALE

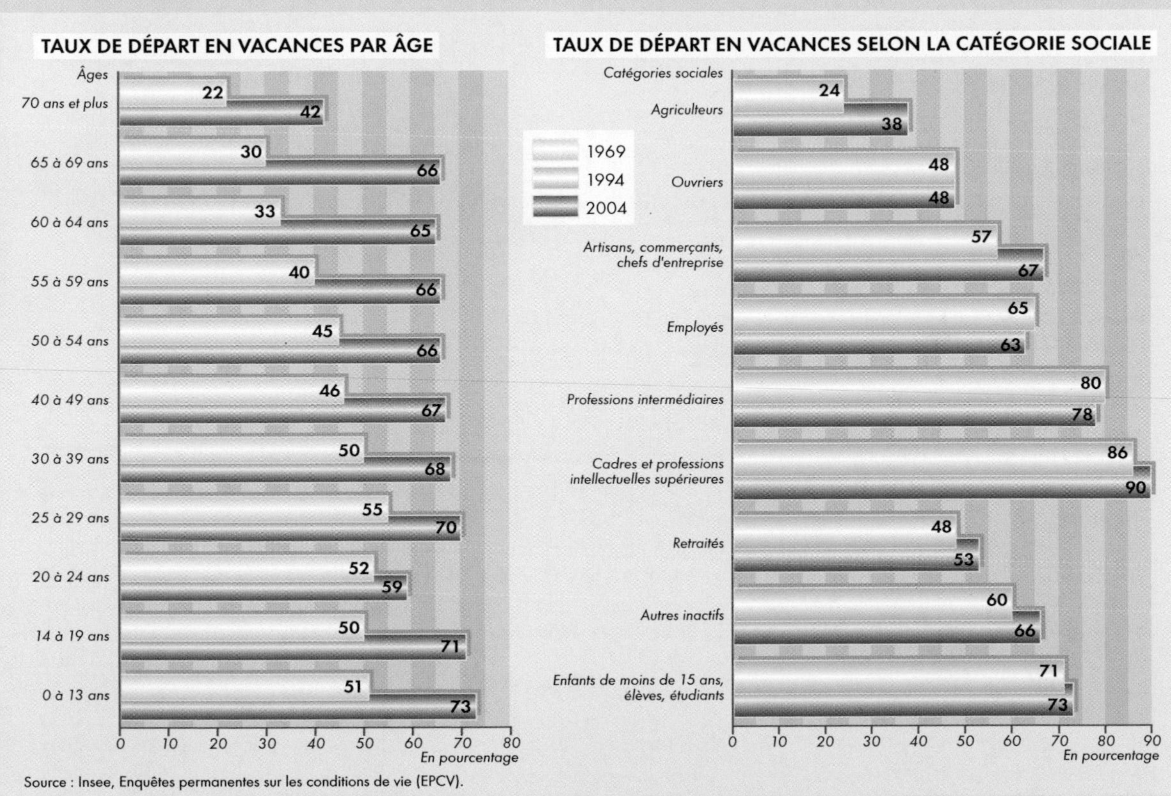

Source : Insee, Enquêtes permanentes sur les conditions de vie (EPCV).

RÉPARTITION DES SÉJOURS D'ÉTÉ PAR MODE D'HÉBERGEMENT EN 2004

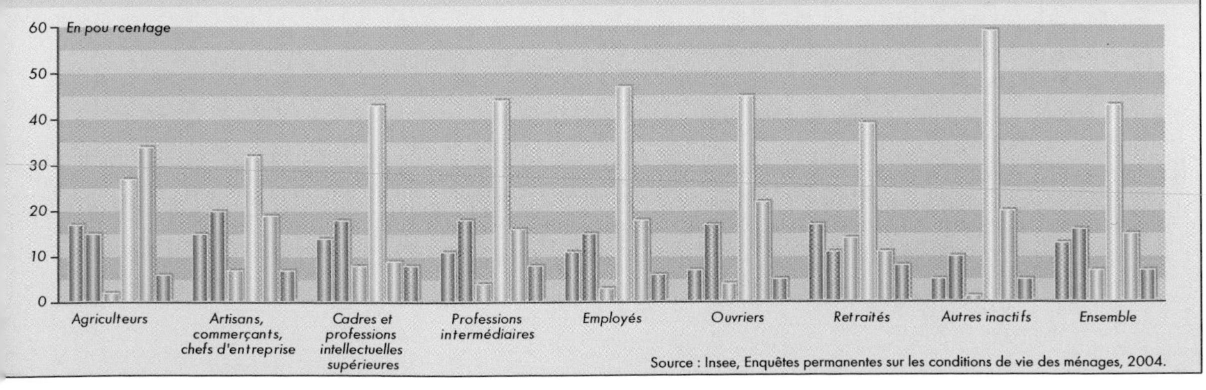

Source : Insee, Enquêtes permanentes sur les conditions de vie des ménages, 2004.

Entre vie urbaine et vie rurale : la résidence secondaire

La résidence secondaire devient de plus en plus une seconde résidence principale. Vieille demeure familiale à la campagne, elle peut être aussi en zone urbaine, neuve, en lotissement, en multipropriété dans une station touristique du littoral ou des massifs montagneux. Les transports rapides et le télétravail ont permis aux propriétaires de multiplier et d'allonger les séjours dans leur résidence secondaire et de prendre une part plus large à la vie locale. Nombreux sont ceux qui impulsent ainsi la protection du patrimoine architectural ou environnemental, réactivent des fêtes ou des pratiques locales. Autrefois regardés comme des « étrangers », ils sont aujourd'hui sollicités pour dynamiser les communes rurales, d'autant qu'au moment de la retraite, ils seront des habitants à part entière.

UN CHOIX FAMILIAL. Autre fondement de l'attrait pour la résidence secondaire : elle comble les failles de la vie urbaine moderne. Familles recomposées, logements principaux trop exigus, dispersion géographique des familles, chômage, la résidence secondaire permet de contourner un moment ces contradictions sociales. Plus d'espace et plus de temps permettent de retrouver, le temps des vacances, une vie familiale en voie de disparition ou de recomposition. Toute l'année les grands-mères prépareront conserves et confitures pour recevoir enfants et petits-enfants ou neveu au chômage. Ce besoin de retrouvailles familiales est si fort que se multiplient les cas où les enfants achèteront un logement mitoyen que les grands-pères vont aménager pendant l'hiver et qui permet à la famille élargie de vivre ensemble et séparément.

Alors que les amitiés se font et se défont, le lien familial, avec ses turbulences, reste le plus fort et le principal moteur de l'acquisition de la résidence secondaire. Comme le perçoit bien Nathalie Otar, elle répond au vieux rêve bourgeois et aristocratique tapi au cœur de chaque résidence secondaire : celui évoqué dans *Les Vacances* de la Comtesse de Ségur, où cousins et cousines se retrouvent au château de Fleurville, même s'il s'agit d'une modeste grange restaurée ou d'un lotissement Merlin. La résidence secondaire n'est plus le moyen de fuir la ville pour jouer au berger. Lorsque le résident de moins en moins secondaire dit en parlant de sa résidence secondaire « ma campagne », il entend son village, ses habitants et leur sort, un terme affectif en quelque sorte.

LA FRANCE DES RÉSIDENCES SECONDAIRES EN 2004

NORD-PAS-DE-CALAIS, HAUTE-NORMANDIE, PICARDIE, BASSE-NORMANDIE, ÎLE-DE-FRANCE, LORRAINE, BRETAGNE, CHAMPAGNE-ARDENNE, ALSACE, CENTRE, PAYS DE LA LOIRE, FRANCHE-COMTÉ, BOURGOGNE, POITOU-CHARENTES, LIMOUSIN, RHÔNE-ALPES, AUVERGNE, AQUITAINE, MIDI-PYRÉNÉES, PROVENCE-ALPES-CÔTE D'AZUR, LANGUEDOC-ROUSSILLON, CORSE

Résidences secondaires, *en pourcentage*
Moins de 2
De 2 à 5
De 5 à 10
Plus de 10

Source : www.residences-secondaire.fr/residence_secondaire/index.php

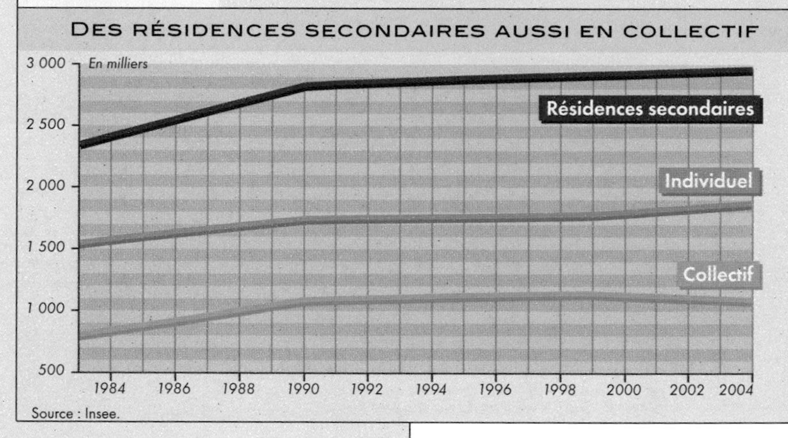

Source : Insee.

CULTURE, LE MÉLANGE DES GENRES

Parmi les changements majeurs qui ont marqué les dernières décennies en matière culturelle, la montée irrésistible de l'audiovisuel et la diversité des usages qui l'accompagne ont brouillé la frontière entre l'art et le divertissement. Les cadres et les intellectuels, gros consommateurs de culture classique, ont étendu leurs goûts à des genres différents, empruntés à des traditions populaires ou venues d'ailleurs, en particulier en matière de musique. Ainsi, aujourd'hui, les valeurs d'éclectisme définissent la posture cultivée. La télévision est au cœur des pratiques culturelles des Français. Elle amplifie par le temps qu'elle occupe les clivages traditionnels entre les classes sociales. Si son impact est limité sur les classes supérieures, en revanche la variété de l'offre télévisuelle contribue à transmettre des contenus de qualité aux plus démunis de ressources culturelles.

Plus grande diversité des moyens d'accès à la culture

Le développement spectaculaire des pratiques audiovisuelles, grâce à l'équipement des ménages en hi-fi, home vidéo, Internet, les pratiques en amateur d'activités artistiques devenues nombreuses (danse, musique, etc.), l'offre en continu de spectacles de rue, de festivals ou de visites de musées dans les coins les plus reculés du pays permettent à chacun, s'il le veut, d'accéder à la culture. Les enquêtes montrent que le cumul est important : un habitué des théâtres ou des concerts va acheter plus de disques et le passionné d'art va acheter des livres d'art et regarder les émissions spécialisées à la télévision. Grâce aux nouvelles technologies, celui qui souhaite accéder à l'art, qui ne se résume pas à la fréquentation d'un site, va utiliser tous les moyens existants, y compris la télévision.

LES DÉPENSES EN LOISIRS CULTURELS

Ces dépenses passent de 2,8 % du budget des ménages en 1960 à 3,9 % en 2003. On constate l'essor de la télévision payante. En 2003, la dépense moyenne s'élevait à environ 154 euros par personne pour les spectacles... et 305 euros par ménage pour les jeux de hasard.

LES DÉPENSES DES MÉNAGES

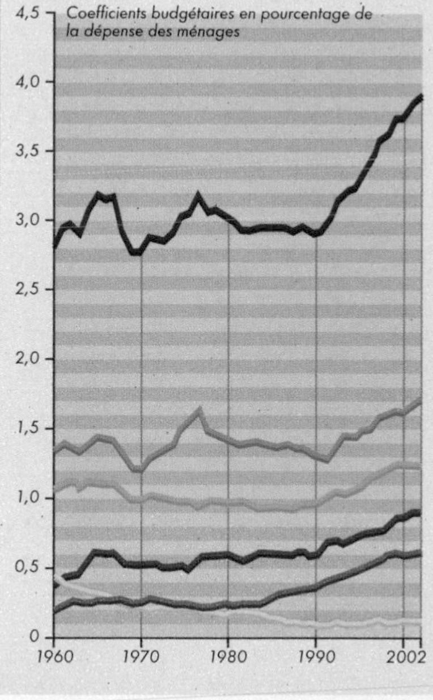

Source : Insee, *Première*, n° 983, août 2004.

Des pratiques culturelles selon le niveau de diplôme

Depuis vingt-cinq ans, les pratiques culturelles se développent, mais pas toutes au même rythme. En 2000, une personne de 15 ans ou plus sur cinq n'a pratiqué aucune activité culturelle dans l'année. La lecture se généralise, mais les gros lecteurs diminuent. 14 % exercent une activité artistique en amateur et un peu plus du quart sont allés au théâtre ou au concert. C'est le niveau de diplôme qui détermine le plus l'intensité de la vie culturelle, puis viennent la catégorie socioprofessionnelle et l'âge. Les cadres sont allés quatre fois plus au théâtre que les ouvriers. Les jeunes ont des pratiques beaucoup plus intenses. Ils vont en particulier beaucoup plus au cinéma. La pratique qui a augmenté sensiblement chez toutes les catégories sociales est la visite des monuments historiques.

BUDGET CONSACRÉ À LA CULTURE ET AUX LOISIRS. Les ménages consacrent une part de plus en plus importante de leur budget aux services culturels et récréatifs : entre l'achat d'équipement en audiovisuel et en informatique, de livres, de places de cinéma, de jeux de hasard ou d'entrées de discothèques, etc., chaque ménage dépense en moyenne 1 300 euros par an, soit 3,9 % du budget, contre 2,8 % en 1960. Tandis que le budget cinéma a diminué, le budget télévision (y compris DVD, magnétoscope ou chaînes payantes) a triplé et le budget consacré aux spectacles a doublé.

CULTURE, LE MÉLANGE DES GENRES

LES PRATIQUES CULTURELLES À L'ÂGE ADULTE

PRATIQUES CULTURELLES SELON L'ÂGE

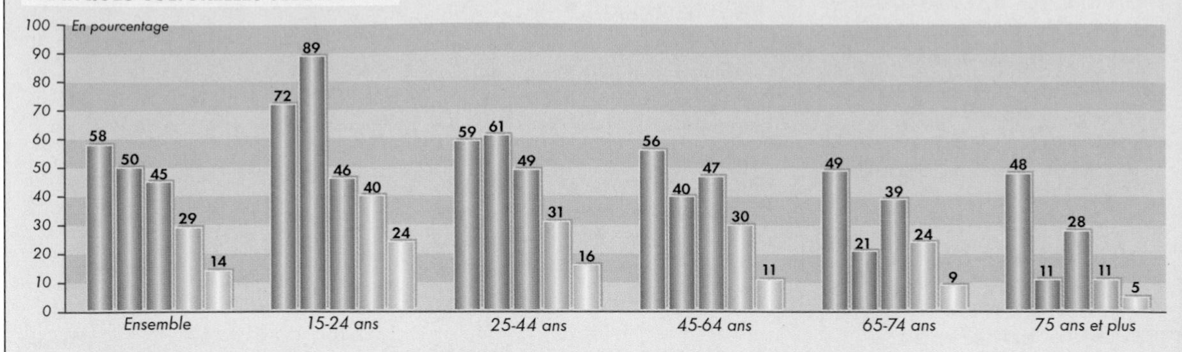

PRATIQUES CULTURELLES SELON LE LIEU DE RÉSIDENCE

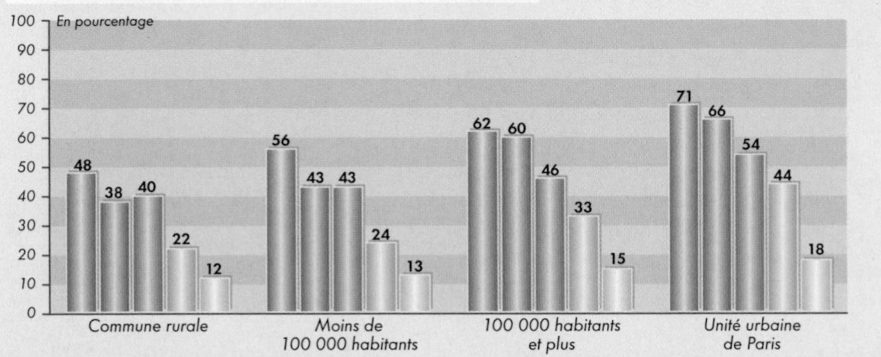

Jeunes, urbains, diplômés, cadres sont les plus grands amateurs de pratiques culturelles.

Activité culturelle pratiquée au moins une fois au cours des 12 derniers mois

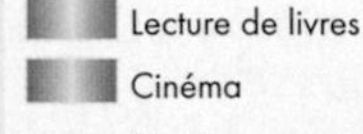

Lecture de livres

Cinéma

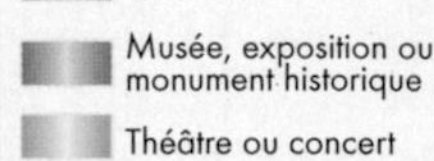

Musée, exposition ou monument historique

Théâtre ou concert

Pratique en amateur

PRATIQUES CULTURELLES SELON LA CATÉGORIE SOCIOPROFESSIONNELLE

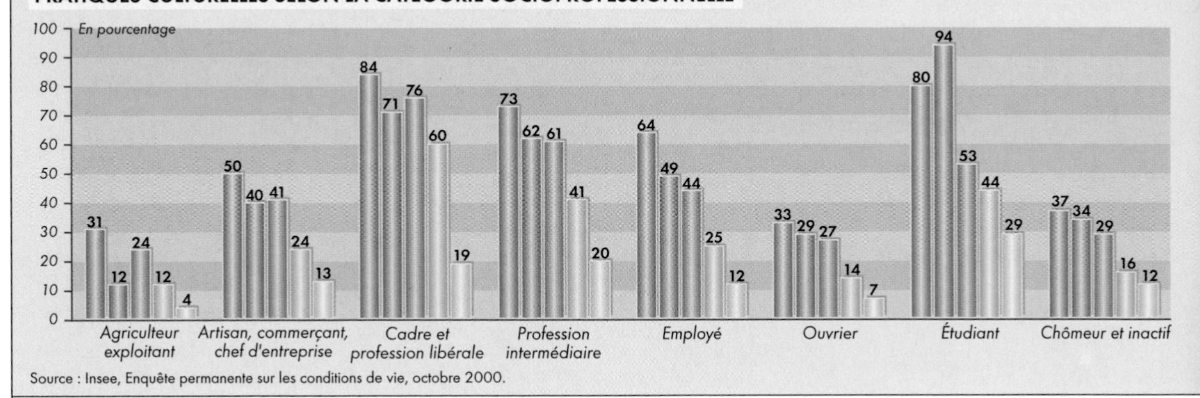

Source : Insee, Enquête permanente sur les conditions de vie, octobre 2000.

Évolution de la notion de culture

Dans les années 1960, seule la culture dite « classique » était légitime (grande littérature, musique classique, la peinture des musées nationaux, etc.) et appréciée unanimement, mais aussi exclusivement par les cadres et les intellectuels. Aujourd'hui, pour la musique par exemple, les jeunes générations diplômées associent la musique classique à des genres musicaux différents : le jazz, le rock ou les musiques du monde. N'être amateur que de musique classique paraîtrait ringard. Ainsi les nouvelles technologies audiovisuelles ont permis de renouveler le statut de la « culture cultivée ». Par ailleurs, les jeunes de 1968, qui avaient contribué à l'apparition d'une « contre-culture », ont pris des responsabilités dans les institutions culturelles et ont permis la diffusion de genres jugés auparavant infraculturels car éloignés de la culture classique. Depuis, toutes les régions ont promu une offre diversifiée allant de la bande dessinée, à la musique de variété en passant par le design, la mode, la publicité ou la gastronomie, soutenue par le ministère de la Culture à travers le développement de manifestations festives ou événementielles, la Fête de la musique, la Fête du cinéma ou les Journées du patrimoine. Même à l'école, la culture « classique » a cédé devant l'attrait pour les médias audiovisuels.

À CHACUN SON TALENT

Aux femmes l'écriture, la danse, le dessin. Aux hommes la musique, la vidéo, la photo.

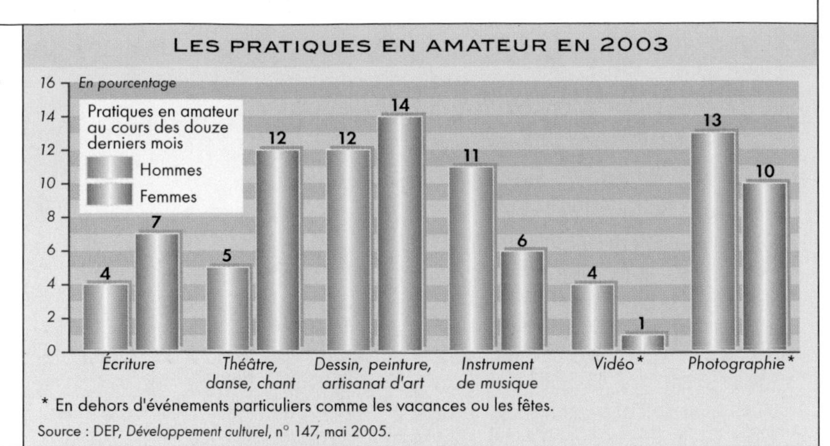

* En dehors d'événements particuliers comme les vacances ou les fêtes.

Source : DEP, *Développement culturel*, n° 147, mai 2005.

> **La télévision reste la pratique la plus discriminante par la large place qu'elle occupe dans les loisirs des classes populaires et son peu d'impact sur l'environnement culturel des classes supérieures.***

La musique dicte l'ensemble de la culture juvénile

Au-delà de 15 ans, l'écoute de la musique dépasse de loin la pratique de la télévision. La musique a créé parmi les jeunes une culture commune qui dépasse le clivage de l'origine sociale. Mais, à l'intérieur du groupe des jeunes, des hiérarchies naissent en fonction du style. Certains vont naviguer entre une culture populaire et une culture classique, écouter de la techno ou du hip-hop, mais aussi un morceau de jazz apprécié par leurs parents. D'autres vont être fans de punk-rock et d'autres encore amateurs de techno et constituer des groupes d'amis en fonction de ces différents styles. La transmission culturelle des parents est contrebalancée par la « culture des pairs ». L'école qui venait auparavant légitimer les hiérarchies culturelles, est aujourd'hui concurrencée par les médias, qui ont une importance considérable chez les jeunes. Chez ces derniers, c'est de plus en plus la culture populaire qui est dominante. On écoute du rap ou du reggae comme signe d'appartenance à son groupe d'amis, que l'on reconnaîtra aussi à leur tenue vestimentaire. Tous les jours, à l'école, les échanges entre garçons et filles sont soumis au contrôle du groupe, dont certains codes du langage adolescent sont une condition d'appartenance. Les consignes vestimentaires et culturelles sont finalement très rigides et celui qui ne pourrait pas s'y conformer risque de perdre ses amis. Le clivage garçons-filles tend à se durcir.

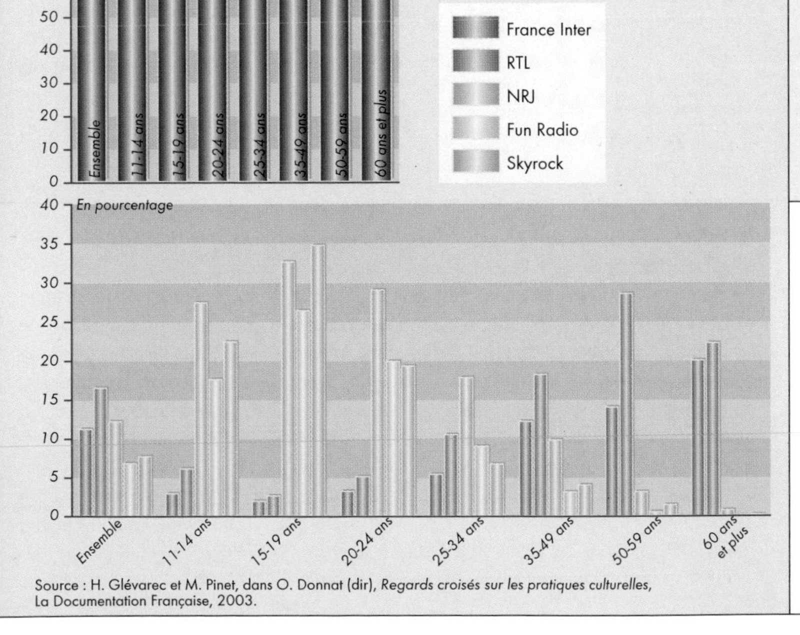

Source : H. Glévarec et M. Pinet, dans O. Donnat (dir), *Regards croisés sur les pratiques culturelles*, La Documentation Française, 2003.

LA RADIO, LE MÉDIA DES JEUNES

Chez les jeunes, la radio est un média musical, mais aussi un média identitaire. Les « radios jeunes » (Skyrock, Funradio, etc.) renvoient à deux centres d'intérêt des jeunes : la musique et les « problèmes des jeunes ».

Les femmes ont dépassé les hommes dans la plupart des domaines culturels

En général, l'engagement culturel féminin est supérieur à l'engagement masculin à partir de la génération du *baby-boom*, alors que chez les personnes de 60 ans et plus, l'avantage est encore masculin. Aujourd'hui, les filles sortent de l'école plus diplômées que les garçons et elles ont suivi plus fréquemment des filières littéraires, deux facteurs qui expliquent leur engagement supérieur dans les pratiques culturelles, notamment dans les milieux ouvriers et les professions intermédiaires. En outre, il est avéré que plus les femmes ont une activité professionnelle, plus elles pratiquent des activités culturelles, d'autant que leur profession est, plus souvent que les hommes, liée à la culture (enseignement, santé, communication, relations publiques, etc.). Les femmes sont les premières clientes des équipements culturels, bibliothèques, théâtres, salles de concerts ou musées. De même, elles ont plus souvent que les hommes une pratique artistique amateur.

MUSIQUE ET AUDIOVISUEL. Si hommes et femmes ont participé dans les mêmes proportions à l'avènement de la culture audiovisuelle de ces dernières décennies, faite d'écoute de la télévision ou de la musique, des différences apparaissent quant aux contenus. Les femmes sont plus intéressées par les émissions culturelles à la télévision et, en matière musicale, par les variétés et la musique classique, les hommes préférant les musiques actuelles et le jazz. Le boom musical d'après-guerre a eu un impact plus fort chez les hommes.

LECTURE. Dans le domaine des livres, la tendance est encore plus prononcée. Les femmes lisent plus que les hommes, qui ont tendance à s'éloigner de la lecture (38 % des hommes déclarent n'avoir lu aucun livre dans l'année, contre 25 % des femmes ; et les femmes lectrices ont lu en moyenne 23 livres, contre 19 pour les hommes lecteurs). Elles préfèrent les romans sentimentaux et les auteurs classiques, et laissent les livres de sciences et techniques et les bandes dessinées aux hommes. En revanche, elles lisent de plus en plus les romans policiers. La tendance récente en matière de lecture est le vieillissement du lectorat. Les moins de 40 ans d'aujord'hui lisent moins que les générations précédentes. En 2003, 77 % des 15-24 ans lisent, contre 87 % de cette tranche d'âge quarante ans plus tôt, tandis que les 40-59 ans passent de 61 % à 70 %.

LE MARCHÉ DU LIVRE EN HAUSSE

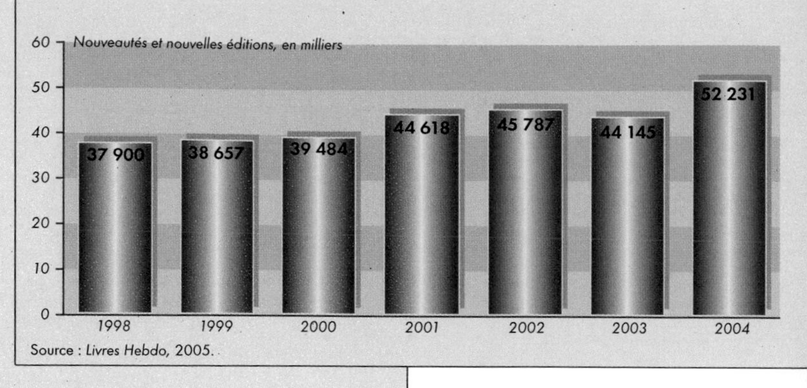

Source : *Livres Hebdo*, 2005.

L'ÉTAT DE LA LECTURE

Les Français lisent de plus en plus. Leur style préféré est la fiction. Le livre de poche représente 20 % des ventes.

Plusieurs univers culturels

À côté de ceux qui sont démunis de ressources culturelles (peu ou pas de pratiques), apparaît nettement un univers juvénile centré autour de la musique. L'univers du Français moyen est organisé autour de l'audiovisuel (télévision, musique, cinéma) d'où le spectacle vivant est absent. Dans les catégories supérieures, plusieurs univers cohabitent. Les « classiques » (plus de 45 ans) s'intéressent au patrimoine, lisent beaucoup, vont au théâtre et aux concerts de musique classique. Les « modernes », jeunes diplômés urbains, courent les concerts de rock et de jazz, les spectacles de danse et le cinéma. Les « branchés », d'âge intermédiaire, très dotés en ressources culturelles, zappent entre musique classique et contemporaine, rock, rap et variétés pour la musique, entre romans classiques et bande dessinée pour la lecture. Grâce aux DVD, ils peuvent visionner les films d'action qu'ils ne seraient pas allés voir au cinéma. Ils peuvent aller jusqu'à apprécier l'organisation de soirées karaoké avec des amis pour se détendre après une semaine de labeur, alors que cette pratique reste caractéristique de la culture populaire.

« La tendance à la féminisation des pratiques culturelles va se prolonger tant est forte la prégnance de la transmission culturelle maternelle sur les filles. »

LES FEMMES ASSIDUES
Les femmes sont de loin les plus nombreuses à fréquenter les équipements culturels. De plus, les femmes ayant un emploi sont plus assidues que les inactives.

LA FRÉQUENTATION DES ÉQUIPEMENTS CULTURELS

Les femmes ayant un emploi sont celles qui fréquentent le plus les équipements culturels.

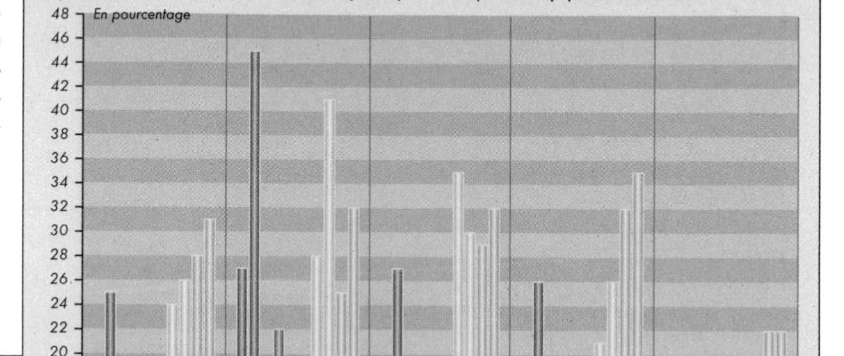

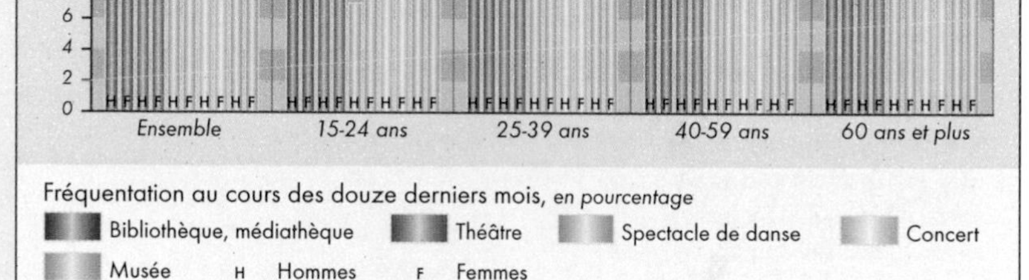

Source : DEP, *Développement culturel*, n° 147, mai 2005.

La culture en héritage

On assiste ces dernières années à une familiarisation plus précoce avec l'art et la culture ; c'est ainsi que, notamment, la fréquentation des musées par les enfants a triplé entre les générations récentes et celles nées avant 1935. Les petites filles semblent davantage profiter de cette familiarisation que les petits garçons. Celle-ci est plus intense lorsque les parents sont diplômés et ont eux-mêmes des passions culturelles ; ceci est bien vérifié dans le cas de la lecture. Les habitudes acquises pendant l'enfance se maintiennent à l'âge adulte.

Le rôle des femmes dans la transmission des passions culturelles s'est renforcé. Les jeunes femmes ont été plus nombreuses à recevoir une éducation à la culture pendant leur enfance ; elles sont donc plus nombreuses à la transmettre à leurs enfants et sont plus sensibles que les hommes à cette transmission. Non seulement la transmission est associée à l'intérêt que portent les parents pour les études et le parcours scolaire de leur enfant, mais aussi à l'intensité des discussions en famille sur l'actualité, l'école ou le travail des parents. De plus, ceux à qui on a transmis une passion culturelle sont aussi souvent ceux à qui on a transmis un patrimoine économique. Dans le monde de la culture, le mécanisme de la « reproduction » continue à bien fonctionner. Comme pour le capital économique : lorsqu'on a reçu un capital culturel, on est plus enclin à le transmettre.

L'ACCÈS À LA CULTURE
Au fil des générations, de plus en plus de jeunes accèdent à la culture, en particulier les filles.

LES PRATIQUES CULTURELLES DES ENFANTS

Filles-garçons : un écart qui se creuse, *personnes de 15 ans ou plus, n'ayant pas été élevé en institution*

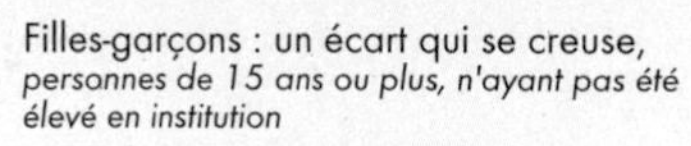

Pratiques culturelles des enfants : des effets de générations
personnes de 15 ans ou plus, n'ayant pas été élevé en institution

- Lecture de livres
- Cinéma
- Musée, exposition, monument historique
- Pratiques amateur
- Théâtre, concert

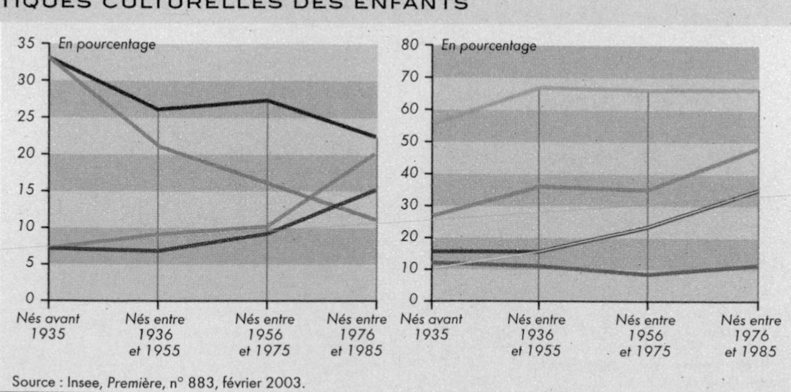

Source : Insee, *Première*, n° 883, février 2003.

LA SOCIÉTÉ DE L'ÉCRAN

Les nouvelles technologies ont fait une entrée en force dans le monde des loisirs. Internet, jeux sur ordinateurs ou consoles, DVD, home cinéma, montage photo ou vidéo, le divertissement high tech prend de plus en plus de place dans le temps libre des Français. Et cette place de choix augmente encore parmi les générations montantes. Pour les adolescents, le temps passé à télécharger ou à échanger des fichiers se fait au détriment de la télévision. Neuf adolescents sur dix sont familiarisés avec Internet. Grâce à l'école, le fossé numérique entre les enfants des classes populaires et ceux des classes supérieures est en voie de régression.

Un équipement qui se généralise

En quelques années, des millions de Français se sont équipés de micro-ordinateurs, de téléphones portables ou de lecteurs DVD. Ils se sont équipés à une vitesse foudroyante. En 2004, 45 % des adultes sont des internautes à domicile, contre 4 % en 1998. Si les adultes utilisent plus souvent Internet pour rechercher des informations, en revanche 90 % des jeunes l'utilisent pour l'*entertainment*, c'est-à-dire s'amuser avec des jeux vidéo, télécharger de la musique ou des films grâce au *peer to peer* (possibilité de disposer de morceaux de musique ou de films mis en commun entre les internautes), et, surtout, phénomène massif chez les jeunes, se retrouver entre copains chaque soir après l'école sur la messagerie instantanée (MSN) gratuite et confidentielle, en tête à tête grâce à la webcam.

TYPOLOGIE DES UTILISATEURS DES NOUVELLES TECHNOLOGIES. Les nouvelles technologies entraînent une nouvelle typologie sociodémographique des loisirs. Les « cinéphiles » représentent 65 % de la population. Ils sont suréquipés par rapport à la moyenne en matériel home cinéma et en DVD. Ils sont plutôt jeunes (moins de 35 ans) et habitent en milieu urbain. Les « computeristes » occupent une grande partie de leurs temps de loisir à surfer sur Internet, ils sont suréquipés en matériels annexes : connexion haut débit, imprimante, appareil photo numérique, webcam, graveur, scanner… 75 % des moins de 35 ans font partie de ce groupe. Les « joueurs » (32 % des Français) pratiquent des jeux sur ordinateur, sur console ou au téléphone. Ils sont largement entraînés par leurs enfants. Enfin, les « basiques » (27 % de la population, en majorité des personnes de plus de 65 ans) utilisent seulement la télévision et le magnétoscope.

IMPULSION DE L'ÉCOLE. La rapidité de l'apprentissage de l'informatique par les jeunes est due à l'école. Le programme « Informatique pour tous » du début des années 1980 a porté ses fruits. Dans les établissements scolaires, on compte un ordinateur pour six lycéens et un pour quatre collégiens. Cet apprentissage a conduit les enfants à réclamer à leurs parents un ordinateur à domicile. Ainsi, parmi les ouvriers et les employés, l'ordinateur, acheté sous l'impulsion des enfants, a entraîné l'apprentissage des parents.

UN USAGE QUI SE POURSUIT AU-DELÀ DE L'ÉCOLE. Les enquêtes montrent que les jeunes qui ont appris l'utilisation de l'ordinateur à l'école et qui accèdent à une profession ne demandant pas son usage continuent à l'utiliser dans leur vie privée. Le taux d'équipement des 25-39 ans croît plus vite que la moyenne grâce à leur autonomie financière. Les nouvelles technologies apparaissent donc comme un facteur de réduction des inégalités.

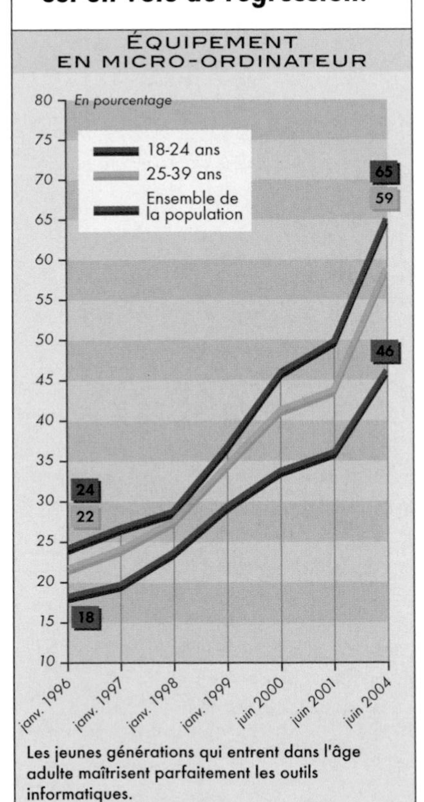

Les jeunes générations qui entrent dans l'âge adulte maîtrisent parfaitement les outils informatiques.

Source : Crédoc, Enquêtes « Conditions de vie et aspirations des Français ».

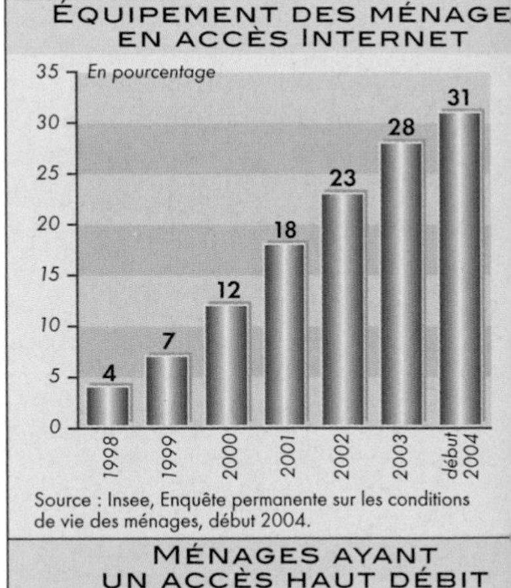

Source : Insee, Enquête permanente sur les conditions de vie des ménages, début 2004.

MÉNAGES AYANT UN ACCÈS HAUT DÉBIT

En pourcentage

	Début 2003	Début 2004
Pays-Bas	12	36
Danemark	17	30
Suède	13	25
Royaume-Uni	4	13
Espagne	4	12
France	3	10
Allemagne	3	6
Italie	1	3

Source : Ipsos pour la DG société de l'information, 2004.

LE CHOIX DU CADEAU D'ANNIVERSAIRE

PARMI CES OBJETS, QUELS SONT CEUX QUE VOUS AIMERIEZ LE PLUS RECEVOIR COMME CADEAU DE VOTRE PROCHAIN ANNIVERSAIRE ?

LE PALMARÈS DES 15-25 ANS

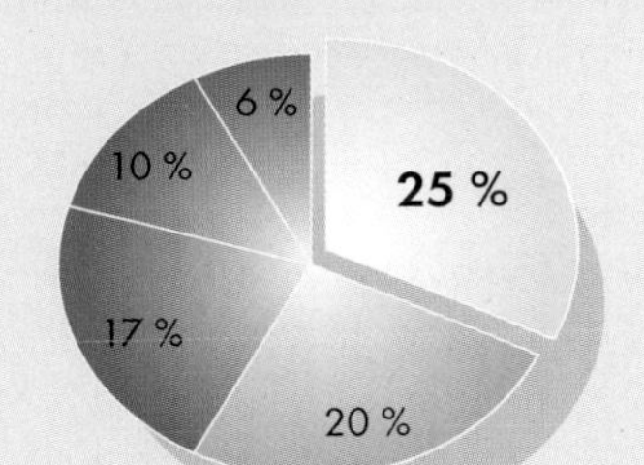

LE PALMARÈS DES 26-34 ANS

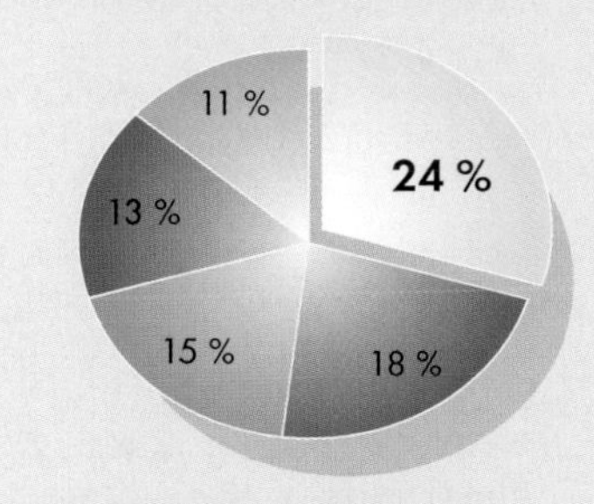

LE PALMARÈS DES 35-49 ANS

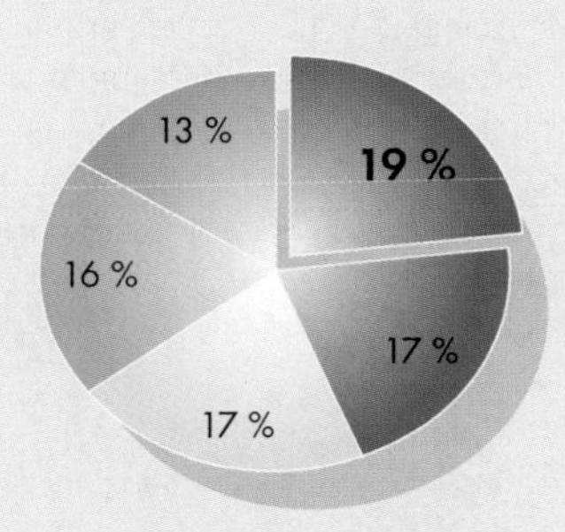

LE PALMARÈS DES 50-64 ANS

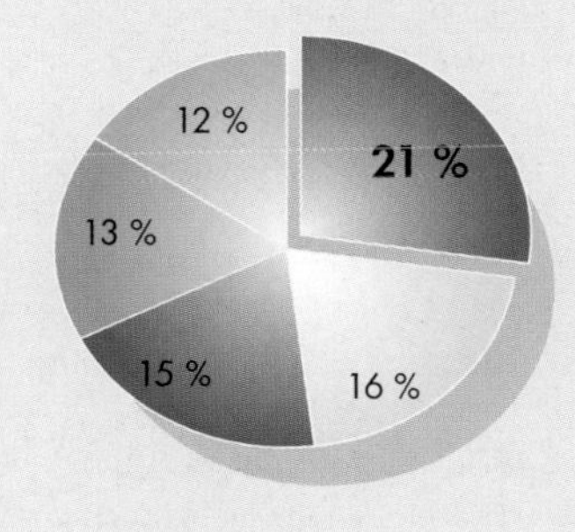

LE PALMARÈS DES PLUS DE 64 ANS

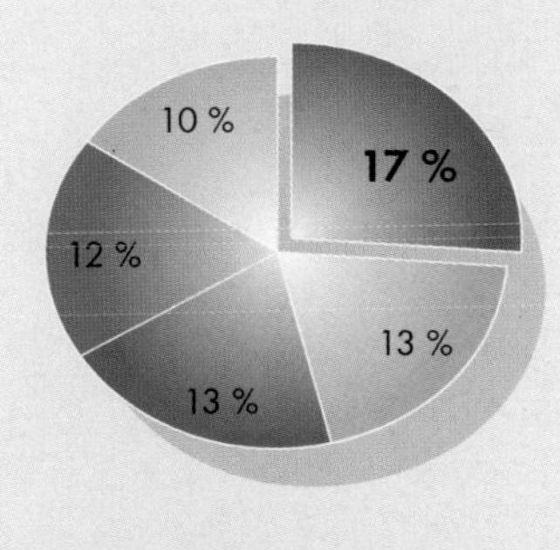

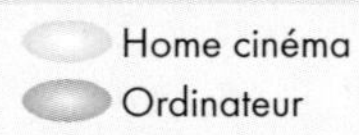

Source : Sondage Ipsos-Sony, mai 2003.

Quel usage d'Internet ?

Le temps passé devant l'écran d'ordinateur dépend en premier de l'accès au haut débit, qui favorise la durée d'utilisation quelle que soit la catégorie sociale. Les connectés haut débit passent deux fois plus de temps sur Internet que les autres. Le temps est principalement utilisé à télécharger de la musique (MP3) ou des images, ou à pratiquer des jeux en ligne. Le haut débit touche les deux extrêmes de la pyramide des revenus : les moins de 25 ans, qui ont des revenus faibles, ont adopté rapidement le haut débit. Internet est devenu le plus grand troc de la planète. Le P2P est utilisé par plus de 8 millions de Français et propage quantités de biens culturels. Les adolescents ont à peine conscience de se livrer à du piratage tellement cette pratique est naturelle. Ils ont une approche non marchande. Pour eux, l'ensemble d'Internet est *free*. Les parents ferment les yeux.

LES BLOGS. Depuis peu, les *blogs* (sorte de journaux électroniques partageables) permettent aux adolescents d'échanger des souvenirs (de classe, de fête, etc.) ou des commentaires parfois acerbes sur leurs enseignants. Les collèges sont ainsi de plus en plus confrontés à la critique publique des élèves qui distinguent de moins en moins facilement l'espace privé de l'espace public.

DES COMMUNICATIONS VIRTUELLES. Le fait de passer beaucoup de temps devant l'écran pourrait, selon la vulgate, nuire à la sociabilité, notamment celle des jeunes. Il n'en est rien puisque ces nouvelles technologies sont fondées sur la communication et l'échange. La messagerie électronique arrive en tête des services indispensables, avant la télévision chez les jeunes. Le *chat* permet de faire de nouvelles connaissances, il est une sorte d'entremetteur avant une première rencontre. Enfin, le joueur en ligne retrouve ses partenaires derrière l'écran, bien souvent le jeu en ligne va entraîner une discussion parallèle entre joueurs qui peut se terminer par une rencontre dans un bar ou chez l'un d'entre eux. L'important n'est pas ce qu'on trouve, mais avec qui on le trouve. Ainsi, apparaissent de nouvelles vedettes qui rencontrent le succès grâce à des chansons en ligne et l'émergence d'un fan club ou d'une « communauté *on line* » – comme la vedette française Lorie qui s'est fait connaître sur la Toile.

> ***« Une génération entière, celle des 12-17 ans, se prépare à être prise dans la Toile. L'utilisation d'Internet est semblable du haut en bas de l'échelle sociale : d'abord les jeux, puis le travail scolaire. Reste le problème du décryptage de l'information. »***

TOUJOURS PLUS DE LOISIRS

Les Français consacrent 9 % de leur budget aux loisirs, contre 7 % en 1960. Du bricolage ou du jardinage à l'aventure, en passant par la pratique sportive ou artistique, les loisirs représentent un temps de plaisir, mais aussi de réalisation personnelle. Le succès des loisirs nature, du bricolage et des loisirs créatifs chez les femmes, l'engouement des jeunes pour les loisirs électroniques et l'intérêt croissant pour la pratique artistique ou culinaire entre amis le week-end, l'attrait du sport montrent que les Français sont à la recherche d'un bien-être physique, moral et intellectuel.

LES JARDINS VISITABLES ET LES VENTES DE PLANTES

- Parc ou jardin, serre, jardin d'eau
- Parc floral, roseraie, jardin de fleurs
- Potager, verger
- Arboretum, forêt, parc boisé

Source : IGN, *Jardins de France*, carte touristique n° 917, IGN, 2005.

Le jardinage, bien plus qu'un loisir

Pour tout jardinier, en herbe ou averti, jardiner est bien plus qu'un loisir. Tondre son gazon, toucher la terre, tailler, goûter ses fruits relève d'un besoin de nature plus aigu que jamais. Dans le mode de vie contemporain, urbain, motorisé, bousculé par les progrès des technologies, du virtuel à l'échelle planétaire, le jardin (à l'origine associé au paradis) est l'expression privilégiée du sens du lieu, de la durée. C'est le gardien de la mémoire. Il permet de chercher ses racines, de s'évader du réel, de montrer sa puissance ou sa différence. Enfin, il répond au besoin d'intimité et de liberté.

LES TYPES DE JARDINS. Le jardin de plaisir ou jardin d'agrément est le plus répandu aujourd'hui chez les particuliers. Il a pris ses distances vis-à-vis du verger et du potager, même dans les milieux populaires où l'on distingue le « jardin de devant » (vitrine du pavillon, ouvert, cultivé selon les normes – il en va de sa réputation de bon jardinier) et le « jardin de derrière » (souvent clos, soit alimentaire, soit lieu intime de vie où les extravagances sont permises, jardin sentimental). Depuis peu, on voit fleurir des potagers qui deviennent eux-mêmes des jardins de plaisir. Les jardins ouvriers, petits lopins, alignés en bordure des cités, et les jardins des ruraux âgés, tous deux en voie de disparition, mêlent toujours poireaux et dahlias.

« ***– Vous devez avoir, dit Candide au Turc, une vaste et magnifique terre ? – Je n'ai que vingt arpents, répondit le Turc. Je les cultive avec mes enfants ; le travail éloigne de nous trois grands maux : l'ennui, le vice et le besoin.**** »

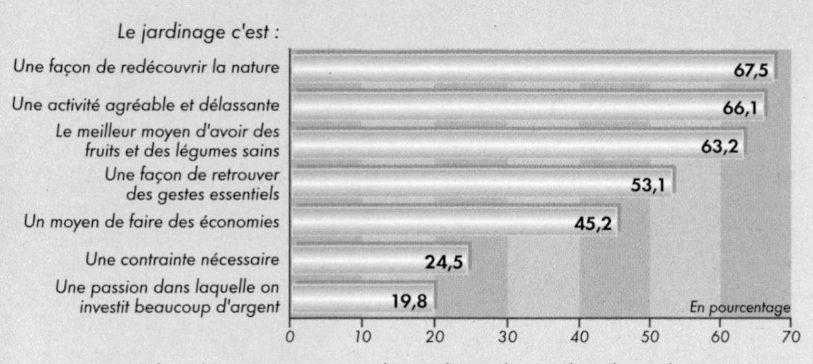

Base possesseurs de jardin, regroupement « totalement d'accord » et « plutôt d'accord ».
Source : SIMM, 2004.

LES BIENFAITS DU JARDINAGE
Le jardinage, c'est avant tout la nature, la détente et des produits sains.

Le jardinage pour partager

« Le jardinage relève encore d'un acte de gratification personnelle dans lequel, comme pour les autres formes d'art, l'artiste extériorise son imagination par des moyens qui lui sont propres et met de lui-même dans son œuvre. Il pourrait bien être une forme d'artisanat d'art, au moment où disparaissent les petits métiers manuels » (Sylvie Nail, dans Hervé Brunon, *Le Jardin, notre double*, Autrement, 1999). Visiter le jardin des autres devient un but fréquent de promenade dominicale ou de voyage touristique, en Angleterre notamment. Les « rats des villes » viennent y chercher un lieu de convivialité ou un début d'apprentissage en apprenant le nom des plantes. Les autres viennent y glaner des idées ou élargir leur réseau d'amateurs de jardins.

UN INVESTISSEMENT PERSONNEL FORT. Une nouvelle génération de propriétaires jardiniers et de créateurs est née ; certains y investissent toute leur vie. Les initiatives sont très diverses : on restaure une période historique, on crée dans l'esprit médiéval ou Renaissance, on imagine des espaces thématiques, des friches jardinées, des architectures contemporaines, des jardins minéraux, botaniques, de senteurs, de couleurs, des jardins consacrés à l'eau, au feu, etc. Cultiver son jardin est un geste social, le plaisir des visiteurs, mais l'épanouissement personnel est la clé d'entrée du portail.

Jardinage, loisir créatif

Une vraie folie verte s'est emparée des Français. Plus de la moitié ont un jardin et un tiers une terrasse ou un balcon. De plus, les femmes se sont mises à jardiner avec passion. Manuels pratiques, guides, revues spécialisées, journées d'échanges de plantes, de visites, création de festivals, ouverture au public de jardins privés, associations de sauvegarde d'espèces végétales sont les symptômes de la renaissance de l'art des jardins. Jardins privés comme jardins publics rivalisent en recherche de plantes rares ou exotiques, d'esthétique et de mise en perspective. C'en est fini des plates-bandes plantées de cannas au sommet, de bégonias rouges au milieu et d'œillets d'Inde jaunes à la base, de toutes les sous-préfectures de France.

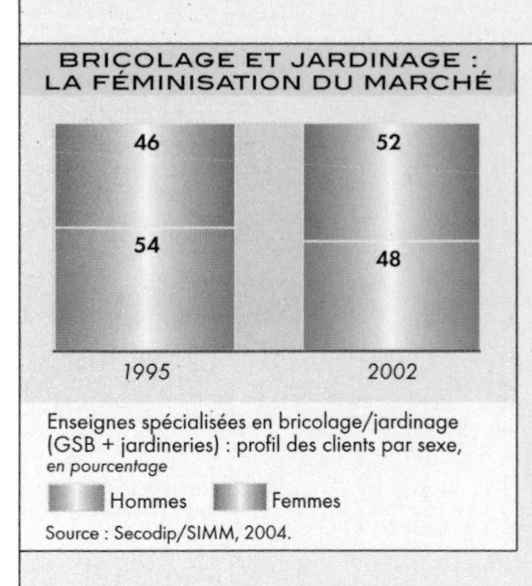

Enseignes spécialisées en bricolage/jardinage (GSB + jardineries) : profil des clients par sexe, *en pourcentage*
Source : Secodip/SIMM, 2004.

Le bricolage, une activité pour les hommes et les femmes

LE BRICOLAGE AU FÉMININ. Au début des années 1970, le bricolage était synonyme de réparation et le domaine réservé des hommes. Aujourd'hui, il reste une activité masculine, mais fait de moins en moins peur aux femmes, qui n'hésitent plus à manier marteau et pinceau. Le bricolage est souvent motivé par une nécessité financière ; c'est aussi une source de plaisir et d'échange au sein de la famille. Les femmes ont acquis les bases de la pose du papier peint et de la peinture, et se lancent dans le gros œuvre, de la maçonnerie à la rénovation. Sanitaires et plomberie restent les activités les moins convoitées par les femmes. Les grandes surfaces spécialisées ont bien compris la tendance et mettent à leur disposition des matériaux et des outillages au maniement plus facile.

DO IT YOURSELF. Personnaliser et améliorer son logement n'est pas étranger à l'évolution de la tendance à vouloir exprimer une partie de soi-même au travers du *do it yourself*, comme le montre l'apparition sur le marché des meubles « bruts à peindre » et la tendance au *nesting* (nidification). On bricole, on jardine, on soigne ses animaux de compagnie, on soigne son intérieur, on en fait un endroit où l'on se sent bien, où l'on retrouve son identité, on y trouve un antistress nécessaire pour affronter les turbulences du monde extérieur.

Dans la semaine, parents et enfants déjeunent à la cantine et, le soir, expédient un dîner préparé à l'aide de surgelés et du micro-ondes. En revanche, le week-end, le cordon bleu de la famille prend son temps pour régaler parents et amis. La culture gastronomique des Français s'est élargie à des cuisines exotiques et cuisiner est devenu une activité festive. Devant les fast-food à l'américaine qui ont dû revoir leur carte et s'adapter aux habitudes nationales (la bière, le café fort ou la mayonnaise en France), la « nouvelle cuisine française » va se ressourcer dans les terroirs, lieux d'identité et de sécurité.

« *La valorisation de la cuisine « authentique », du terroir, s'oppose aux angoisses liées tant aux risques alimentaires qu'à la dilution dans la mondialisation des identités locales ou nationales.* »

L'art de la cuisine

Le goût des Français pour la réception repose sur une culture culinaire ancestrale : toute la planète connaît la réputation de la gastronomie française, qui ne faillit pas. Ce sont les chefs français qui innovent dans les capitales internationales. Et le rapport quasi affectif des Français à « la bouffe » n'a en rien été altéré par les consommations modernes qui vont du *fast-food* au tout-prêt surgelé. La cuisine traditionnelle, parfois agrémentée d'une touche d'exotisme servant à personnaliser la préparation, a toujours la cote. Pour la majorité, la convivialité autour du repas passe avant la qualité du contenu. Recevoir « à la bonne franquette » ne choque plus. Au contraire, s'inviter autour d'une table basse pour regarder un match de foot tend à se répandre au-delà des jeunes générations.

QUI CUISINE ? Le savoir culinaire se transmettait de mère à fille. Aujourd'hui, les mères actives de la génération 68 laissent leurs filles désemparées devant un repas à préparer. Mais rien n'est perdu, les cours de cuisine sont de plus en plus prisés et les magazines spécialisés vantent la cuisine du terroir et les produits bio. Et surtout, les hommes revêtent le tablier pour préparer des repas festifs très élaborés. Il arrive même que l'homme utilise l'art culinaire comme arme de séduction en invitant à dîner une future conquête. Ce que ne font plus guère les femmes qui ne croient plus dans la vertu du fourneau pour plaire au sexe opposé.

LE SUCCÈS GRANDISSANT DES RESTAURANTS
Les petits restaurants représentent les trois quarts du chiffre d'affaire du secteur de la restauration.

L'ACTIVITÉ DES RESTAURANTS

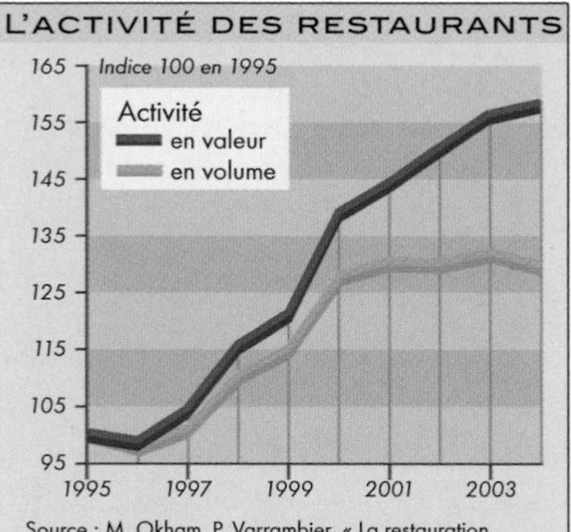

Source : M. Okham, P. Varrambier, « La restauration commerciale de 2002 à 2004 », *Insee-Première*, n° 1047, novembre 2005.

Nouvelles sociabilités bourgeoise et ouvrière autour de la table

Les repas du samedi soir et du dimanche midi deviennent les temps forts de la semaine pour les cadres comme pour les ouvriers. En semaine, à cause des contraintes professionnelles, les repas en solitaire des personnes actives augmentent, quel que soit le niveau de vie. Les jeunes prennent aussi davantage de repas en solitaire, mais pas pour les mêmes raisons : soit ils cherchent à préserver leur autonomie, soit ils sélectionnent leurs convives. Pendant longtemps, les cadres ont privilégié le repas avec des personnes extérieures et en dehors du domicile, tandis que, pour les ouvriers, le repas en famille et au domicile était une valeur positive bien que leurs moyens ne leur permettent pas d'inviter beaucoup de convives. Le « quant-à-soi » des quartiers ouvriers incitait à rencontrer les « copains » au café. Aujourd'hui, avec des revenus améliorés et du temps libre supplémentaire, les ouvriers passent plus de temps à recevoir des amis et à leur mitonner de bons repas, tandis que les cadres, dont la charge de travail s'est accrue, compriment leurs activités de temps libre et vont plus souvent au restaurant. Les cadres sont deux fois moins nombreux que les ouvriers à aimer faire la cuisine ordinaire ou de réception.

Pourquoi la gastronomie est-elle un art français ?

Malgré le développement continu de chaînes de restaurant et de la restauration rapide, l'essentiel du secteur de la restauration en France est dominé par une tradition d'artisanat indépendant qui maintient la réputation française en matière de gastronomie. Le sociologue Jean-Pierre Poulain a bien expliqué dans son livre les origines sociologiques de cette excellence française. D'abord, la gastronomie a eu une place particulière en France dans la culture savante dès le XVIIe siècle. Ensuite, la gastronomie en France a bénéficié de la compétition qui s'exerçait entre bourgeois et aristocrates, les premiers singeant sans cesse les seconds qui s'évertuaient à améliorer leur « art de vivre » pour marquer leur différence. Ainsi, la littérature culinaire, de Brillat-Savarin à Gault et Millau, n'a d'autre fonction que d'initier au « bon goût » les classes moyennes en quête d'ascension sociale. La Révolution française va permettre aux cuisiniers de la Cour, alors sans emploi, de se mettre au service d'un plus grand nombre. La bourgeoisie se régale alors de « bouchées à la reine », de « poularde royale », de « fruits Condé » ou de « potage Conti ». Avec la découverte du Nouveau Monde, apparaissent les épices qui vont contribuer au développement du goût grâce aux fonds de sauce mettant en valeur les aliments de base ; les cuisiniers du XVIIIe siècle qui s'y emploient pensent qu'avec ces sauces, la France détient le flambeau de la gastronomie. Enfin, le plaisir de la chair n'a pu se développer que dans l'univers religieux catholique de l'époque classique : protestants et catholiques n'ont pas la même approche des jouissances terrestres ; ascétisme et espérances paradisiaques caractérisent les premiers, jouissance des biens terrestres comme glorification de Dieu motive les seconds. Le film *Le Festin de Babette* a bien représenté cette différence. Tous ces éléments sont entrés en conjonction pour faire de la gastronomie une excellence française.

LA CONVIVIALITÉ EST D'ABORD FAMILIALE

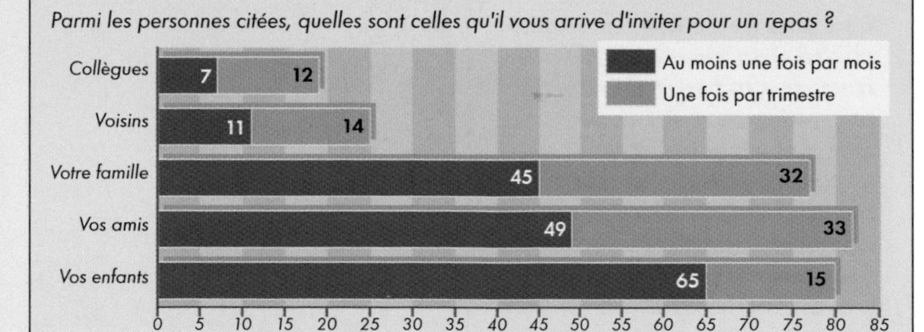

Le samedi soir et les dimanches midi sont les temps forts de la convivialité : temps de préparation culinaire pour la famille et les amis.

Source : Crédoc, *Consommation et modes de vie*, n° 173, février 2004.

Quand l'inquiétude atteint la nourriture

Entre la vache folle et la grippe aviaire, les campagnes publicitaires pour les produits allégés ou les campagnes de prévention contre les maladies cardiovasculaires, l'obésité ou le diabète, de plus en plus de Français créent un lien fort entre alimentation et santé. La tendance est à valoriser l'agriculture biologique, les produits régionaux, les produits frais, les produits allégés en matières grasses. Pour ces Français de plus en plus nombreux, les repas sont devenus simples, ils se résument souvent à un plat et un dessert, et l'information sur les emballages revêt de plus en plus d'importance.

De son enquête de 2004 sur les comportements et consommations alimentaires, le Crédoc a défini les consommateurs d'aujourd'hui selon plusieurs catégories :

– presque un quart des Français (21 %) forment les « adeptes de nutrition » à la recherche d'une alimentation saine, très fortement liée à son influence sur la santé ;

– 5 % des adultes français sont des « obsédés de la balance », le plus souvent des femmes de milieu urbain ;

– ces derniers sont dépassés par les « bons vivants » (9 %), plus nombreux parmi les hommes et les ouvriers ;

– à l'opposé, les « inquiets pressés » (11 %) mangent sur le pouce une nourriture le plus souvent composée de plats surgelés ou de portions traiteur ou de plateaux-repas ;

– les « familiaux classiques » (11 %) caractérisent les familles de jeunes adultes avec enfants dont le budget familial est serré ; ils sont indifférents aux risques alimentaires mais essaient d'avoir des repas équilibrés ;

– les « solitaires désimpliqués » (9 %) plutôt des femmes seules à la retraite qui s'ennuient à table ;

– les « décontractés » (10 %), couples avec enfants, plutôt aisés et urbains, ne donnent pas d'importance à l'alimentation, qu'ils vont rendre ludique ;

– les « innovants » (7 %), jeunes, traquent les nouveautés et se font livrer ;

– les « seniors traditionnels » (17 %) sont les retraités dont les repas pris à heure régulière laissent sans surprise.

NEUF GROUPES DE CONSOMMATEURS

Adeptes de nutrition et obsédés de la balance représentent 26 % des Français, préoccupés, voire inquiets, devant leur assiette.

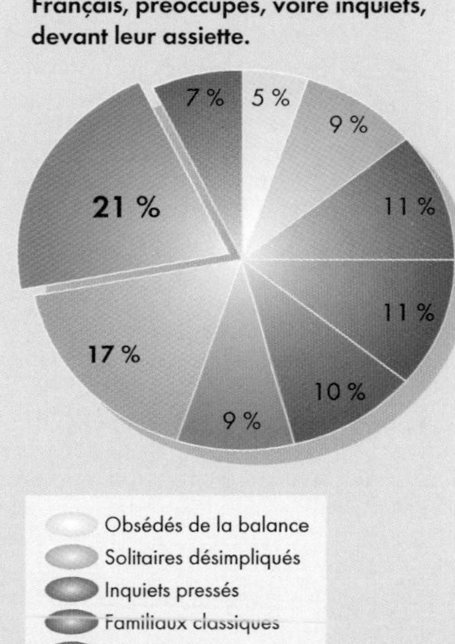

Source : Crédoc, *Consommation et modes de vie*, n° 186, septembre 2005.

UNE FRANCE SPORTIVE

Le culte de la performance, cliché des années 1980, tend à s'effacer derrière la pratique douce des sports « techno » et « émotion ». Santé et plaisir sont les motivations des sportifs d'aujourd'hui : être bien dans son corps pour être bien dans sa tête est peut-être la formule qui les motive. La deuxième motivation est d'ordre social, le besoin de contacts, de sociabilité entraînera les sportifs vers les sports d'équipe. Randonnée, VTT, surf, beach volley incarnent un style de vie plus qu'une activité physique.

PRATIQUE CULTURELLE ET SPORTIVE INTENSE

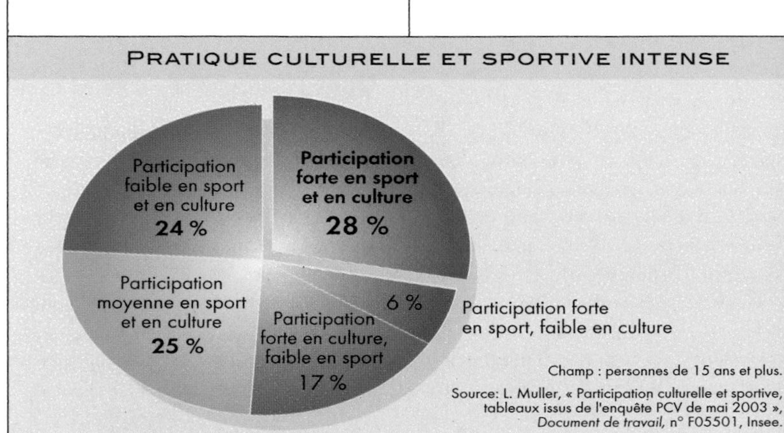

Champ : personnes de 15 ans et plus.
Source: L. Muller, « Participation culturelle et sportive, tableaux issus de l'enquête PCV de mai 2003 », *Document de travail*, n° F05501, Insee.

Sport et culture : toujours plus

D'une activité boulimique, les deux tiers des Français de 15 ans et plus cumulent pratique sportive et pratique culturelle. Plus on fait de vélo, de natation ou de marche, plus on ira au cinéma, visiter un monument historique ou une exposition et ce à tous les âges. Les jeunes de moins de 30 ans illustrent plus que les autres cette tendance. Ils sont très sportifs, neuf sur dix pratiquent un sport plusieurs fois par semaine. Ils sont avides de sorties culturelles et d'activités artistiques, en particulier le dessin et la musique. Et plus on est « actif », plus la palette d'activités est large : on est attiré par des sports différents, on goûte à une multitude d'activités culturelles.

UNE INTENSITÉ DES PRATIQUES DISPARATES. La vie étudiante facilite la multiplication des activités, tandis que les ouvriers, les artisans et les commerçants ont des pratiques moins intenses, tout comme les chômeurs. L'intensité des pratiques est liée au niveau de vie, mais aussi au lieu de résidence. Vivre dans les grandes agglomérations où l'offre sportive et culturelle est grande favorise le cumul des pratiques.

> ***« Plus de 70 % des Français déclarant faire du sport, 170 000 associations sportives, 14 millions de licences délivrées en 2001, ces chiffres donnent une idée de la puissance de l'institution sportive, qui connaît une croissance et une diffusion médiatique sans précédent. »***

LES « ACCROS » DU SPORT ET DE LA CULTURE

Ils sont plus du quart de la population. Ils appartiennent aux milieux aisés, sont plus souvent seuls ou en couple sans enfants, habitent les grandes villes et passent peu de temps devant la télévision.

LE SUCCÈS DE LA RANDONNÉE

La randonnée est un sport accessible à tous pour des moments de convivialité en pleine nature.

LES SPORTS LES PLUS PRATIQUÉS

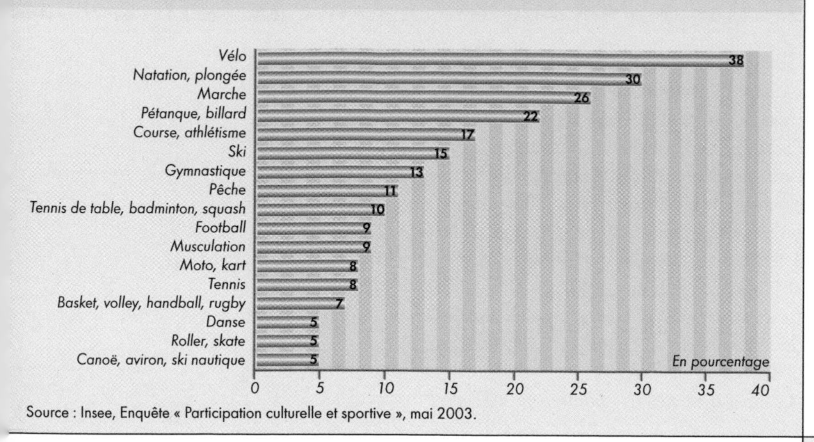

Source : Insee, Enquête « Participation culturelle et sportive », mai 2003.

DU SPORT POUR LE PLAISIR

Les sports à succès sont ceux qui se pratiquent chacun à son rythme plutôt que les sports de compétition.

Les pratiques sportives populaires

LE TRIO RANDONNÉE-VÉLO-NATATION. Les activités sportives les plus populaires montrent bien ce besoin de nature et ce souci de bien-être. Randonnée, vélo et natation arrivent en tête du palmarès et concernent plus de 10 millions d'individus. Ce sont des sports qui ne sont pas trop encadrés et laissent le pratiquant libre de son temps et de son lieu d'exercice. Par exemple, un randonneur peut aussi bien associer pratique sportive et retour sur soi en partant sur les chemins de Saint-Jacques-de-Compostelle, sans être obligatoirement croyant, et vivre cette randonnée comme un moment crucial de sa vie (en 2004, plusieurs millions de personnes ont emprunté ces chemins), qu'effectuer des randonnées aventures où le marcheur parcourra le Ladakh, assoiffé de découverte avec des compagnons de route jusqu'alors inconnus.

AUTRES SPORTS. À la suite du palmarès viennent les sports de course, de boules, les sports de raquette (tennis, tennis de table, badminton, squash) qui rassemblent 7 millions de personnes. Les sports plus élitistes comme le golf, la voile ou l'équitation maintiennent leur position en rassemblant chacun environ 0,5 million de personnes.

LE ZAPPING SPORTIF. Autre changement dans le comportement du sportif : il est devenu un zappeur qui ne se laisse pas enfermer dans une seule discipline. Il marche, mais aussi il skie, il pédale, il escalade et il pagaie. Ainsi est apparu le tourisme sportif de nature avec ses salons et ses tour-opérateurs. Cette discipline attire toutes les générations, aussi bien les seniors de plus de 65 ans que les femmes seules sensibles à la convivialité ou les enseignants qui sont les plus nombreux parmi les pratiquants.

ÉVOLUTION DU NOMBRE DE LICENCIÉS DE LA FÉDÉRATION FRANÇAISE DE RANDONNÉE PÉDESTRE

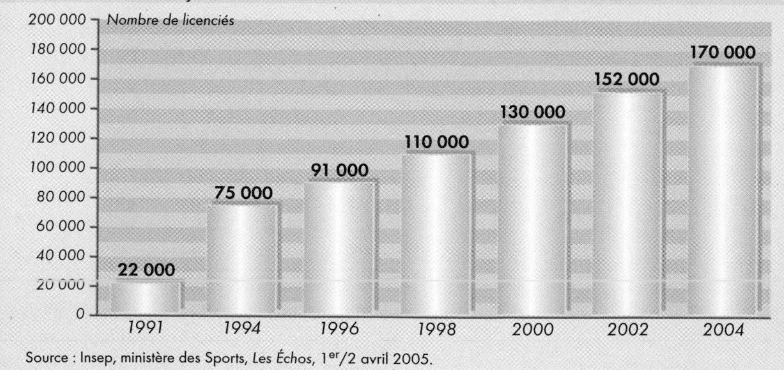

Source : Insep, ministère des Sports, *Les Échos*, 1er/2 avril 2005.

La violence dans les stades

QUI EST VIOLENT ? Il n'existe pas un portrait type du supporteur violent dans les stades. Beaucoup de délinquants des stades sont étudiants ou ont un emploi, et leur niveau d'études est supérieur à celui des autres délinquants. Ils sont issus en majorité des classes populaires, mais aussi des classes moyennes et supérieures. La violence du supporteur est diverse et graduée. Elle va des affrontements entre supporteurs ultras ou *hooligans* adverses, aux affrontements entre supporteurs d'une même équipe qui se bataillent des places dans les virages (*kop*) du stade, à l'affrontement avec les forces de l'ordre, à l'agression des arbitres , les crachats ou le lancer de projectiles et fumigènes. Autant autrefois la violence était provoquée par le résultat du match, autant aujourd'hui elle est préméditée, planifiée.

HOOLIGANS ET VIOLENCES. La violence des *hooligans* est souvent la volonté de réintroduire la réalité sanglante d'un vrai combat entre deux « armées », alors que celle des supporteurs ultras veut montrer que les supporteurs ne sont pas que des soutiens de clubs relégués dans les virages. Ils protestent car ils critiquent les orientations du club, ils revendiquent leur autonomie par rapport au club et veulent participer aux décisions. Cette violence est protestataire.

Le football ou l'intégration par le sport

La percée des sports comme le roller, le surf, la glisse, le rafting n'a pas remis en question les deux premiers sports organisés que sont le football et le tennis. Deux sports qui à travers leurs champions, Zidane ou Noah, laissent penser qu'ils sont facteurs d'intégration et favorisent les relations interculturelles. Localement, dans les quartiers des cités, des associations sportives ont permis à de nombreux migrants de se retrouver au sein d'un groupe sportif national. Face aux violences dans les banlieues au début des années 1980, les instances politiques, par différentes opérations, ont cherché à faciliter l'intégration par le sport. Ces dernières années, le sport amateur n'y suffit plus, l'intégration passe de plus en plus par l'emploi dans le milieu sportif : les entraîneurs-éducateurs d'origine étrangère servent de médiateurs entre les adolescents des quartiers sensibles et les institutions ou les collectivités locales. La Coupe du monde 1998 a renforcé un moment le sentiment des bienfaits du football comme source d'intégration. Mais l'échec de la Coupe du monde 2002 et les incidents du match France-Algérie en 2001, où les jeunes immigrés ont envahi le terrain pour siffler la Marseillaise, ont fait retomber les espérances. Ces dernières années, le fossé grandissant entre le sport professionnel et le sport amateur, les impératifs marchands liés aux compétitions, le dopage et la violence de certaines rencontres ont altéré l'éthique sportive.

Des freins au rôle social intégrateur du sport

Un succès mitigé. Si les femmes sont de plus en plus nombreuses à pratiquer un sport, les licenciés sportifs sont encore en grande majorité des hommes. De même, les femmes sont encore très minoritaires dans les postes à responsabilité au sein des fédérations sportives. Enfin, elles ne représentent encore qu'un tiers des sportifs de haut niveau inscrits sur les listes officielles.

La régression de la pratique féminine du sport. Plus grave est le phénomène de régression de la pratique sportive féminine dans les quartiers sensibles. On observe que, dans certaines communautés d'origine étrangère, l'éducation des filles et des garçons se fait de manière séparée. Dans certains quartiers, les installations sportives sont utilisées uniquement par les garçons et les nouvelles pratiques de rue (roller, skate, basket) sont exclusivement masculines. Les filles prétendant vouloir exercer une activité sportive sont évincées et cet abandon est soutenu par leur famille. À l'école, le nombre de demande de dispenses de cours d'éducation sportive augmente pour les filles, en particulier pour la natation.

Des pratiques par communauté d'appartenance. D'un autre côté, plus nombreuses sont les femmes qui refusent un encadrement sportif masculin et qui réclament des horaires séparés dans les piscines municipales. Autre phénomène nouveau, le développement de clubs ou de manifestations sportives revendiquant une appartenance ethnique, expression d'un certain repli identitaire (avec exclusion des femmes), que les élus locaux tentent de dissuader.

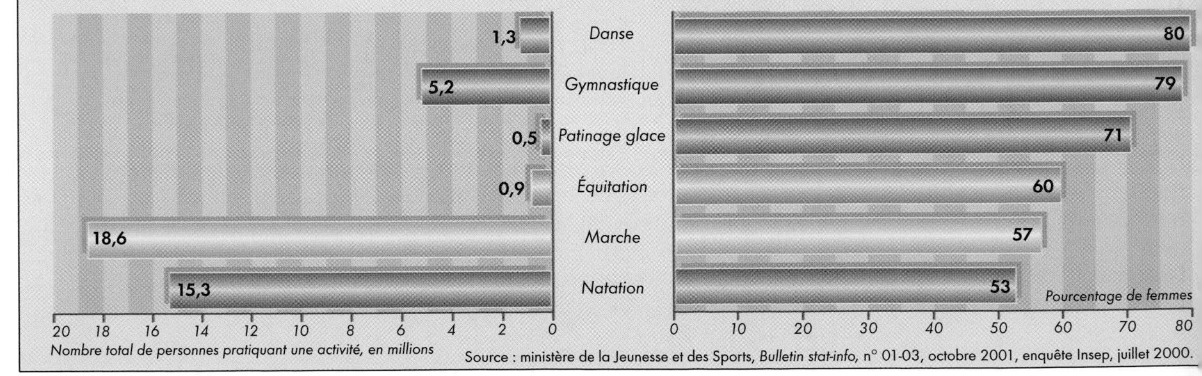

Source : ministère de la Jeunesse et des Sports, *Bulletin stat-info*, n° 01-03, octobre 2001, enquête Insep, juillet 2000.

UNE SOCIABILITÉ PLUS ÉLECTIVE ET PLUS INDIVIDUALISÉE

Allongement des études, travail des femmes, élévation du niveau de vie, éclatement et recomposition des familles, diminution du temps de travail, toutes ces tendances de transformation de la société française ont contribué à étendre et à intensifier les pratiques de sociabilité. Les liens sont plus variés, moins constants. Les nouvelles technologies ont renforcé les liens interpersonnels grâce au courrier électronique, aux chats, au téléphone portable et aux SMS. Autrefois imposée par le voisinage, la communauté ou le clan familial, la sociabilité est aujourd'hui plus choisie, en fonction des affinités électives. Ces nouvelles formes permettent l'émancipation à un âge de plus en plus précoce et permettent aussi de concilier le désir d'être avec d'autres tout en préservant son intimité.

UNE LIBERTÉ QUI A UN PRIX
Les liens semblent plus difficiles à établir parce qu'ils sont moins prescrits par la famille ou le milieu social.

L'EMBARRAS DU CHOIX POUR LES RENCONTRES

PAR RAPPORT À UNE DIZAINE D'ANNÉES, DIRIEZ-VOUS QU'AUJOURD'HUI IL EST PLUS FACILE OU PLUS DIFFICILE DE :

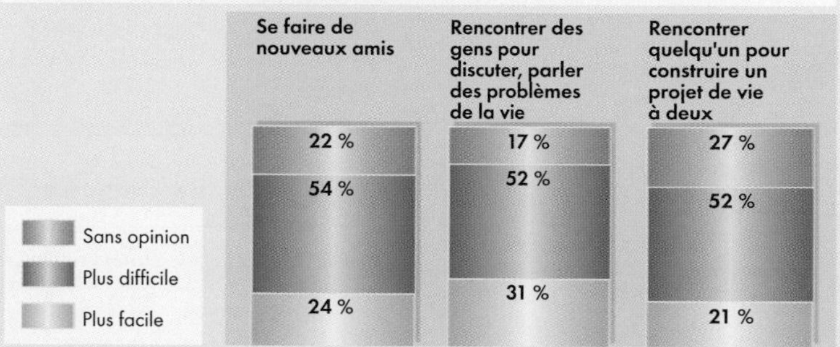

SELON VOUS, QUELLES SONT LES RAISONS QUI EXPLIQUENT QU'IL EST PLUS DIFFICILE AUJOURD'HUI DE RENCONTRER DES PERSONNES, QUE CE SOIT POUR CONSTRUIRE UN PROJET DE VIE OU POUR SE FAIRE DE NOUVEAUX AMIS ?

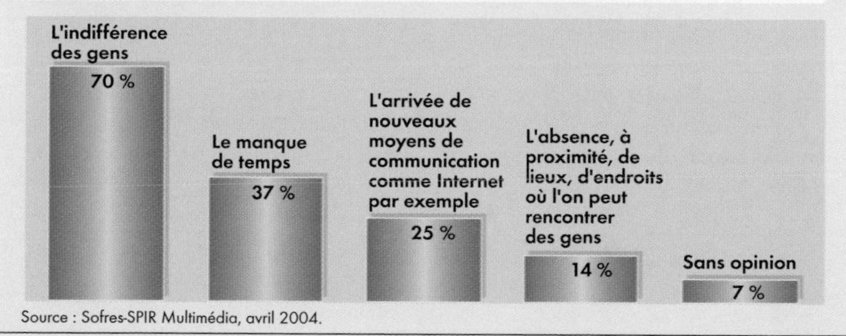

Source : Sofres-SPIR Multimédia, avril 2004.

Une sociabilité élective dans la sphère privée

Si, autrefois, nos relations étaient pour la plupart « héritées », celles du clan familial, de la paroisse, du parti ou de la communauté villageoise, aujourd'hui l'individu est libre de choisir ses relations, de les entretenir ou de les remettre en cause.

LE CHOIX DES AMIS est moins déterminé par l'origine sociale que par l'environnement scolaire ou de travail.

DANS LA FAMILLE, on entretiendra des liens surtout avec ceux des membres avec qui on a des affinités.

LE CHOIX DU CONJOINT n'est plus le fruit d'une stratégie matrimoniale qui doit renforcer la lignée, il est totalement libre et peut se rompre à tout moment. Par la suite, les membres de familles désunies sont libres de continuer à fréquenter l'ex-famille ou non selon leur attachement. Observant les risques plus forts de rupture, certains dénoncent cette plus grande liberté, mais il paraît exclu aujourd'hui de revenir aux liens prescrits. Malgré tout, selon les sondages, c'est en famille que les individus se sentent le mieux. À la question « qu'est-ce qui permet le mieux de dire qui vous êtes », 86 % des répondants citent leur famille, avant les amis ou le travail.

Les nouveaux outils de la séduction

Le texto ou le *chat* sont des outils très appréciés pour les premières rencontres amoureuses. Le caractère individuel et neutre de la communication à distance permet au jeune adolescent d'échapper à l'observation des copains et de contourner la difficulté du face-à-face en matière de séduction, ce qui demande une plus grande maîtrise de sa timidité. La relation reste secrète, elle permet une plus grande confidence auprès du sexe opposé, une plus grande liberté dans l'expression de l'attirance et elle n'est pas exposée au ridicule.

LA MONTÉE D'INTERNET. Depuis une dizaine d'années, Internet porte la révolution amoureuse : aimer sans se connaître. Le Web a détrôné les clubs et les petites annonces en matière de rencontre. Bien qu'ils évoquent un moyen de s'amuser ou la recherche d'une expérience passagère, la plupart des célibataires qui utilisent les sites de rencontres sur le Web cherchent une relation durable. Ils apprécient de pouvoir opérer la sélection et la maîtrise des contacts. Selon les sondages, seulement 5 % des rencontres aboutiraient à une relation pérenne, ce qui signifie beaucoup de rencontres sans lendemain. Mais cette déperdition n'est-elle pas aussi le lot des rencontres dans la « vraie vie » ?

LES AVANTAGES D'INTERNET. Liens forts avec les proches, liens faibles et multiples avec les amitiés numériques, les deux ont leur importance. La relation par le Net a l'avantage de créer des liens plus faciles, sans protocole, qui peuvent conduire à des relations inattendues, voire des histoires d'amour. Il favorise le brassage social. Pour les cœurs esseulés et les introvertis, cette communication favorise une prise de contact moins douloureuse et moins difficile.

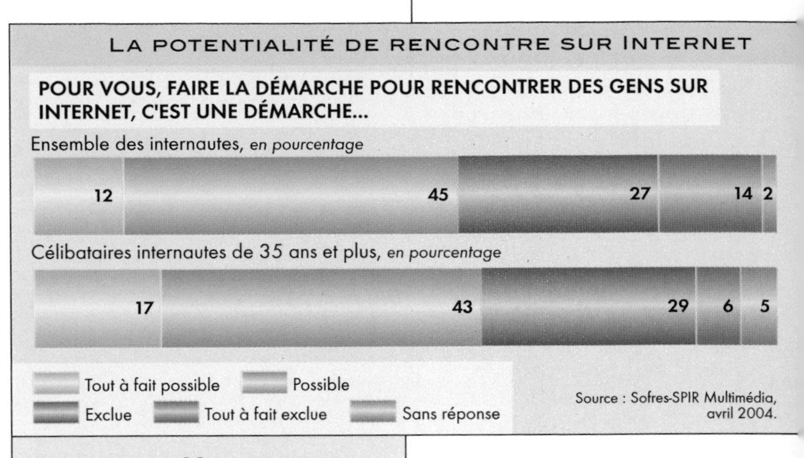

Vivre ensemble séparément

Lors de l'arrivée de la télévision, puis des ordinateurs personnels, nombre d'observateurs, voyant chaque individu devant son écran, avaient prédit le délitement du lien social. Toutefois, le multi-équipement en radios comme en télévisions ou en ordinateurs n'a pas conduit au cloisonnement : la télévision se regarde encore en famille et les médias en général restent tout autant des thèmes d'échanges et de conflits.

LES NOUVEAUX OUTILS DE COMMUNICATION. Le téléphone portable, comme le courrier électronique, les SMS ou le *chat* (conversation à plusieurs sur le net) sont des outils de communications qui permettent le décloisonnement des liens et leur autonomie. Tout en restant au bureau ou dans leur chambre, les individus peuvent aujourd'hui entretenir leurs liens d'une manière beaucoup plus souple qu'auparavant.

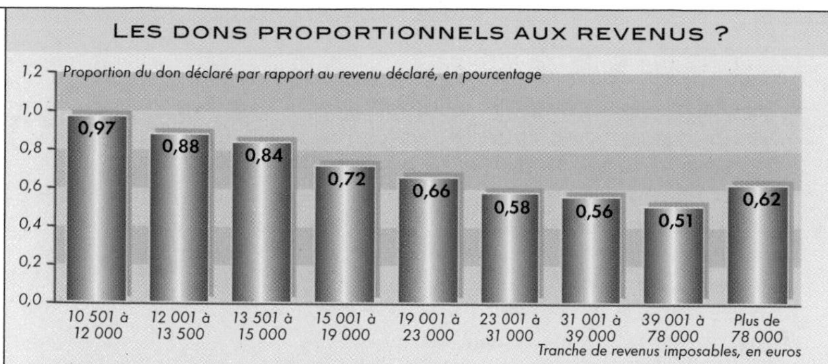

Le graphique se lit ainsi : les foyers fiscaux imposables de la tranche comprise entre 10 501 et 12 000 euros annuels ont déclaré des dons représentant en moyenne 0,97 % de leurs revenus imposables. Les contribuables déclarant entre 39 001 et 78 000 euros ont présenté des reçus fiscaux représentant en moyenne 0,51 % de leurs revenus imposables.
Source : Direction générale des impôts.

Dans la sphère publique : avec les autres et pour les autres

Près de la moitié des Français de 15 ans et plus adhèrent à une association et, pour 62 % d'entre eux, la rencontre est le motif de l'adhésion. Les plus jeunes cherchent à pratiquer une activité culturelle ou sportive à plusieurs, tandis que les anciens recherchent de la compagnie dans les associations du troisième âge. L'âge intermédiaire s'engage aujourd'hui plus qu'hier dans des associations à but humanitaire et à dimension internationale, cherchant à lutter contre la pauvreté, le saccage de la planète ou les tensions internationales. L'altruisme n'a donc pas disparu.

LE BÉNÉVOLAT. Un Français sur quatre a une activité bénévole dont la principale motivation est de faire quelque chose pour les autres. La moitié d'entre eux apprécient d'y rencontrer des personnes qui ont les mêmes préoccupations, les mêmes goûts. Ils trouvent dans cette activité une source d'épanouissement. Le bénévolat concerne principalement l'organisation de manifestations culturelles ou festives et l'animation ou l'encadrement d'activités d'enseignement, de formation ou de travail administratif.

LE DON FINANCIER. Une autre manifestation d'altruisme est le don financier. La philanthropie des Français a été confirmée lors de la catastrophe du tsunami en Asie en décembre 2004. Elle est de plus en plus vivante à chaque opération Téléthon, et les dons relevés sur les déclarations d'impôts montrent que la générosité est comparable à tous les âges et que les montants s'élèvent chaque année. En revanche, les ménages à revenus les plus faibles sont les plus généreux, tout comme les habitants des départements les moins avantagés (Cantal, Haute-Loire, Aveyron, etc.). Faut-il en conclure que plus on rencontre de difficulté, plus on est généreux ?

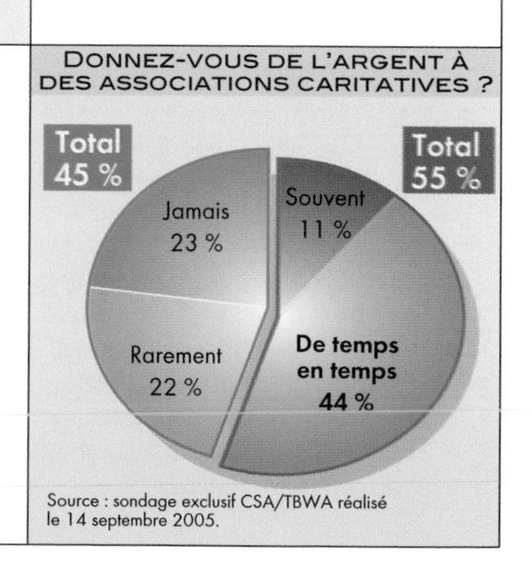

Source : sondage exclusif CSA/TBWA réalisé le 14 septembre 2005.

VALEURS SÛRES ET VALEURS FLUCTUANT

Les Français sont perpétuellement tiraillés entre le retour aux valeurs du passé et le sentiment qu'il faut progresser et vivre avec son temps. Déclin de la religion, recul des grandes idéologies, permissivité croissante dans le domaine de la vie privée, l'affirmation de valeurs qui concourent à plus d'individualisme progresse en même temps que celle d'un désir accru de régulation sociale, d'autorité et d'ordre public, de justice sociale, d'égalité, de solidarité, d'assurance contre les risques encourus par la société. Devant un avenir qu'ils jugent incertain, les Français privilégient leur environnement proche, la famille et les amis.

ÉVOLUTION DES OPINIONS DE 1981 À 1999 FACE AU

L'HOMOSEXUALITÉ EST INJUSTIFIABLE

En pourcentage — 1981 : 62 ; 1990 : 52 ; 1999 : 32

LE DIVORCE EST INJUSTIFIABLE

En pourcentage — 1981 : 28 ; 1990 : 23 ; 1999 : 15

Les jeunes comme les plus âgés des Français participent au mouvement d'une plus grande tolérance à l'égard du comportement d'autrui.

RESPECT DE L'AUTORITÉ

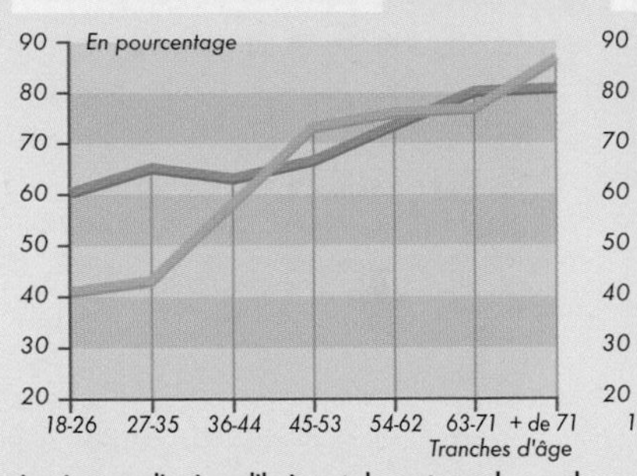

CONFIANCE EN L'ARMÉE

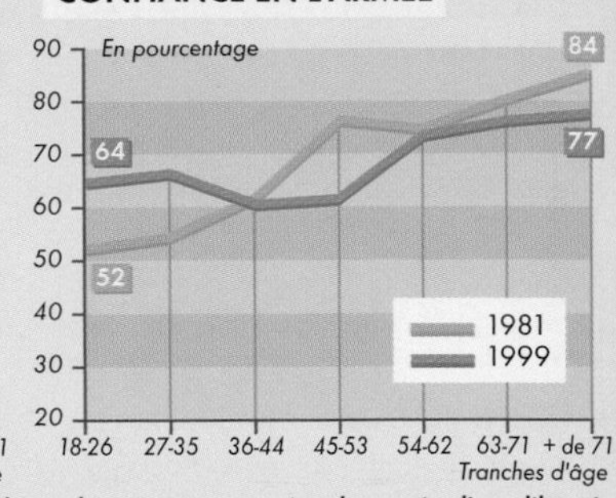

Les jeunes d'aujourd'hui sont davantage demandeurs de normes pour gérer les excès d'une liberté individuelle toujours plus grande.

Vers plus d'individualisme

Les grands clivages idéologiques, politiques ou religieux qui structuraient l'opinion des Français, s'ils n'ont pas disparu complètement, se sont bien affaiblis. Les oppositions traditionnelles, comme par exemple celle des classes sociales, semblent moins fortes. La manifestation pour l'école libre en 1984 a sans doute marqué l'affaiblissement des grands combats collectifs.

DES CODES DE CONDUITE PLUS DIVERSIFIÉS obligent les individus à une plus grande tolérance à l'égard des attitudes et des convictions d'autrui. Cette tolérance marque le prolongement de la tendance séculaire à plus d'individualisme : tolérance et permissivité accrue à l'égard des immigrés, de l'homosexualité, du divorce ou du suicide. En même temps, les Français attendent de leurs institutions, notamment l'État, un renforcement des régulations sociales et économiques, plus de justice sociale en matière de santé, d'éducation, de sécurité (la police et l'armée sont très appréciées des Français), de solidarité et de droits des individus. En règle générale, les Français réclament plus de transparence dans leurs rapports à la fois entre eux (la fidélité conjugale est une valeur en hausse chez les jeunes) et avec leurs institutions : ils font moins confiance à la représentation institutionnelle (l'abstention électorale le montre), mais sont prêts à participer à une manifestation ou à une grève, un mode d'expression plus ciblé, plus informel. Par ailleurs, ils participent davantage à la vie associative.

DES CLIVAGES SUR LES VALEURS PERSISTENT entre les Français. Ces oppositions sont plus induites par le niveau d'instruction, le revenu ou la croyance religieuse (pour ceux qui y adhèrent) que par la catégorie professionnelle, la situation matrimoniale ou le lieu de résidence.

ES

COMPORTEMENT D'AUTRUI

L'AVORTEMENT EST INJUSTIFIABLE

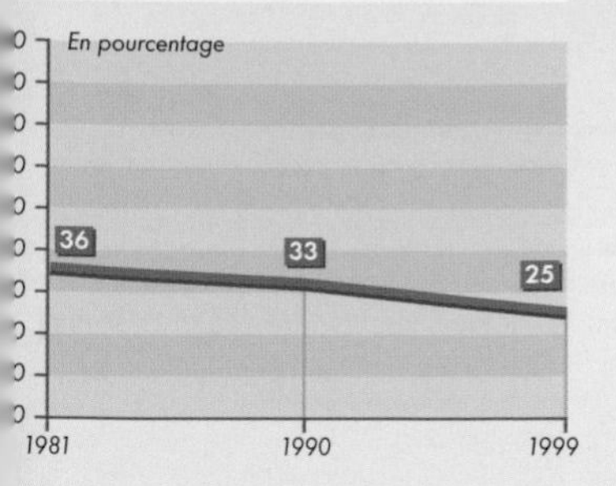

CONFIANCE EN LA POLICE

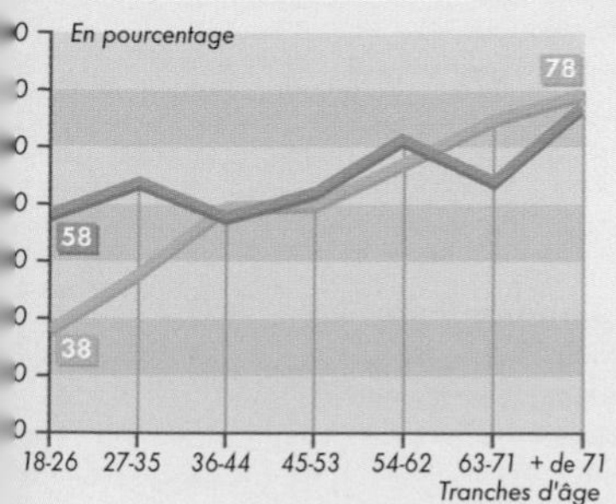

Source : EVSSG, dans P. Bréchon (dir.), *Les Valeurs des Français*, A. Colin, 2000.

Des Français très inquiets

Outre des inquiétudes économiques, sur le chômage et le pouvoir d'achat, les Français craignent pour leur santé, pour leur environnement et, de façon moindre, ils redoutent l'incapacité du pays à intégrer les immigrés. Les problèmes de financement de l'assurance maladie et des retraites ont exacerbé l'inquiétude des Français qui voient remis en question le principe de l'égalité devant l'accès aux soins, principe essentiel, et leur pouvoir d'achat la retraite venue. Ils sont aussi très préoccupés par la détérioration de l'environnement qui menace la planète mais aussi, plus immédiatement, leur santé. Là, la notion de progrès est remise en cause puisque ses effets risquent de procurer aux futures générations un sort moins favorable. Ils attendent des hommes politiques qu'ils agissent en tenant compte d'un horizon plus éloigné que celui de leur mandat ou que celui de la vie de leurs contemporains. Ils souhaitent une action politique ayant un impact sur le long terme.

IMMIGRATION, LAÏCITÉ. Les émeutes récentes dans les banlieues ont réveillé l'inquiétude latente au sujet de l'intégration des populations immigrées. Plus d'un tiers craignent l'exacerbation des communautarismes qui vont menacer la cohésion sociale. Cette opinion rejoint leur attachement à la laïcité, qui apparaît plus comme un système de protection, de garantie de la liberté et de l'égalité que comme un mécanisme de régulation entre sphère publique et sphère religieuse. La laïcité aurait aussi l'avantage de relier les groupes sociaux entre eux.

ÉVOLUTION DES PRINCIPALES PRÉOCCUPATIONS DES FRANÇAIS

Parmi les sujets suivants, quels sont ceux qui vous préoccupent personnellement le plus ? en premier ? et ensuite ?

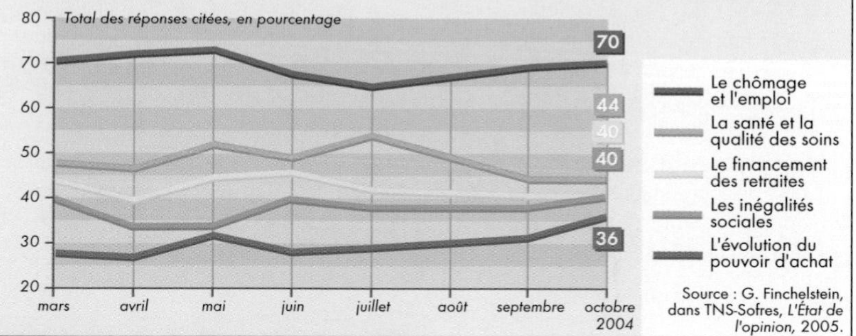

Source : G. Finchelstein, dans TNS-Sofres, *L'État de l'opinion*, 2005.

QUE CRAIGNEZ-VOUS LE PLUS AVEC LA MONDIALISATION ?

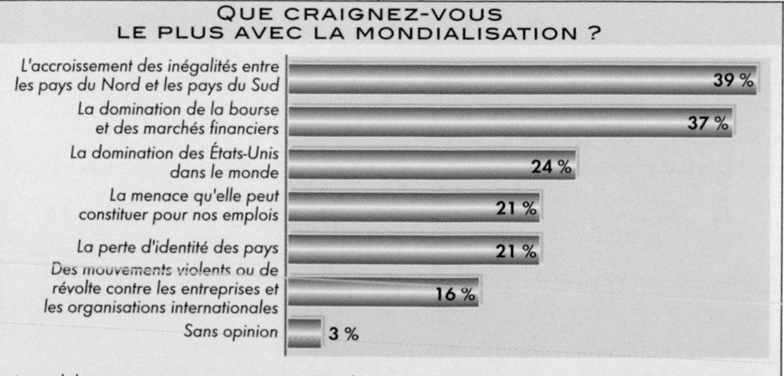

Le total des pourcentages est supérieur à 100, les personnes intérrogées ayant pu donner deux réponses.
Source : Enquête TNS-Sofres pour *Le Monde*, 12 et 13 juillet 2001.

Les Français sont favorables à un libéralisme économique bien tempéré

Les Français sont majoritairement favorables à l'économie de marché.

ENTREPRISES ET MONDIALISATION. Les sondages révèlent qu'ils ont une bonne image des entreprises : le jugement des Français à l'égard des petites et moyennes entreprises est beaucoup plus positif qu'à l'égard des grandes ; en revanche, dans le contexte des délocalisations et des profits records des entreprises multinationales, l'image de ces dernières est dégradée. Dans le même sens, les Français sont plus inquiets que les autres Européens des effets de la mondialisation. Dans l'opinion, la mondialisation est plus une menace qu'une opportunité : une menace pour l'emploi mais surtout, et pour les jeunes générations en particulier, une menace d'accroissement des inégalités entre les pays pauvres et les pays riches. Ce témoignage d'ouverture et de solidarité sur le monde montre que les Français sont moins repliés sur l'Hexagone et qu'ils sont capables d'accepter l'intégration, le métissage, la diversité culturelle de la société.

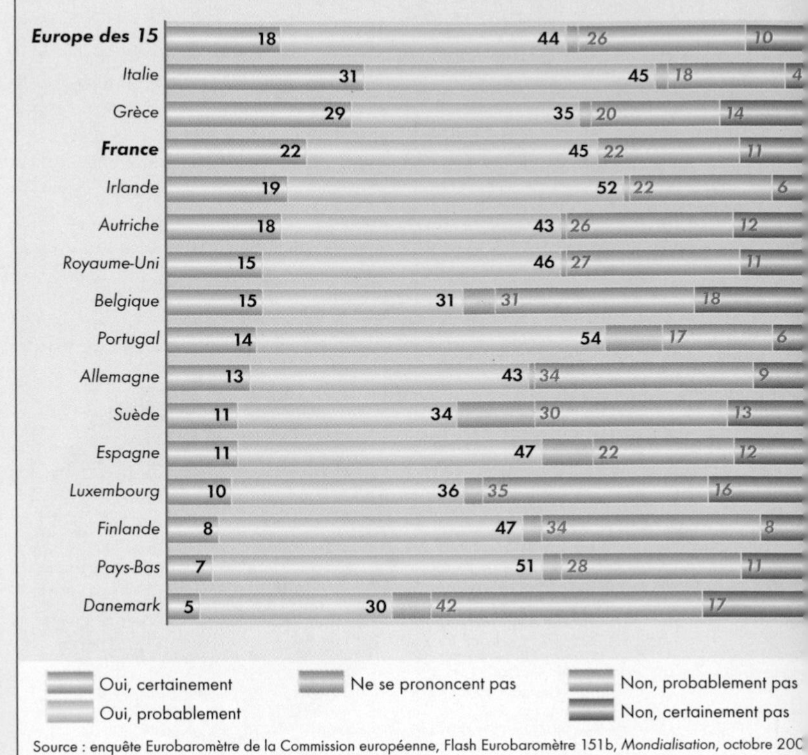

Source : enquête Eurobaromètre de la Commission européenne, Flash Eurobaromètre 151b, *Mondialisation*, octobre 200

LE CHOIX DES FRANÇAIS
Les Français sont parmi les plus convaincus en matière de politique économique interventionniste.

LE RÔLE DE L'ÉTAT DANS L'ÉCONOMIE. Acquis à l'économie de marché, les Français sont très nombreux à penser qu'il n'y a pas assez de règles dans l'économie. Une majorité est en faveur d'une plus grande régulation de l'État ; parmi les Européens, ils sont même les plus interventionnistes. Ils souhaitent un libéralisme tempéré par des règles strictes aussi bien sur l'environnement, la sécurité alimentaire, Internet, les droits des salariés que sur les marchés financiers ou le commerce international. Mais, comme toujours, cette opinion varie au fil de l'actualité économique : en période de nationalisations, pour la majorité de l'opinion l'État règlemente trop, tandis qu'en période de privatisations, les entreprises ont trop de liberté.

> « *52 % des Français jugent graves les inégalités de revenus et seulement 9 % les inégalités de patrimoine, alors que les secondes sont plus étendues que les premières. Le patrimoine reste dans l'esprit des Français une valeur intouchable.* »

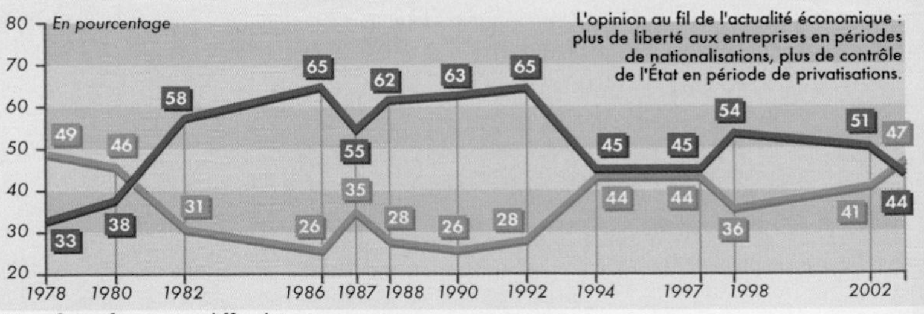

Source : TNS-Sofres, *Les Français et l'entreprise*, enquête réalisée le 13 et 14 février 2003 pour *Le Figaro Économie* et la CCIP, H. Valade, dans *L'État de l'opinion*, 2004.

LA VALEUR TRAVAIL

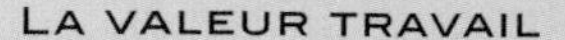

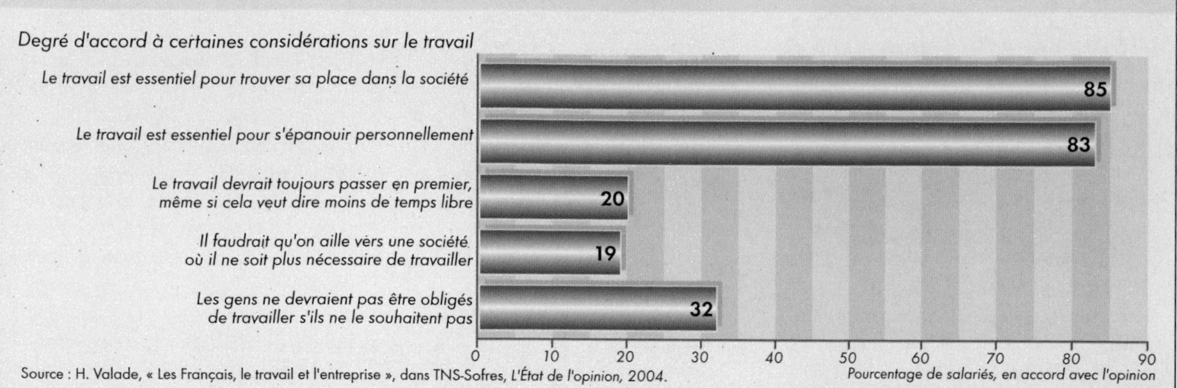

Source : H. Valade, « Les Français, le travail et l'entreprise », dans TNS-Sofres, *L'État de l'opinion*, 2004.

La valeur travail relativisée

Les Français accordent toujours une importance vitale au travail, principal vecteur d'insertion et d'épanouissement personnel, et élément primordial pour trouver sa place dans la société. Les Français qui ont un emploi sont beaucoup plus heureux et positifs que les chômeurs et les femmes au foyer. En revanche, le travail n'occupe plus la première place dans les préoccupations des Français. Il ne doit plus s'opposer aux exigences de la vie privée en matière d'horaires autant que d'organisation. Le temps libre supplémentaire libéré par les 35 heures est un acquis largement approuvé par ceux qui en bénéficient et revenir en arrière serait une contrainte.

Les causes. Cette perte relative de valorisation du travail est confortée par le risque de chômage et la précarisation de l'emploi. Si le salarié se donne à fond pour, *in fine*, voir son contrat non renouvelé, à quoi bon ? Vient s'ajouter le stress accru engendré par des conditions de travail plus difficiles et, enfin, le moindre sens donné au travail. À quoi sert le travail du salarié si tous ses efforts ne servent qu'à accroître les dividendes qui tombent dans les poches de l'actionnaire ? Dans presque la moitié des cas, dans la balance travail contre salaire, carrière, sécurité de l'emploi, les salariés se sentent perdants. En période de crise économique, les Français, en particulier les sympathisants de la gauche, souhaiteraient que l'État intervienne davantage pour contrôler et réglementer les entreprises. Définitivement adeptes de l'économie de marché, les Français, cadres comme ouvriers, en perçoivent actuellement les limites. Reconnaissance accrue du travail et plus grande participation à la gouvernance de l'entreprise sont deux des attentes qui, si elles pouvaient se réaliser, réconcilieraient les Français avec leur travail.

LA PERCEPTION DE L'ÉVOLUTION DES INÉGALITÉS

Au cours des dernières années, avez-vous le sentiment que les inégalités en France se sont plutôt aggravées ou qu'elles se sont plutôt réduites ?

Source : G. Finchelstein, « Les Français et les inégalités », dans TNS-Sofres, *L'État de l'opinion*, 2005.

Deux valeurs réaffirmées : la liberté religieuse et la laïcité

La laïcité, remise en question en 2004 lors des débats sur le port de signes ostensibles d'appartenance religieuse dans les lieux publics, repose sur le second principe fondateur de la République, la liberté pour chacun de choisir sa religion ou de ne pas en avoir. Les deux tiers des Français sont attachés à la laïcité, qui reste un élément constitutif de l'identité française. Ils pensent qu'elle s'est affaiblie ces dernières années. En outre, si presque tous y sont attachés, une majorité pense que porter des signes ostensibles représente une menace pour la cohésion sociale. Surprise, même les pratiquants catholiques sont en majorité hostiles au port de signes ostensibles, eux-mêmes ne se font pas remarquer par une grande croix autour du cou. Français de droite comme Français de gauche ne veulent pas de révision de la loi de 1905 sur la séparation de l'Église et de l'État. Ils sont réticents à ce que les pouvoirs publics organisent la formation des imams ou participent au financement des mosquées.

OPINION SUR L'ÉVOLUTION DU PRINCIPE DE LAÏCITÉ

Au cours des dix dernières années, avez-vous le sentiment que la laïcité en France s'est plutôt affaiblie, ou plutôt renforcée ?

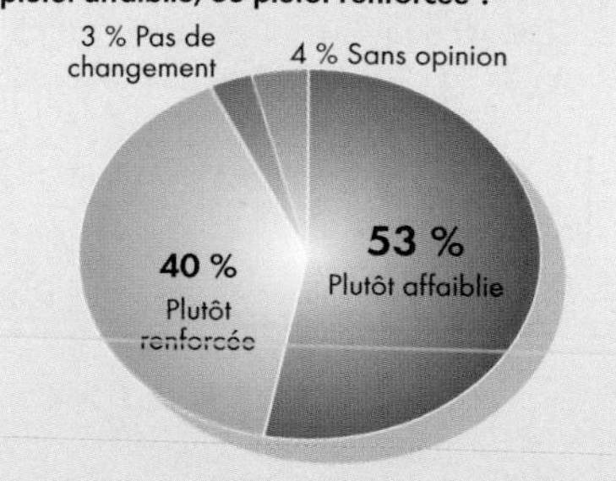

Source : sondage Sofres-*Figaro magazine*, février 2005.

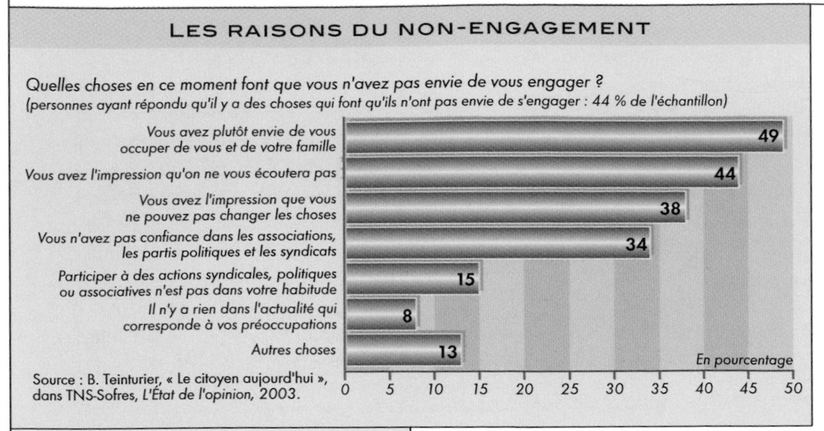

S'engager, oui mais... non

L'ABSTENTION EST CROISSANTE. Au moment de la surprise électorale d'avril 2002 (le Front national au deuxième tour devant Lionel Jospin aux élections présidentielles), la mobilisation a été quasi totale. 94 % des Français pensent que voter est un devoir important. Feu de paille, l'abstention aux élections suivantes est en progression : l'abstention aux élections législatives de 2002 et aux régionales de 2004 dépasse les 30 % ; le record est atteint aux élections de 2004 pour le Parlement européen : 57,2 % d'abstentions. Régulièrement, l'actualité relate des événements qui donnent envie de s'engager à nombre de Français. Mais beaucoup expliquent leur non-engagement par le fait qu'ils ne peuvent rien faire, qu'ils ne seront pas écoutés.

PEU S'ENGAGENT DANS LES ASSOCIATIONS. Les Français préfèrent s'occuper d'eux et de leur famille. La minorité qui s'engage le fait le plus souvent par la voie de l'association et seul celui qui s'engage est susceptible de s'engager davantage. La politique était une grande cause, mais ne l'est plus. Reste la famille, l'éducation, la vie quotidienne.

Une valeur sans cesse renforcée : l'égalité

La passion égalitaire date d'avant la Révolution. Les Français ne s'en sont jamais départis depuis, bien au contraire.

L'ATTACHEMENT À L'ÉGALITÉ. La dénonciation des inégalités est un fait quotidien dans les médias. Mais les sondages révèlent encore plus cet attachement à l'égalité chérie : 81 % des Français pensent que les inégalités se sont aggravées et la moitié disent qu'elles se sont nettement aggravées. Cadres ou ouvriers, tous sont très sensibles à ce sujet, qui arrive en deuxième place parmi les préoccupations des 18-24 ans et en sixième place pour les plus de 65 ans. Les diplômés du supérieur et les revenus supérieurs placent cette préoccupation le plus haut dans la hiérarchie, sans doute parce qu'ils ont une notion plus précise du terme abstrait « inégalités », entendu en majorité comme inégalités de revenus.

LE DÉCALAGE AVEC LA RÉALITÉ. Rétrospectivement, l'histoire révèle que opinion et réalité ne vont pas toujours dans le même sens : au moment où l'opinion pense que les inégalités s'aggravent, les statistiques sur les revenus ou le pouvoir d'achat prouvent le contraire. Perception et réalités ne vont pas toujours de pair...

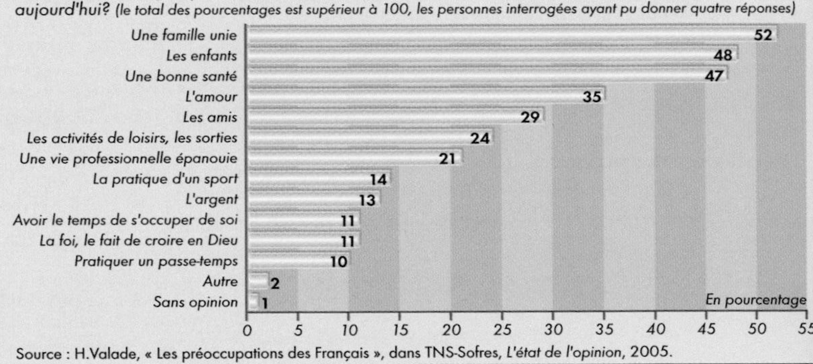

Repli sur la valeur sûre : la famille, les amis

Dans un contexte où les tensions extérieures sont fortes, où l'avenir même à court terme est incertain, où le progrès n'a pas que des effets positifs, où la défiance envers les pouvoirs politiques est grande, les Français cherchent leur bonheur dans le quotidien, au sein de la famille et des proches. On préfère s'intéresser à la dimension humaine des problèmes plutôt qu'aux grands enjeux de société. Jeunes et vieux, partisans de gauche et partisans de droite valorisent la famille, vue comme le meilleur pôle de solidarité dans un monde hostile. La valeur fidélité reprend des forces, en particulier chez les jeunes. Elle apparaît comme la condition de la réussite du couple et est en soi une forme de reconnaissance de l'autre. Plutôt que de braver les risques, dépasser les précautions et prendre des initiatives et des responsabilités individuelles, les Français préfèrent chercher sans cesse à améliorer leur quotidien, leur cadre de vie, leurs relations familiales et amicales.

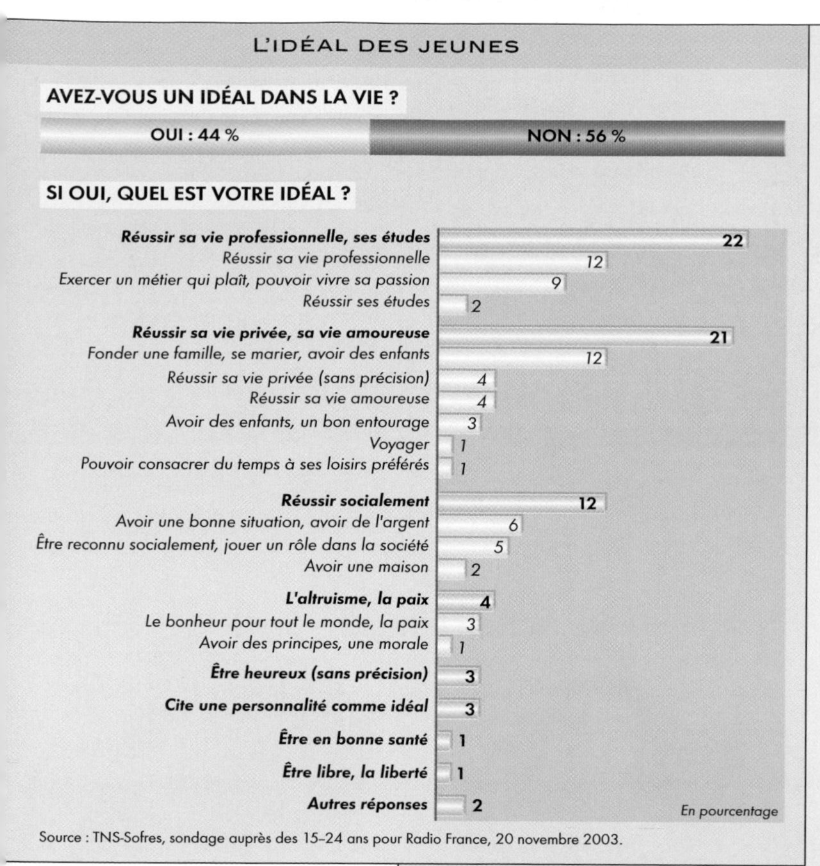

Source : TNS-Sofres, sondage auprès des 15-24 ans pour Radio France, 20 novembre 2003.

Les valeurs des jeunes

UN MODE DE VIE COMMUN. Les jeunes (les 15-24 ans) privilégient encore plus que les adultes la sphère privée, familiale et amicale. Leur mode de vie ne les incite guère à s'intéresser aux valeurs de liberté ou de responsabilité. L'importance qu'ils portent à la sociabilité repose plus sur des pratiques communes, comme le sport, l'écoute de la musique, les sorties ou les achats de vêtements en commun, et aussi sur le fait de partager les mêmes idées politiques ou les mêmes intérêts intellectuels. Ils ont une culture commune basée sur le divertissement. Ils disent ne pas avoir d'idéal ou plutôt définissent l'idéal par son absence. Ils espèrent simplement pour eux la réussite professionnelle. Ils ne veulent pas de projet qui les engage sur une voie prescrite. Ils n'adhèrent pas à des organisations politiques ou à des collectifs dont la vocation est idéologique.

L'OUVERTURE D'ESPRIT. En revanche, les jeunes peuvent se montrer très généreux dans leurs opinions. Tout d'abord, ils font preuve de plus d'ouverture que l'ensemble de la population envers les immigrés. Ils détestent les formes de racisme ou de xénophobie. Ils sont très nombreux à penser que l'immigration est une chance pour la France. D'ailleurs le métissage et la possibilité de vivre avec un immigré sont approuvés par plus de 80 %. Certaines normes sont très bien acceptées par les jeunes : ils condamnent le racket, la vente de drogues, l'irrespect. Les filles sont encore beaucoup plus sévères que les garçons. En revanche, ils tolèrent plus que les adultes certaines transgressions comme le travail au noir ou le fait de ne pas payer les transports en commun. Si les valeurs des jeunes paraissent assez homogènes, des différences existent pourtant. Les filles sont plus sensibles à la réussite de leur vie professionnelle et sont plus intransigeantes sur le respect des règles de vie. Les jeunes issus de l'immigration placent la réussite professionnelle au même niveau que l'intérêt pour la famille, c'est-à-dire en priorité. Vient ensuite la religion, puis l'engagement pour une cause collective.

DES MOBILISATIONS PONCTUELLES. Les jeunes d'aujourd'hui sont moins contestataires que leurs aînés et ne s'intéressent pas à l'avenir de la société. Sans doute faut-il mettre ce désengagement sur le compte d'une jeunesse élevée dans un contexte politique marqué par la crise de la représentation, des alternances successives, des combats idéologiques abandonnés par leurs parents et par le déclin de l'identification partisane. Les jeunes sont cependant très attachés aux valeurs démocratiques et pacifistes. Ils sont descendus dans la rue au second tour des élections présidentielles de 2002, au moment du conflit irakien ou pour défendre une conception de l'enseignement. Leur mobilisation est ponctuelle. S'ils refusent de s'engager politiquement, en revanche, ils savent bien se positionner face aux grands thèmes économiques : ils sont pour les trois quarts favorables à l'économie de marché et plus de la moitié d'entre eux voient dans la mondialisation plutôt des avantages.

> *« Loin des idéologies des générations précédentes, la jeunesse d'aujourd'hui privilégie les sensations et les émotions immédiates, qu'elle place au centre de son système de motivation. »*

D'un pays à l'autre en Europe, des diversités persistent, qui vont à l'encontre de l'homogénéisation tant prédite. Concernant les modes de vie ou les politiques publiques, l'empreinte de chaque société et de sa culture reste prononcée. La jeunesse ne se vit pas au Danemark, en France, en Angleterre

ou en Espagne de la même façon : indépendance précoce ici, solidarité familiale là. Beaucoup de naissances hors mariage en Suède et en France et encore peu en Italie et en Espagne ; travail féminin sans une longue interruption pour élever son enfant en France, tout le contraire chez les Allemandes qui ne délèguent pas les soins aux enfants. Traitement de la pauvreté par l'État-providence en Europe du Nord, en grande partie à la charge de la famille en Europe du Sud et un système mixte en France. Les différences restent également vivaces en ce qui concerne les valeurs.

Les Français parmi les Européens

LA FRANCE, PAYS DES ENFANTS

Beaucoup de Français redoutent que la construction de l'Europe conduise le continent à perdre sa diversité au profit d'une homogénéisation tiède et sans relief. Ils craignent que la puissance de la machine économique et la force des lois du marché entraînent l'uniformisation des sociétés européennes dans leurs modes de vie, leurs mœurs et leurs cultures. Or, avec le temps, on s'aperçoit que les différences persistent et parfois s'accentuent : la structure familiale varie d'un pays à l'autre, la hiérarchie des groupes sociaux, quand elle n'est pas accentuée, garde ses particularités dans chaque État, les catégories d'âge ont toujours des caractéristiques différentes.

Un modèle unique de famille jusqu'aux années 1960

Jusqu'aux années soixante, il semblait qu'un modèle unique de structure familiale se répandait en Europe occidentale : un mariage précoce pour former une famille composée de deux à trois enfants. À partir de 1965, la natalité baisse dans tous les pays, mais les taux varient fortement de pays à pays. On est arrivé rapidement à l'enfant unique en Allemagne du Sud, en Italie du Nord et en Espagne du Nord. Certains pays (en premier l'Allemagne, puis l'Autriche, l'Italie, la Grèce ou la Finlande) sont très concernés par l'évolution du nombre de femmes qui resteront sans enfant (une sur quatre en Allemagne occidentale). Et, dans les dix nouveaux pays qui ont intégré l'Union européenne au 1er mai 2004, le recul du nombre des naissances sur la période 1999-2002 est trois fois plus élevé que celui des anciens membres, qui comptent pourtant une population cinq fois plus importante.

L'EXCEPTION FRANÇAISE. Depuis 1994, le taux de fécondité conjoncturel augmente en France pour atteindre le taux le plus élevé d'Europe (1,9) avec l'Irlande (2). Cependant, il faudrait que cette tendance se poursuivre pour que le taux de descendance finale se maintienne autour de 2,1, ce qui garantirait le remplacement des générations en nombre égal et la stabilisation du niveau de la population.

DE PLUS EN PLUS DE SENIORS

Si un quart de la population française a moins de 20 ans, en revanche, la population de plus de 80 ans va plus que doubler d'ici une dizaine d'années, la plus forte augmentation en Europe.

ÉVOLUTION DE LA FÉCONDITÉ EN EUROPE : ALLEMAGNE, ITALIE, ESPAGNE EN VOIE DE DÉPEUPLEMENT

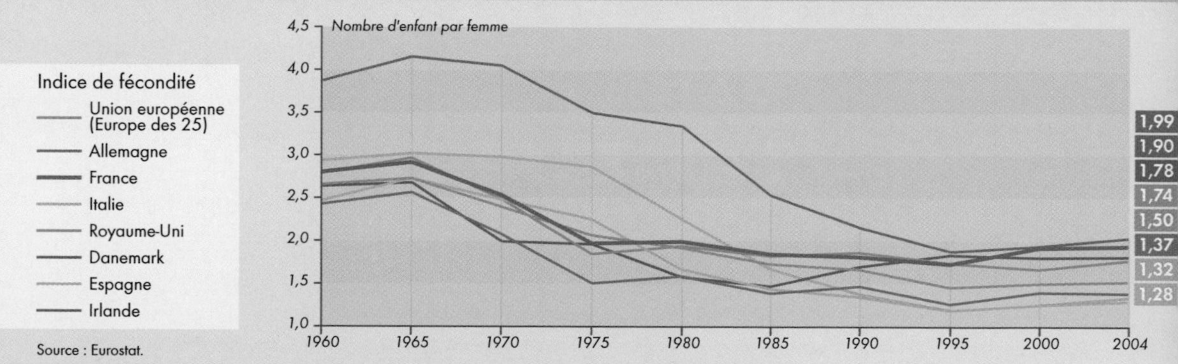

Source : Eurostat.

La Suède pionnière de la natalité hors mariage

Si l'on observe le taux de naissances hors mariage, la situation est presque opposée, à croire que le mariage est défavorable à la natalité ! En effet, c'est la Suède qui fut dès les années 1970 pionnière de la natalité hors mariage (près d'une naissance sur cinq en 1970, contre plus d'une sur deux en 2003). La France, le Royaume-Uni et le Danemark sont à quatre sur dix tandis que l'Italie et l'Espagne sont entre 10 et 20 %.

DES PAYS TRÈS DIFFÉRENTS. Le contraste est frappant entre, d'un côté, la France et la Grande-Bretagne où la population se reproduit et en proportion non négligeable hors mariage, et, de l'autre, l'Allemagne, l'Italie et l'Espagne, pays menacés de dépeuplement.

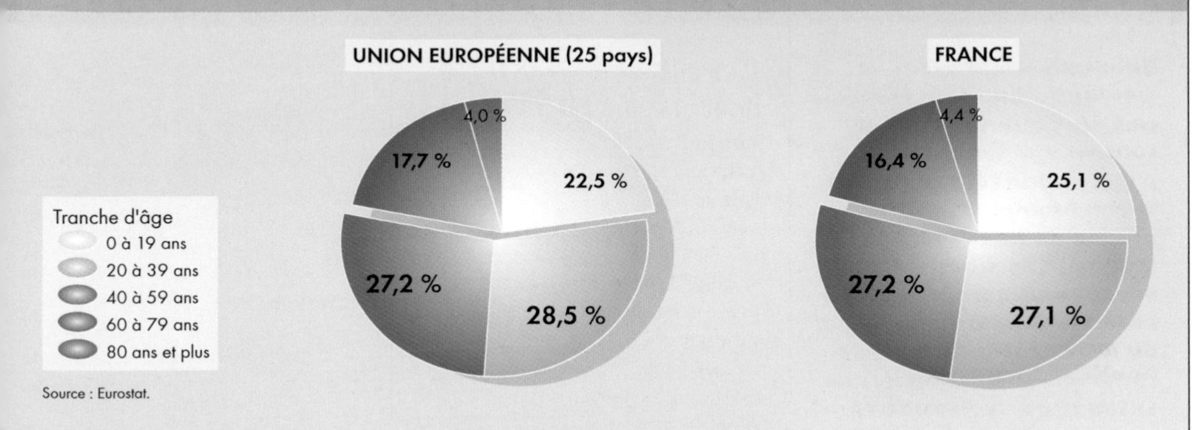

Jeunesse et troisième âge : dans chaque pays son mode de vie

Les jeunes. Dans tous les pays d'Europe, la jeunesse est une période d'instabilité affective et professionnelle, jalonnée de pratiques culturelles et sportives nombreuses et d'une sociabilité intense. Mais la jeunesse est vécue de façon différente selon les pays. Les exemples les plus contrastés opposent les jeunes français, les jeunes italiens et les jeunes britanniques. Les Italiens demeurent chez leurs parents jusqu'à ce qu'ils aient trouvé un emploi stable avec une rémunération suffisante pour assurer la vie d'une famille. En moyenne, ils se marient tard et contribuent peu au budget parental. La mère italienne contribue fortement à maintenir dans son foyer une qualité de vie traditionnelle. En France, au contraire, le jeune quitte le foyer familial le plus tôt possible mais conserve des liens avec sa famille. L'indépendance lui est chère. Les jeunes anglais, en particulier ceux d'origine populaire, s'établissent en couple et ont des enfants assez tôt.

Se marier ou faire des enfants ?
Les pays qui ont le plus fort taux de fécondité, excepté l'Irlande, sont ceux où les naissances hors mariage sont les plus nombreuses.

Les retraités. En France, l'âge moyen de retrait du marché du travail est 58,7 ans, contre 61,4 ans pour la moyenne européenne. Le taux d'activité des seniors (55-59 ans) est plus faible que dans les autres pays européens (39,5 % en 2003, contre 44,1 % pour la moyenne européenne). En France, le niveau des pensions reste élevé car il est en corrélation avec un salaire qui augmentait avec l'ancienneté. Les seniors français ont donc un niveau vie correct ; le minimum vieillesse a permis aux catégories très modestes de se maintenir audessus du seuil de pauvreté. Les seniors anglais sont moins avantagés : les pensions sont moins généreuses et les femmes qui ont plus souvent travaillé à temps partiel doivent prolonger leur activité.

Lorsque les personnes âgées deviennent dépendantes, les normes de prise en charge divergent selon les pays. Dans les pays du Nord, les intervenants professionnels assurent la majorité de l'aide aux personnes âgées tandis que, dans les pays du Sud, l'aide familiale bénévole domine.

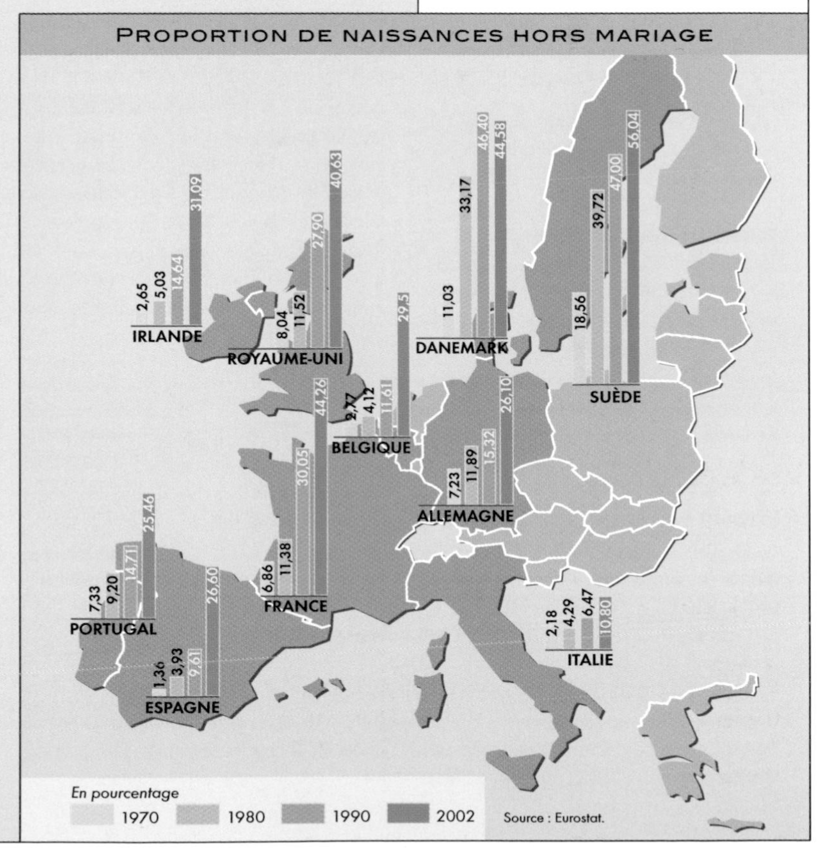

LA DIVERSITÉ FRANÇAISE DANS LA DIVER

Chaque peuple est « exceptionnel », le français pas plus que les autres. La diversité française s'inscrit dans les diversités européennes. Tantôt proche de la Grande-Bretagne et de la Scandinavie, tantôt de l'Allemagne, la France peut être, par certains aspects, fortement méditerranéenne. Les mesures prises dans chaque pays pour l'emploi et le traitement du chômage et celles concernant l'accueil des étrangers respectent des principes différents selon la culture des pays. Si les Européens partagent de plus en plus de valeurs, certains sujets les divisent qui trouvent leur origine dans l'histoire et les spécificités culturelles de chaque pays.

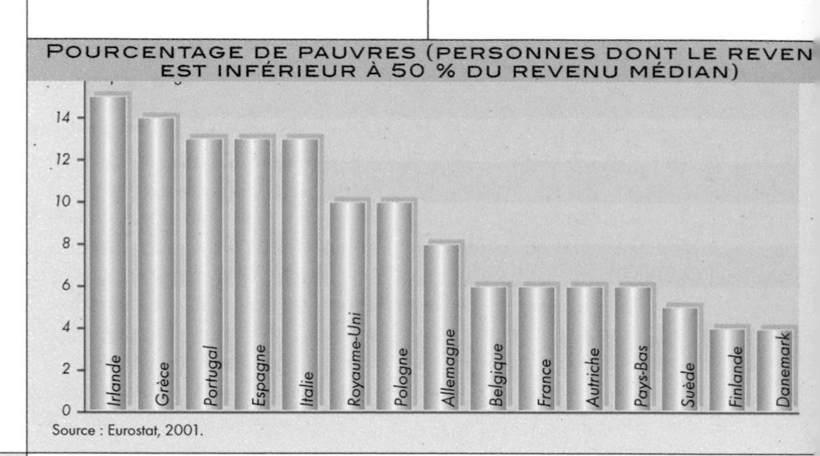

Source : Eurostat, 2001.

Le chômage en Europe

Le sociologue Serge Paugam a étudié les trois modèles de régulation du chômage en Europe.

Le modèle « public individualiste », où la société tout entière (l'État-providence) est responsable des ses pauvres ou de ses chômeurs, modèle qui prévaut dans les pays scandinaves. Le niveau de protection est élevé ; en revanche, la personne seule et pauvre aura une propension à perdre tout lien social. L'avantage de ce modèle est de réduire le nombre de pauvres à un niveau résiduel.

Le modèle « familialiste », à l'opposé, où la famille protège celui des siens chômeur ou sans ressources propres, comme elle le ferait pour un enfant handicapé. Ce modèle a l'avantage de préserver les relations sociales de l'individu au sein de sa famille. Les pays du Sud de l'Europe se rapprochent de ce modèle, qui offre de maigres ressources financières mais préserve la vie sociale.

Le modèle « à responsabilité partagée » est adopté par la France, avec l'Allemagne et le Royaume-Uni : une aide financière intermédiaire et des relations familiales mal définies entre indépendance totale et soutien ponctuel, qui peut conduire à la rupture des liens sociaux et à la disqualification sociale.

Pauvre et seul au Nord, pauvre mais en famille au Sud

Moins de 5 % de ménages sont composés d'une personne seule en Espagne ou au Portugal ; ce taux contraste fortement avec celui des pays nordiques comme le Danemark (22 %). La France se situe autour des 12 %.

Parmi les pauvres – les personnes qui vivent en dessous du seuil de pauvreté, ou les chômeurs de longue durée –, beaucoup sont isolés dans les pays du Nord. Tandis que dans le Sud, un grand nombre de personnes échappent à la pauvreté car elles vivent au sein d'une famille. En Espagne, par exemple, il est impensable qu'un enfant quitte le domicile familial s'il est dans une situation précaire.

> *« Les aspirations au loisir, à la jouissance du temps de vivre gagnent les régions médianes et septentrionales de l'Europe ; la solidarité institutionnalisée, la culture technique, l'esprit d'entreprise, la préoccupation d'efficacité se diffusent dans les pays latins.* »*

SITÉ EUROPÉENNE

La laïcité, clé de l'insertion des immigrés en France

Depuis les années 1990, les flux d'immigrés se dirigeant vers le continent européen sont supérieurs à ceux allant vers les États-Unis. L'Allemagne est le premier pays d'accueil en Europe, avec 9 % de sa population étrangère ; elle est suivie par la Grèce et la France. Dans les périodes antérieures, chaque pays assimilait les immigrés selon des principes différents : la Couronne britannique reconnaissait la citoyenneté aux anciens sujets du Commonwealth ; les Pays-Bas avaient une longue tradition d'accueil et de respect des différences religieuses ; la France a institué le droit du sol ; l'Allemagne accueillait tous les Germains mais pas les autres origines ethniques...

La France a une longue histoire d'intégration réussie grâce à l'école, d'abord des enfants polonais, espagnols, arméniens et italiens, puis des enfants maghrébins qui, à conditions sociales égales, réussissent aussi bien que leurs camarades français. Les débats sur le port du voile à l'école ont surpris les autres pays européens qui règlent ce problème au sein de l'établissement scolaire. Alors que les autres pays ont une attitude de reconnaissance des cultes, la France défend sa laïcité de façon passionnée, hier envers les catholiques, aujourd'hui envers l'islam. Les autres sociétés européennes sont profondément sécularisées, mais afficher son identité religieuse est moins incongru qu'en France.

Une politique commune d'immigration ?

Aujourd'hui, contrairement à hier, dans toute l'Europe, l'immigration n'a souvent plus aucun lien historique avec le pays d'accueil. Les immigrés sont d'origines diverses et les projets sont variés : regroupements familiaux, emplois saisonniers, demandes d'asile, étudiants, clandestins, etc.

DES ATTITUDES DIVERSES. Il n'existe pas encore de politique commune d'immigration en Europe ; chaque pays oscille entre des admissions sélectives, une répression des entrées illégales ou une régularisation *a posteriori*, tentant de concilier les besoins démographiques et ceux de main-d'œuvre, tout en contrôlant les immigrations de transit qui favorisent l'immigration irrégulière et le travail clandestin.

DES MÉTHODES DIFFÉRENTES. Plusieurs méthodes sont utilisées ou envisagées : les accords bilatéraux, entre par exemple le Portugal et l'Ukraine pour des emplois dans le bâtiment ou entre l'Allemagne et la Croatie pour les infirmières ; les quotas utilisés par l'Espagne et l'Italie ; ou le permis à points pour les emplois qualifiés comme au Canada. Le modèle anglais a réuni les quotas pour les non-qualifiés et les points pour les migrants qualifiés, système qui connaît un franc succès. La France n'a pas encore franchement tranché. Elle attire aujourd'hui beaucoup d'étudiants étrangers qui sont prêts, une fois leurs études terminées, à faire jouer la concurrence entre pays.

LES ÉTRANGERS DANS LES PAYS D'EUROPE EN 2002

Source : Insee, *Les immigrés*, Coll. Références, 2005.

LA CROISSANCE DÉMOGRAPHIQUE DE L'EUROPE REPOSE SUR L'IMMIGRATION
Tous les pays européens sont concernés par l'immigration, en premier lieu pour le renouvellement de leur population.

Valeurs communes et valeurs contrastées

L'univers idéologique et moral commun aux Européens occidentaux est fondé sur le christianisme et la Déclaration des droits de l'homme. Sur cette base commune, des contrastes sont nets entre les Européens du Nord et ceux du Sud. La France a une position charnière, son système de valeurs étant issu à la fois des pays méditerranéens de vieille tradition catholique et des pays protestants du Nord.

Les Français valorisent les hiérarchies sociales (comme elles sont valorisées dans l'Église), le management plutôt autoritaire des entreprises et des administrations, l'État central qui doit résoudre les problèmes, la culture bureaucratique, une participation protestataire forte et une faible participation électorale et syndicale, une confiance limitée en autrui et un pessimisme sociétal chronique, valeurs qui caractérisent plutôt les Européens du Sud.

C'est en France que l'opinion selon laquelle le gouvernement doit assurer un revenu minimal aux personnes qui ne travaillent pas et n'ont pas de revenus est la plus partagée (79 %). En revanche, la société française est la plus sécularisée d'Europe (avec les Pays-Bas, la Suède et l'Angleterre) ; mais elle a créé un modèle laïque de valeurs sociales : l'homme, éclairé, raisonnable et sociable, libéré de l'emprise de sa religion, doit être solidaire, il doit être un humaniste. Valeur qui le rapproche des pays protestants du nord de l'Europe, avec celle de l'attachement à la liberté privée.

Le peuple français est l'un des peuples les plus à la pointe du libéralisme des mœurs (avec les Pays-Bas) ; il est bien plus permissif que le peuple irlandais et danois. En témoignent les résultats des enquêtes sur la permissivité et la tolérance à l'égard de certains comportements comme l'homosexualité, l'avortement, le suicide, le divorce ou l'euthanasie.

L'évolution récente en matière de valeurs en Europe est la tendance commune à plus d'ouverture et de respect des valeurs des autres, ce qui s'explique en grande partie par l'élévation du niveau d'éducation.

LES FRANÇAIS LES PLUS SOLIDAIRES ET LES PLUS PERMISSIFS

DITES-MOI SI LA PHRASE SUIVANTE CORRESPOND OU PAS À CE QUE VOUS PENSEZ : Il est normal que l'État donne un revenu minimum à ceux qui n'ont pas de travail

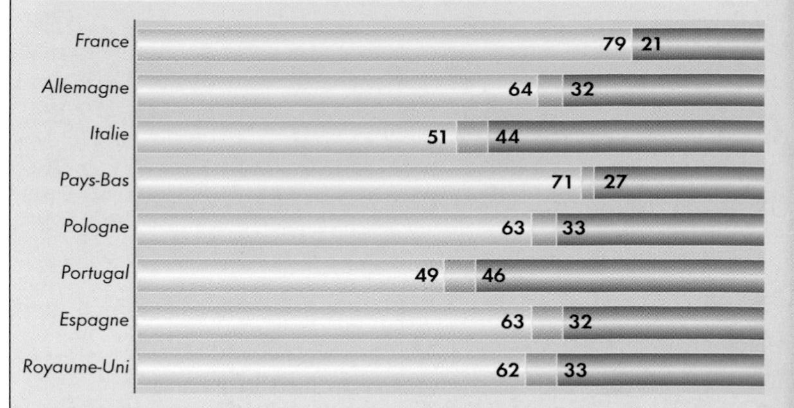

DITES-MOI SI LA PHRASE SUIVANTE CORRESPOND OU PAS À CE QUE VOUS PENSEZ : L'homosexualité est une manière acceptable de vivre sa sexualité

DITES-MOI SI LA PHRASE SUIVANTE CORRESPOND OU PAS À CE QUE VOUS PENSEZ : Si une femme ne désire pas d'enfant, elle doit pouvoir avorter

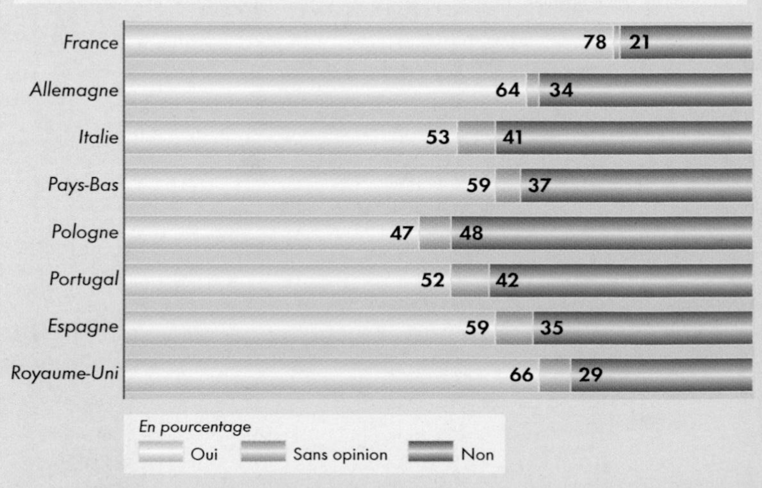

Source : Sondage TNS-Sofres pour EURO-RSCG, avril 2003.

ANNEXES

LES FRANÇAIS PARMI LES AUTRES

	ANNÉE	FRANCE	UE (25)	ÉTATS-UNIS	MONDE
DÉMOGRAPHIE					
Population (en millions)	2005	62,7	461,1	296,5	6 477
Densité (hab/km)	2005	110	115	31	48
Croissance de la population	2003	0,5	0,3	0,8	1,2
Indice synthétique de fécondité (enfants/femme)	2005	1,9	1,5	2	2,7
Espérance de vie à la naissance (années)	2005	80	78	77	67
Population urbaine (en %)	2004	75	78	79	48
SANTÉ					
Mortalité infantile (décès avant 1 an/1000 naissances)	2005	4	5	7	55
Fumeurs réguliers (en % des plus de 15 ans)	2000	27	28,2	23,4	
Consommation annuelle d'alcool	2000	13,3	11,1		
ÉCONOMIE					
PIB par habitant (en $)	2004	30 090	27 630	41 400	6 280
Exportation de biens et services, en % du PIB	2002-2003	25,8	33,2	9,7	23,9
Importation de biens et services, en % du PIB	2002-2003	24,6	31,3	13,7	23,7
Taux de croissance	2004	2,3	2,04	4,4	4,08
Taux d'inflation	2004	2,3	2,1	2,7	
MARCHÉ DU TRAVAIL					
Taux de chômage	2004	9,7	9,0	5,5	
Taux d'activité féminine	2004	63,7	62	69,2	
Temps de travail par semaine	2004	40,7	41,9	-	
Taux de syndicalisation	2000	9,7	35,7 *	12,8	
ÉDUCATION • CULTURE					
Étudiants de niveau supérieur (en % de tous les élèves et étudiants)	2003	14,8	16,2	22,8	
Durée d'études moyenne au cours de la vie (années)	2000-2002	15	16	16	
Cinéma : fréquentation annuelle par habitant	1999	2,63	-	5,2	
Presse quotidienne : nombre de titres	2000	84	*(moy. 52,88)*	1476	
Nombre de livres publiés	1999	39 083	*(moy. 23 454)*	68 175	
FAMILLE					
Taux brut de nuptialité	2003	4,6	4,8	7,8	
Indicateur conjoncturel de divortialité (nombre de divorces pour 100 mariages)	2002	45,7	40,5	50	
Âge moyen au premier mariage	2000	31	28	27,5	
SOCIÉTÉ					
Taux de risque de pauvreté après transferts sociaux **	2004	14	16	-	
Participation électorale (en % d'inscrits à la dernière élection nationale)	2003	64,4	min. 46,3 max. 95,4 (Malte)	50,7	
Femmes au gouvernement (% de postes de ministres occupés par des femmes)	2002	21	19	-	-
SOCIÉTE DE L'INFORMATION					
Abonnés téléphones fixes et mobiles (pour 1 000 personnes)	2003	1 261,9	1 385,8	1 164,3	405,7
Ordinateurs personnels (pour 1 000 personnes)	2002	347,1	317,2	658,9	100,8
Utilisateurs d'Internet (pour 1 000 personnes)	2004	413,7	458,4	622,8	138,8
Niveau d'accès à Internet (% des ménages ayant un accès Internet à domicile)	2004	34	42		

SOURCES : *Population et sociétés* n° 414, juillet 2005 • World Development Indicators • ONU • Unesco • OCDE • Eurostat

* Statistiques pour seulement 19 pays de l'Union.

** Seuil : 60 % du revenu équivalent médian après transferts sociaux.

Bibliographie

Le puzzle des classes moyennes (p. 8-23)

Bosvieux Jean, « Accession à la propriété : des acquéreurs plus nombreux mais prudents », *Économie et statistique*, 2005, n° 381-382.

Dares, « Vingt ans de métiers : l'évolution des emplois de 1982 à 2002 », *Premières Informations*, octobre 2004, n° 43-2.

Dargent Claude, « Les classes moyennes ont-elles une conscience ? » *in* « Portrait social des classes moyennes », *Informations sociales*, 2003, n° 106.

Duru-Bellat Marie, « Les classes moyennes et l'école : une insaisissable spécificité », *in* « Portrait social des classes moyennes », *Informations sociales*, 2003, n° 106.

Forse Michel, « Diminution de la conscience de classe » *in* Louis Dirn, *La Société française en tendances 1975-1995*, Paris, PUF, 1998.

Hourriez Jean-Michel, « Des ménages modestes aux ménages aisés : des sources de revenus différentes », *Insee-Première*, n° 916, août 2003.

Legendre Nadine, « Évolution des niveaux de vie entre 1996 et 2001 », *Insee-première*, janvier 2004, n° 947.

Mendras Henri, *La Seconde Révolution française 1965-1984*, Paris, Gallimard, coll. « Folio », 1994, p. 57-95.

Maurin Éric, « Un destin social incertain et métissé », *in* « Portrait social des classes moyennes », *Informations sociales*, 2003, n° 106.

Mayer Nonna, « Le vote des classes moyennes », *in* « Portrait social des classes moyennes », *Informations sociales*, 2003, n° 106.

Michelat Guy, Simon Michel, « 1981-1995 : changements de société, changements d'opinions », *Sofres, L'État de l'opinion 1996*, Paris, Seuil, 1996.

Oberti Marco, Preteceille Edmond, « Les classes moyennes et la ségrégation urbaine », *Éducations et sociétés*, février 2004, n° 14, p. 135-153.

Richard Benoît, « Niveaux de vie : vérités et idées reçues », *Sciences humaines*, septembre-octobre 2005, n° 50.

Rougerie Catherine, « Évolution des inégalités de patrimoine chez les salariés entre 1986 et 2000 », *in* Insee, *Données sociales*, 2002.

Ruhlmann Jean, *Ni bourgeois, ni prolétaires : la défense des classes moyennes en France au XX*e *siècle*, Paris, Le Seuil, 2001.

LES STRUCTURES DE LA SOCIÉTÉ

Les Français et leur territoire (p. 26-33)

Cicille Patricia, Rozenblat Céline, *Les Villes européennes, analyse comparative*, Paris, La Documentation française (Datar), 2003.
« Décentralisation, État et territoire », *Cahiers français*, janvier-février 2004, n° 318.
« Décentralisation et expérimentations locales », *Problèmes économiques et sociaux*, décembre 2003, n° 895.

Guilluy Christophe, Noyé Christophe, *Atlas des nouvelles fractures sociales en France*, Paris, Autrement, 2004.

Insee, *La France et ses régions*, 2002.
« Les bassins de vie au cœur de la vie des bourgs et des petites villes », *Insee-première*, avril 2004, n° 953.
« Les bassins de vie des bourgs et des petites villes : une économie résidentielle et souvent industrielle », *Insee-première*, avril 2004, n° 954.
« Les grandes villes françaises étendent leur influence », *Insee-première*, avril 2001, n° 766.
« Les migrations en France entre 1990 et 1999 », *Insee-première*, février 2001, n° 758.
« Les régions françaises dans l'Union européenne », *Insee-première*, octobre 2001, n° 810.

Démographie (p. 34-43)

Boisson Marine, Verjus Anne, « La parentalité, une action de citoyenneté. Une synthèse des travaux récents sur le lien familial et la fonction parentale (1993-2004) », CNAF, novembre 2004, *Dossier d'études* n° 62.

Bourdelais Patrice, « Famille, je vous aime encore... », *L'Histoire*, octobre 2004, n° 291.

Chauffaut Delphine, « Les relations entre générations : de la contrainte au plaisir ? », *Consommation et modes de vie* (Credoc), mai 2003, n° 164.

Duboys Fresney Laurence, Mendras Henri, *Français comme vous avez changé*, Paris, Tallandier, 2004.

Héran François, « Cinq idées reçues sur l'immigration », *Population et sociétés*, Ined, n° 397, janvier 2004.

Insee, « Enquêtes annuelles de recensement : premiers résultats de la collecte 2004 », *Insee-première*, n° 1001, janvier 2005.
« La famille, pilier des identités », *Insee-première*, n° 937, décembre 2003.
« La fécondité en France au cours du xxe siècle », *Insee-première*, décembre 2002, n° 873.
« La situation démographique en 2002 , *Insee-résultats*, société n° 34.

Journet Nicolas, « Les cinq leçons de parenté de Maurice Godelier », *Sciences humaines*, janvier 2005.

Prioux France, « L'évolution démographique récente en France », *Population* (Ined), 2003, n° 4-5.

Sardon Jean-Paul, « Évolution démographique récente des pays développés », *Population* (Ined), 2004, n° 2.

Toulemon Laurent, « La fécondité des immigrées : nouvelles données, nouvelle approche », *Population et sociétés* (Ined), avril 2004, n° 400.

L'économie française (p. 44-55)

Dupont Gaël, « Analyse macro-économique », *L'Économie française 2004-2005*, Paris, La Découverte, coll. « Repères », 2004.

Heyer Éric, « La structure du chômage : une répartition très inégale ? », *Cahiers français*, 2006, n° 330.

Heyer Éric, Timbeau Xavier, « L'économie française depuis un demi-siècle », *L'Économie française 2004-2005*, Paris, La Découverte, coll. Repères, 2004.

Marseille Jacques, « Le bel âge de l'industrie », *L'Histoire*, octobre 2004, n° 291.

BIBLIOGRAPHIE

OFCE, *L'économie française 2006*, Paris, La Découverte, coll. « Repères », 2005.

La consommation (p. 56-61)

COLCOMBET Louise, « Chacun chez soi dans notre chez nous », *Libération*, 17 mars 2005.

FOUQUIER Éric, « Un surconsommateur de produits authentiques », *Bulletin de l'Ilec*, mai 2004, n° 353.

ILEC, « Commerce électronique : l'Edorado », *Bulletin de l'Ilec*, juillet-août 2004, n° 355.

LES FRANCAIS ET LEURS INSTITUTIONS

L'État et les institutions publiques (p. 64-65)

DUBET François, *Le Déclin de l'institution*, Paris, Le Seuil, 2002.

INSEE, « Tirés par les dépenses de santé, les comptes sociaux subissent aussi le ralentissement de la croissance », *Portrait social* 2004-2005.

ROSANVALLON Pierre, « Un pays de fonctionnaires ? », *L'Histoire*, octobre 2004, n° 291.

Religion et cultes (p.66-69)

DIBIE Pascal, « Une autre culture chrétienne est en train de naître », entretien dans *La Croix*, 25 février 2005.

Une armée postnationale (p.70-71)

BOENE Bernard, « La professionnalisation des armées : contexte et raisons, impact fonctionnel et sociopolitique », *Revue française de sociologie*, octobre-décembre 2003, 44-4.

PORTERET Vincent, « À la recherche du nouveau visage des armées et des militaires ; les études du C2SD », *Revue française de sociologie*, octobre-décembre 2003, 44-4.

Une justice encombrée (p. 72-73)

TRUCHE Pierre (dir.), *Justice et institutions judiciaires*, La Documentation française, 2001 (Les Notices).

La santé malade de ses coûts (p. 74-77)

CORNILLEAU Gérard, HAGNERÉ Cyrille, VENTALOU Bruno, « Soins de court terme et traitement à long terme », *Revue de l'OFCE*, octobre 2004, n° 91.

MARCHAND Gilles (dir.), « La santé, un enjeu de société », *Sciences humaines*, 2005, hors série n° 48.

TRONQUOY Philippe (dir.), « La santé », *Cahiers français*, mars 2005, n° 324.

L'école de masse (p. 78-81)

CÉREQ, « Quand l'école est finie. Enquête génération 2001 », *Bref*, décembre 2004, n° 214.

HUSSENET André, « L'école aujourd'hui en France », *Regards sur l'actualité*, avril 2005, n° 310.

PERETTI Claudine (dir.), *Dix-huit questions sur le système éducatif*, Paris, La Documentation française, 2004.

Militantisme syndical et politique en panne (p. 82-84)

ANDOLFATTO Dominique (dir.), *Les syndicats en France*, Paris, La Documentation française, 2004.

Les Français désenchantés de la politique (p. 85-89)

INSEE, « 12 millions de bénévoles », *Insee-première*, février 2004, n° 946.

MARCEL Stéphane, WITKOWSKI Didier, « Il faut sauver le clivage droite-gauche », in Tns-Sofres, *L'État de l'opinion 2003*, Le Seuil, 2003.

ROSANVALLON Pierre, « Le mythe du citoyen passif », *Le Monde*, 20-21 juin 2004.

TEINTURIER Brice, « Les Français et la politique : entre désenchantement et colère », *in* Tns-Sofres, *L'État de l'opinion* 2004, Le Seuil, 2004.

LES GROUPES DANS LA SOCIÉTÉ

Les Français au travail (p. 92-99)

BAUDELOT Christian *et al.*, *Travailler pour être heureux ?*, Paris, Fayard, 2003.

CHARPIN Jean-Michel, « 40 ans d'évolution des modes de vie des Français », *in TNS Sofres 1963-2003*.

CHENU Alain, « Les employés », *Insee-première*, août 1996, n° 477.

CHENU Alain, HERPIN Nicolas, « Une pause dans la marche vers la civilisation des loisirs ? », *Économie et statistique*, 2002, n° 352-353.

DAUCE Pierre, « Agriculture et monde agricole », *Notes et études documentaires*, 1er septembre 2003, n° 5176.

INSEE, « Enquête sur l'emploi 2003 », *Insee-première*, avril 2004, n° 958.

« Les cadres d'entreprises, vers de nouveaux profils professionnels », *La Lettre du GIPMIS*, décembre 2002, n° 15.

« Les idées reçues du social au banc d'essai », *Liaisons sociales*, février 2005.

PARODI Maxime, « Les transformations des conditions de travail des ouvriers », *Revue de l'OFCE*, janvier 2004, n° 88. « L'ouvrière n'est pas la femme de l'ouvrier », *Revue de l'OFCE*, juillet 2004, n° 90.

ROUAULT Dominique, « Les revenus des indépendants et dirigeants : la valorisation du bagage personnel », *Économie et statistique*, 2001, n° 348.

Les âges de la vie (p. 100-106)

BOURDELAIS Patrice (dir.), « Les nouveaux retraités », *Problèmes économiques et sociaux*, 10 novembre 2000, n° 847.

DECHAUX Jean-Hugues, HERPIN Nicolas, « Entraide familiale, indépendance économique et sociabilité », *Économie et statistique*, 2004, n° 373.

GALLAND Olivier, « L'évolution des valeurs des Français s'explique-t-elle par le renouvellement des générations », *in* P. Bréchon, *Les Valeurs des Français, évolutions de 1980 à 2000*, Paris, Armand Colin, 2000.

Inégalités sociales (p. 107-129)

ARRONDEL Luc, MASSON André, *Le patrimoine et ses logiques d'accumulation*, Delta-CNRS, 2003, n° 2003-26.

AVENEL Cyprien, DE SINGLY François (dir.), *Sociologie des quartiers sensibles*, Paris, Armand Colin, 2004.

BLANC-CHALEARD Marie-Claude, « La nation a pris des couleurs », *L'Histoire*, octobre 2004, n° 291.

BRINBAUM Yaël , KIEFFER Annick, « D'une génération à l'autre, les aspirations éducatives des familles immigrées : ambition et persévérance », Éducation et formation (ministère de l'Éducation nationale), octobre 2005, n° 72.

BROUARD Sylvain, TIBERJ Vincent, *Français comme les autres ?*, Paris, Presses de Sciences Po, 2006.

CERC, *La Sécurité de l'emploi*, La Documentation française, 2005, rapport n° 5.

CNAF, « La paternité aujourd'hui », *Recherche et prévisions*, juin 2004, n° 76.

DAMON Julien (dir.), « Quartiers sensibles et cohésion sociale », *Problèmes économiques et sociaux* (La Documentation française), novembre 2004, n° 906.

DEP, ministère de l'Éducation, « Les étudiants étrangers en France », *Note d'information*, 23 septembre 2004.

DEP, ministère de l'Éducation, « Mobilité internationale des étudiants », *Note d'information*, n° 05-01.

FITOUSSI Jean-Paul, LAURENT Eloi, Maurice Joël, *Ségrégation urbaine et intégration sociale*, La Documentation française (Conseil d'analyse économique), 2004.

INSEE, *Les Immigrés en France*, Paris, Insee (coll. « Références »), 2005. « Patrimoine des ménages début 2004 », *Insee-première*, septembre 2004, n° 985. « Revenus et patrimoine des ménages », *Synthèses*, 2002-2003, n° 65.

LEFRANC Arnaud, PISTOLESI Nicolas, TRANNOY Alain, « Le revenu selon l'origine sociale », *Économie et statistiq ue*, 2004, n° 371.

LÉVY-LANG André, « Le chassé-croisé des riches », *Le Figaro Entreprises*, 6 septembre 2004.

MALINGRE Virginie, « Les femmes diplômées placent la réussite professionnelle en tête de leurs ambition », *Le Monde*, 12 février 2005.

MILEWSKI Françoise (dir.), *Les Inégalités entre les femmes et les hommes : les facteurs de précarité*, Rapport de mission remis à Mme Ameline, ministre de la Parité, le 3 mars 2005.

OBSERVATOIRE NATIONAL DE LA PAUVRETÉ ET DE L'EXCLUSION SOCIALE, *Rapport 2003-2004*, La Documentation française, 2004.

ONZUS (Délégation interministérielle à la ville), *Rapport 2004* et *Rapport 2005*, 2005 et 2006.

RIGAUDIAT Jacques, « À propos d'un fait social majeur : la montée des précarités et des insécurités sociales et économiques, *Droit social*, mars 2005, n° 3.

SINEAU Mariette, « Le 21 avril 2002, les femmes n'ont pas qualifié M. Le Pen », *Le Monde*, 29 avril 2005.

WIEVIORKA Michel *et al.*, *La Tentation antisémite : haine des juifs dans la France d'aujourd'hui*, Paris, Robert Laffont, 2005.

Mal-être et violence (p. 130-135)

AVENEL Cyprien, DE SINGLY François (dir.), *Sociologie des quartiers sensibles*, Paris, Armand Colin, 2004.

BAUDELOT Christian, ESTABLET Roger, *Suicide. L'envers de notre monde*, Paris, Le Seuil, 2006.

BENKIMOUN Paul, « Des toxicomanes toujours plus jeunes et précarisés », *Le Monde*, 6 novembre 2004.

CASTEL Robert, *L'insécurité sociale. Qu'est-ce qu'être protégé ?*, Paris, Le Seuil et République des idées, 2003.

JAUFFRET-ROUSTIDE Marie (dir), « Les drogues : approche sociologique, économique et politique », *Les Études de la Documentation française*, 2004.

OBSERVATOIRE FRANÇAIS DES DROGUES ET DES TOXICOMANIES, « Les adultes et les drogues en France : niveau d'usage et évolutions récentes », *Tendances*, juin 2003, n° 30 ; et voir aussi OFDT, « Données essentielles ».

TRONQUOY Philippe (dir.), « État, société et délinquance », *Cahiers français*, mai-juin 2002, n° 308.

MODES DE VIE, PASSIONS ET VALEURS

Vers un mode de vie «bourgeois» (p. 138-141)

CHENU Alain, « Les usages du temps en France », *Futuribles*, avril 2003, n° 285.

INSEE, « L'évolution des temps sociaux au travers des enquêtes Emploi du temps », *Économie et statistique*, 2002, n° 352-353.

MENGER Pierre-Michel, « Travail, structure sociale et consommation culturelle. Vers un échange d'attributs », *in* DONNAT Olivier, TOLILA Paul, *Les Publics de la culture*, Paris, Presses de Sciences Po, 2003.

Loisirs et culture (p. 142-161)

BIGOT Régis, « Internet et nouvelles technologies. Les ados pris dans la Toile », *Consommation et modes de vie* (Crédoc), janvier 2004, n° 172.

CUSSET Pierre-Yves, « Individualisme et lien social », *Problèmes politiques et sociaux*, avril 2005, n° 911.

DEFRANCE Jacques, *Sociologie du sport*, Paris, La Découverte, coll. « Repères », 2003.

DONNAT Olivier, « La féminisation des pratiques culturelles », *Développement culturel*, mai 2005, n° 147.

DONNAT Olivier (dir.), *Regards croisés sur les pratiques culturelles*, Paris, La Documentation française, 2003.

DONNAT Olivier, TOLILA Paul (dir.), *Le(s) Public(s) de la culture*, Paris, Presses de Sciences Po, 2003.

GAIGNIER Catherine, HEBEL Pascal, « La santé de plus en plus prégnante dans l'alimentation des Français »,

BIBLIOGRAPHIE

Consommation et modes de vie (Crédoc), septembre 2005, n° 186.

IPSOS, Sondage Ipsos-Sony, mai 2003.

LARMET Gwenaël, « La sociabilité alimentaire s'accroît », *Économie et statistique*, 2002, n° 352-353.

LEHUÈDE Franck, LOISEL Jean-Pierre, « Inviter chez soi, la convivialité grignote le décorum », *Consommation et modes de vie* (Crédoc), n° 173, février 2004.

MINISTÈRE DE LA JEUNESSE ET DES SPORTS, « Le sport et les femmes », *Stat-info, bulletin de statistiques et d'études*, octobre 2001, n° 01-03.

MULLER Lara, Participation culturelle et sportive-Tableaux issus de l'enquête PCV de mai 2003, mars 2005, n° F0501 (document de travail Insee).

NAIL Sylvie, *in* BRUNON Hervé, *Le Jardin, notre double*, Paris, Autrement, 1999.

OTAR Nathalie, *Résidents secondaires et sociabilité à Châteauneuf-d'Entraunes, Alpes-Maritimes*, université Paris X-Nanterre, 1992 (mémoire de maîtrise).

PASQUIER Dominique, *Cultures lycéennes, la tyrannie de la majorité*, Paris, Autrement, 2005.

PERROT Martyne, DE LA SOUDIÈRE Martin, « Résidence secondaire : un nouveau mode d'habiter la campagne ? », *Ruralia* (en ligne), janvier 2003.

POULAIN Jean-Pierre, *Sociologies de l'alimentation*, Paris, PUF, 2002.

ROUQUETTE Céline, « Dix ans de vacances des Français », Insee, *Portrait social 2002-2003*.

TAVAN Chloé, « Les pratiques culturelles : le rôle des habitudes prises dans l'enfance », *Insee-première*, février 2003, n° 883.

« Transmettre une passion culturelle », *Développement culturel*, février 2004, n° 143.

TRONQUOY Philippe (dir.), « Sport et société », *Cahiers français*, juin 2004, n° 320.

Quelles valeurs ? (p. 162-167)

BIGOT Régis, PIAU Claire, « Les jeunes sont aujourd'hui favorables à la mondialisation », *Consommation et modes de vie* (Crédoc), septembre 2003, n° 168.

BRÉCHON Pierre (dir.), *Les Valeurs des Français. Évolutions de 1980 à 2000*, Paris, Armand Colin, 2000.

COFREMCA, « Regard sur les jeunes françaises de 20 à 35 ans », *Communication* 58, juin 2005.

FINCHELSTEIN Gilles, « Les Français et les inégalités », *in* DUHAMEL Olivier, TEINTURIER Brice (dir.), *L'État de l'opinion 2005*, Paris, Le Seuil, 2005.

GALLAND Olivier, ROUDET Bernard (dir.), *Les valeurs des jeunes. Tendances en France depuis vingt ans*, Paris, L'Harmattan, 2001.

SPITZ Bernard, « Une mondialisation : deux France », *in* Sofres, *L'État de l'opinion*, Paris, Le Seuil, 2002.

VALADE Hélène, « Les Français, le travail et l'entreprise », *in* DUHAMEL Olivier, TEINTURIER Brice (dir.), *L'État de l'opinion 2004*, Paris, Le Seuil, 2004.
« Les préoccupations des Français : une société sous tension », *in* DUHAMEL Olivier, TEINTURIER Brice (dir.), *L'État de l'opinion 2005*, Paris, Le Seuil, 2005.

TEINTURIER Brice, « Être citoyen aujourd'hui », *in* DUHAMEL Olivier, MECHET Philippe (dir.), *L'État de l'opinion 2003*, Paris, Le Seuil, 2003.

TNS SOFRES, « Les valeurs des jeunes », sondage du 20 novembre 2003.

LES FRANCAIS PARMI LES EUROPÉENS

BRÉCHON Pierre, « Valeurs : une France entre Nord et Sud », *Sciences humaines*, sept.-oct.-nov 2004 (hors-série n° 46).

FORSE Michel, PARODI Maxime, « Les progrès du raisonnable. Une évolution des valeurs en Europe et aux USA entre 1980 et 2000 », à paraître dans *Revue française de sociologie*.

MENDRAS Henri, « Les Français en Europe », *in La France que je vois*, Paris, Autrement, 2002.

PAUGAM Serge, *Les Formes élémentaires la pauvreté*, Paris, PUF, 2005.

SCARDIGLI Victor, *L'Europe des modes de vie*, Éditions du CNRS, 1987.

TNS SOFRES, *Les Valeurs des Européens*, Enquête réalisée pour Euro-RSCG, juin 2005.

WIHTOL DE WENDEN Catherine, *L'Europe des migrations*, Paris, La Documentation française, 2002.

RÉFÉRENCES DES CITATIONS

Économie et emploi, p. 48-49
MATTHIEU LEMOINE, OFCE, *L'ÉCONOMIE FRANÇAISE*, PARIS, LA DÉCOUVERTE, 2005.

Religions et cultes, p. 68-69
PASCAL DIBIE, *LA CROIX*, 25 FÉVRIER 2005.

De l'ancienne à la « nouvelle pauvreté », p. 110-111
SECOURS CATHOLIQUE, STATISTIQUES D'ACCUEIL, 2004.

Culture, le mélange des genres, p. 146-147
P. COULANGEON, IN O. DONNAT (DIR.), *REGARDS CROISÉS SUR LES PRATIQUES CULTURELLES*, LA DOCUMENTATION FRANÇAISE, 2003.

Toujours plus de loisirs, p. 152-153
VOLTAIRE, *CANDIDE OU L'OPTIMISME*, 1759.

Une sociabilité plus élective et plus individualisée, p. 160-161
PIERRE-YVES CUSSET, *PROBLÈMES POLITIQUES ET SOCIAUX*, AVRIL 2005, N° 911.

La diversité française dans la diversité européenne, p. 172-173
VICTOR SCARDIGLI, *L'EUROPE DES MODES DE VIE*, ÉDITIONS DU CNRS, 1987

SITES WEB

RAPPORTS PUBLICS CONCERNANT DE NOMBREUX DOMAINES (parité, pauvreté, inégalités, décentralisation, etc.)
- http://www.ladocumentationfrancaise.fr/rapports-publics/064000163/index.shtml
- http://www.vie-publique.fr/politiques-publiques/
- Voir aussi les rapports du Sénat : http://www.senat.fr/

DÉMOGRAPHIE
- http://www.ined.fr/

CONDITIONS ÉCONOMIQUES ET SOCIALES • DONNÉES RÉGIONALES
- Statistiques économiques et sociales (INSEE) : http://www.insee.fr
- Économie, Observatoire français des conjonctures économiques (OFCE) : http://www.ofce.sciences-po.fr/
- Statistiques régionales Les Echos : http://www.lesechos.fr/regions/atlas/index.htm
- Statistiques sur les revenus : http://www.cerc.gouv.fr

ACTION SOCIALE • SOLIDARITÉ • LOGEMENT • SANTÉ • FAMILLE
- Cohésion sociale : http://www.cohesionsociale.gouv.fr/index.asp
- Direction de la recherche, des études, de l'évaluation et des statistiques (Drees) : http://www.sante.gouv.fr/htm/publication/ind_drees.htm
- Santé : http://www.fnors.org/ et http://www.inpes.sante.fr
- Caisse nationale d'allocations familiales (CNAF) : http://www.caf.fr/

JUSTICE • DÉLINQUANCE
- http://www.interieur.gouv.fr/rubriques/c/c3_police_nationale/c31_actualites/2006_01_9_delinquance_decembre_2005
- http://www.justice.gouv.fr/publicat/esj.htm

ÉDUCATION
- http://www.education.gouv.fr/stateval/default.htm

DONNÉES SOCIO-POLITIQUES ET ÉLECTORALES
- http://www.cdsp.sciences-po.fr

STATISTIQUES SUR L'EMPLOI ET LES QUALIFICATIONS
- Direction de l'animation, de la recherche, des études et des statistiques (Dares) : http://www.travail.gouv.fr/etudes-recherche-statistiques/etudes-recherche/publications-dares/98.html
- Centre d'études et de recherches sur les qualifications (Cereq) : http://www.cereq.fr/
- Institut de recherches économiques et sociales (IRES) : http://www.ires-fr.org/

CULTURE
- http://www.culture.gouv.fr/culture/doc/index.html

LOISIRS • TOURISME
- http://www.tourisme.gouv.fr/fr/z2/stat/chiffres/chiffres_cles.jsp

JEUNESSE • SPORT
- http://www.jeunesse-sports.gouv.fr/ministere/stats.asp

COMPARAISONS INTERNATIONALES
- Eurostat : http://epp.eurostat.cec.eu.int
- Unesco : http://www.unece.org
- Organisation de coopération et de développement économiques (OCDE) : http://www.oecd.org
- Organisation internationale du travail (OIT) : http://laborsta.ilo.org/
- Banque mondiale : http://wbln0018.worldbank.org/EXT/French.nsf/DocbyUnid/FCA23E372C13546B85256D870053BE54?Opendocument

INDEX

Les folios en italique renvoient aux cartes et infographies ; les folios en gras désignent les chapitres.

INDEX